読んだ、知った、考えた

2016〜2022

Kawatani Fumio

河谷史夫

弦書房

装丁・カバー写真＝毛利一枝
編集協力＝小川哲生

目次

Ⅰ　人の章……5

Ⅱ　人生の章……55

Ⅲ　政治の章……109

注
・見出しの下にある（2021.6）などの数字は雑誌『選択』に掲載された年月を示す。
・本文中、敬称はすべて略した。

Ⅰ 人の章

原節子の長い晩年

（2016.1）

晩秋初冬、東劇の「松竹百二十周年祭」でデジタル修復版の一挙上映があり、小津安二郎の幾つかも掛かるというので通った。十一月二十五日、『東京物語』を観た。その夜、原節子が九月に九十五歳で世を去っていたことを知った。

「いいえ、わたくし、そんな、おっしゃるほどのいい人間じゃありません」と舅の笠智衆に言い、「いやァ、そんなこたァない」と返されると、「いいえ、そうなんです。わたくしずるいんです。お父さまやお母さまが思っていらっしゃるほど、そういつもいつも昌二さんのことばかり考えてるわけじゃありません」と、激しい調子で、これまで言えないでいたことを口にする「紀子」の原節子がよみがえってきた。

このシーンを脚本にするときの小津と野田高梧のやりとりを想像して、高橋治が『絢爛たる影絵』に書いている。

「野田さん、この女は要するにもう一人寝は出来なくなりかけてるんですよ。夜中にふと眼をさまして……」以下、かなり生々しい表現を連ねたうえで、高橋は「恐らく女の性がこれほど美しく映画で語られた例は稀だろう」と脚本家に敬意を表し、それから「類ない優しさの裏で、いつ奔馬のように走り出すかも知れない欲望の手綱を辛くも押えている女を、原は小津の期待通りに演じて見せた」と、女優の演技を称賛したのであった。

小津安二郎の妹のハマさんを思い出す。無知な新聞記者が知ったかぶりに書いたりすると、事実については誤りを見逃さず指摘したが「解釈、批判はその方の自由です」と言う人だった。ただし高橋の「解釈」のことを聞いたときは、きっと面を上げ、ピシャリと「そんなことはありません」の一言であった。

小津はむろん、笠智衆も小津ハマも高橋治もこちらにはいない。遅れて向かった原を迎えに出ているだろうか。

原節子の死を多くの人が悼んだ。『東京物語』で原の義妹だった香川京子は「原さんに憧れて女優になった」と明かし、役の個性をとらえて、自然に演技をする原に「存在感の大きさを感じた」と言う。『東京暮色』の妹で共演した有馬稲子は「天性の映画女優」と称え、「お年を召し、品のいいお母さん役を演じられる姿も見たかった」と惜しんだ。

日本映画史を語るとき、他の誰を挙げるにせよ、この「天性の映画女優」の名を落とすことはできまい。それほどの存在感であるが、そもそもは好きで入った道でなく、生家が没落して、経済的な理由で入ったあともいやいやながら続けたとあるから、人生というものは分からない。

これも落とせない高峰秀子もまた、女優業が好きでなかった。親族を養うために、いやいや映画の仕事に従ったことで、原と高峰は相似ている。しかし「天才子役」以来、達者な芸で知られた高峰と違い、原は「大根」と言われた。

戦争が終わって、原の話題作が連続する。黒澤明『わが青春に悔なし』、吉村公三郎『安城家の舞踏会』、今井正『青い山脈』と、立て続けに起用され、注目を集めるのだが、監督たちの評価には厳しいものがあった。

「原君の演技はまだ素人っぽく、俳優としての性根ができていない」（黒澤）▽「仕事をしていてもなにかお互いにしっくりこない」（吉村）▽「与えられた役の人物に完全になりきっていない」（今井）――といった具合である。

そして小津安二郎との運命的な出会いが来る。『晩春』『麦秋』『東京物語』と、一九四九年から一年おきに公開された「紀子三部作」は小津と原の頂点をつくった。映画は輝きにあふれ、そのなかで原節子はまぶしいほどに美しい。

「私だけ輝いていたのではございません。あのころは、皆さん、光り輝いていらしたのです」と原は言ったというが、紛れもなく映画全盛期の代表選手は小津と原であった。

『麦秋』のとき、小津は原のことを聞かれて、「原さんのように理解が深くてうまい女優はめずらしい。芸の幅ということからすれば狭い。しかし原さんは原さんの役柄があって、そこで深い演技を示すといった人なのだ」と褒め、「『原節子は大根だ』と評するに至っては、むしろ監督が大根に気づかぬ自分の不明を露呈するようなものだ」と原批判を一蹴した。小津は「お世辞ぬきにして、日本の映画女優としては最高だと私は思っている」と言うのである。

「小津さんならギャラが半分でも出たい」と原が言ったとの話は有名だが、監督と女優という関係において、比類なき一対であった。

『秋日和』の最後、一人娘を嫁がせた原は寂寞に耐えて背中で泣く。そして二年後、銀幕から消えた。四十二歳だった。

その後、小津と野田の通夜に姿を見せたほかは公の場に全く現れず、マスコミの取材を受けることも一切なかった。

「私はもう原節子という名前を捨てて、いまは本名の会田昌江で暮らしております」

原は自分を「生まれつき欲が少ない性格」と言っていた。「ですから損得でものをしゃべったり、行動したりしたことはございません。自分を卑しくすると、あとでさびしくなるのでそういうことは一切しないようにしています」

人間修行の目的を問われて、「あとを残さんこと」と答えた高僧がいた。思えば僧門に入ったかのような、原節子の長い晩年であった。

●『絢爛たる影絵――小津安二郎』(高橋治著、文藝春秋、一九八二年)▽『原節子――あるがままに生きて』(貴田庄著、朝日文庫、二〇一〇年)

女がお墓に入るとき

おまえ百まで、わしゃ九十九まで、などというけれど、毎日新聞一月三日付の記事によると、妻の四人に一人は夫と同じ墓に入りたくないらしい。この世で共に白髪になるだけでいい加減うんざりしているというのに、死んだ後まで一緒はいやなのであろう。

夫のほうにも忌避派がいるが、そう回答した率ははるかに低く、十人に一人だ。この落差は、定年後の暮らし方を聞かれて、亭主は行動を共にしたいと望んでも、女房はそれをうるさがるのに似ている。

「女性のための共同墓」が紹介されていた。未婚者や夫と離別、死別した女性九百人が会員で、契約しておくと、死ねばそこに葬ってくれる。「最後に眠る場所があるという安心があれば、生きている間が楽しくなる」と言い、年に一度集まって、同じ墓に入る者同士が誼《よしみ》を通じる。これを「墓友」と称するそうである。濁って読んではいけない。

墓となると、小津安二郎の墓が有名だ。鎌倉は円覚寺にあって「無」と一文字刻まれている。毎年十二月十二日の命日の朝まだき、赤い薔薇の花が供えられている。あれは原節子がひそかに詣でているのだという「伝説」があった。

松竹の監督で小津に親炙《しんしゃ》し、小津研究の基本文献である『小津安二郎・人と仕事』と『小津安

（2016.2）

二郎全集』を編んだ「蛮」こと井上和男が言ったのが発端だった。そいつを聞いて「日刊スポーツ」の映画記者で『巨匠たちの伝説』を書いた石坂昌三がある年、未明から潜んで待った。だが原節子は現れなかったと石坂は残念そうに言っていた。その石坂も井上も故人になった。

原節子も去年本当にいなくなった。暮れにたくさん綺麗な写真が雑誌に溢れたが、死に顔はどんなだったろう。長谷川町子の『いじわるばあさん』で、いつも横顔が素敵といわれていた女人にご臨終が来て、がくんと首が傾く。いつも誉められていた横顔のほうを見せてという図には笑ったが、女優というものにはまた人知れぬ苦労があるものだろう。

高峰秀子は死に顔を研究したとある。わたしは観たことがないが、一九四七年の『幸福への招待』という映画で生活苦から自殺する戦争未亡人を演じることになった。

知り合いの医師を訪ねて行って訊《き》いた。

「人間は死ぬとどんな顔になりますか」「死ねば、まず、アゴの蝶番《ちょうつがい》がゆるんで、ガクンとアゴが落ちますすね」

それではと、準備万端整えて撮影に臨んだ高峰は「自分では満足なでき」という成果を挙げるのだが、こと他人の演技となると全く満足していない。

「斬られて死んだ顔、撃たれて死んだ顔、病気で死んだ顔、老いて死んだ顔、自殺で死んだ顔、事故死、圧死、頓死など数かぎりない死に顔を、私もスクリーンで、またはブラウン管で見たけれど、百点をつけられる死に顔にはまだ一度もお目にかかったことがない。ことに女優の死に顔は、私からみるといただけない」

高峰は「クソリアリズム」を好まない。しかし「許されない不自然さ」はもっと嫌いだ。「心ある演技をするならば、死んだ演技にもまた心が入っていなければならない」と考える。「死んだからと言って安心は出来ないのだ」。

このくだりを『わたしの渡世日記』で読んだ際には、さすがに大したプロ根性だと感心したことだった。ついでながら、達意の文章、透徹した人間観、記憶の鮮明さといった点で、これは菊池寛のものと並んで双璧の半自叙伝である。

扇谷正造の勧めで一九七五年五月から一年間、『週刊朝日』に連載した。かつて『週刊朝日』の黄金時代を築いた扇谷は高峰の文才を余程見抜いていたのであろう。躊躇するのを口説きに出向いたらしい。「扇谷編集長から電話が入った」と書いているが、このことは間違い。『週刊朝日』編集長から学芸部長、論説委員を経て退社していて社友の立場だった。

天性ものおじしない性格の高峰は文人画人に気に入られた。ことに絵のモデルにもなった梅原龍三郎には「ボクの数少ない友人の一人と思っている」とまで遇された。

『私の梅原龍三郎』に志賀直哉、武者小路実篤、濱田庄司、バーナード・リーチ、それに梅原という面々の話柄が「死」に及んだ情景が書かれている。

「ヘンな病気になって、長々と苦しんで死ぬのは願いさげ、それなら元気のある内に自殺したほうがまし」「首吊りは、どうもね」「ハナを垂らすそうで見苦しいや」「鉄道自殺は?」「こまぎれの血だらけになるから他人に迷惑をかける」「三島みたいな切腹も、あと始末が大変だろう」「ガス自殺はどうかしら?」「死にそこなったら一生ヨイヨイだそうだ」「スイミンヤク　イカガデショウカ?」「ちょうどいい工合にのめればねぇ」「やはり睡眠薬がいいかな?　僕がやってみるか」「うむ、君がためして成功したらボクもやるサ」

梅原は、嫌がらせのように話題にしていた「自殺の方法」を九十の峠を越えるとしなくなった。「葬式無用。弔問供物は固辞。死者は生者を煩わすべからず」の遺書を書いて九十七歳で死去した。晩年は「会いたい友人が、いま何人いるか」と数えていたという。長生きし過ぎると、友もだんだんいなくなる。

生まれてくるのも、死んでいくのも、所詮、一人である。さはさりながら、「墓友」の墓は希望者多数で増設というはかばかしさだそうだ。

●『わたしの渡世日記』上・下（高峰秀子著、文春文庫、一九九八年）▽『私の梅原龍三郎』（同、潮出版社、一九八九年）

名物記者と名物アナ

時代がしみったれてくると、人間も小粒になるのか、これはと惹きつけられるような人物に出会うことはまれになってきた。

むかしはどこの世界にも「名物」と言われる人がいた。

どこの大学だったか、研究に没頭するあまり日清戦争だったか日露戦争だったか、全然知らなかったという教授がいたそうである。

新聞界で例えば朝日新聞の後藤基夫という記者は、政治家に食い込むことで他社の追随を許さず、「寝室組」と称された。

派閥政治横行の時世、政治記者は派閥領袖にどう密着するかを競うのだが、親疎に応じて玄関組、応接間組、お茶の間組と段階がある。やっとお茶の間組になれたと得意顔の記者の前にぬっと、後藤が寝室から現れたというのだから驚いたろう。それも記者嫌いで有名な佐藤栄作の寝室だった。

自由党結党に児玉誉士夫がカネを出した秘密を初め、政界の核心事を後藤は熟知していた。著書を残さないのを惜しんで、岩波書店の安江良介が鼎談仕掛けで知見を引き出そうとしたのが『戦後保守政治の軌跡』で、これは今もって戦後政治史の必読書である。

（2016.5）

その人間関係は多様で、佐藤と親しいかと思えば、池田勇人とは差しで呑みながら「あれはあれ？」「そう、あれだ」なんて話をしている。交遊は広く、深かった。後輩が「どうして、そんなに仲がいいんですか」と聞いたところ、ぽつりと「誰に食い込むか、大変なんだよ。必死に考えるんだよ」と答えたというのである。

今時の政治記者のように各社そろい踏みで首相と酒席を囲み、批判すべきところを批判するでもなく、ただ呑むだけで喜んでいる芸者まがいの連中とは大違いだ。とかく政治を動かそうとしたり、人事に注文をつけたりしたがる「大物」がいるけれども、そういう趣味は後藤には金輪際なかった。

日本はいかにあるべきかという見識から取材をした。知り得たうちのどれだけを記事にしたかは分からない。「書かざる大記者」といわれた。それほどに「名物」だったのである。拙著『新聞記者の流儀』（『記者風伝』を改題）は後藤ら伝説の記者たちを素描したものである。

放送界の名物と言えば、ＮＨＫの中西龍が浮かぶ。不世出のアナウンサーとして名をとどめる。「唄に思い出が寄り添い、／思い出に唄は語りかけ、／そのようにして／歳月はしずかに流れていきます。」

「赤とんぼ」の旋律が流れる「にっぽんのメロディー」を懐かしく記憶する年輩者は少なくないはずである。今は日替わりアナで真夜中の六時間近くやる「ラジオ深夜便」が人気だが、それ以前の一九七七年から九一年、毎晩九時四十五分から十分間、中西龍の独特の語りは聞く者の耳を捉えてやまなかった。

新聞や放送で一人称をどうするか。昔の新聞記者は「余」と号したが、いかにも仰々しい。

「私」とするのはくだけ過ぎる。それで雑観や解説では「記者」と称したり、コラム書きは「小欄」と言ったりする。ラジオで中西龍は自らを「当マイクロフォン」と名乗った。

「当マイクロフォンには娘はおりませんが、〈花嫁の父〉などという言葉を耳にするだけで、鼻の奥がつんとなるのを抑えることができません」という具合である。

そのアナウンサー人生を三田完が実名小説にして外題を『当マイクロフォン』という。裃着たようなＮＨＫ的枠をはみ出した中西龍の破天荒な生き方が偲ばれる。

初任地熊本に着いた時からふるっていた。足抜けさせた新橋の枕芸者を「妻」として帯同し、白絣の着流しで現れたのである。

がっちりとした顎、低音のいい声、心地よい鼻濁音。生来の素質に恵まれていたうえ、丁寧な語りかけが瞬く間に人気を得た。

「仕事が面白くてならない。自分がマイクロフォンの前で喋ると、すぐに聴取者から葉書や手紙で反響がある。嬉しいからすぐに返事を書くと、さらに熱烈なファンレターが来る」

しかし中西龍の経歴を見ると、必ずしも順調とは言えない。わずか一年と三カ月で鹿児島へ異動、その後旭川、富山、名古屋を経て六五年にやっと東京。七〇年には大阪という転々ぶりだ。鹿児島への転は「妻」絡みの騒動のせいだった。旭川行きは見合い話で放送局長の面子をつぶしたからで、鹿児島から旭川は「ＮＨＫ創立以来の最長不倒新記録」といわれた。

だがどこでも己の流儀を通した。

夏の高校野球の実況では、選手とその家族のことを語るのを主眼とし、一投一打に構うことはなかったというのだから型破りだった。

「××君。おうちは銭湯を営んでいるそうですが、小学校四年のときから風呂を沸かすための薪割りを手伝っていたという孝行息子であります。その薪割りが筋肉と体力をはぐくみ、いまでは名うての強打者。その××君がいま、三塁付近をかろやかに走っております。ホームランのようです」

選手の周辺をつぶさに取材したのである。原稿はいつも念入りに下読みをし、アクセント辞典や放送用語辞典を手離さない。努力を惜しまなかった。

伴侶を得て子どもができた。熱を出した。「あたまがいたい」と苦しげだ。「頭ガ痛い、じゃない。頭が痛い、でしょ。鼻濁音を使いなさい。さ、もう一度」などと言う夫に、妻は呆れるほかなかったという。

芝居がかった抑揚だが正統的日本語の語りに着目した上司がいた。「文五捕物絵図」の語り手に起用されて中西龍は全国区になる。

NHKのアナウンサーは「歌うな」と教育される。「淡々と正確に語れ」。しかし「こころをこめて歌う」のが中西節の骨法である。退職後もCMや「鬼平犯科帳」で中西龍は思いっ切り歌った。NHKの大阪で、新人山根基世の養育係だった。弟子にこう言ったという。「基世ちゃん、アナウンサーは決してブリキのロボットになっちゃいけません。あったかい血の通った人間でなくてはね。ジャーナリストはごますりじゃダメです。ひとりの人間として高い見識をもってなきゃあ、いけません」

●『新聞記者の流儀』（河谷史夫著、朝日文庫、二〇一二年）▽『当マイクロフォン』（三田完著、角川文庫、二〇一一年）

たいまつの火消える

（2016.10）

半世紀以上も昔、「こんな人がいたのか」という驚きとともに一冊の本を読み終えた若僧がいた。むのたけじ著『たいまつ十六年』は企画通信社刊。箱入りながら土くさい装丁で定価五百円だった。新聞に関心を持ってはいたが、まだ曖昧なままで、人生に処するに、まあどうにかなるだろうと高をくくっていた若僧は、横っ面を張り飛ばされたように思った。

著者は「どんなにささやかな仕事でも、おれはこれだという仕事に自分を打ち込みたい」と記し、「人間の生き方に美しい生き方があるとすれば、それは自分の立場をはっきりさせた生き方だ」と書いていた。若僧が人知れず、くよくよと抱えていた年齢相応の「悩み」なんぞ木っ端微塵であった。若僧が驚愕したのは、戦争に協力する記事を書いた責任を取ったという事実であった。昭和天皇も取らなかった戦争責任を自らに問うて、三十歳で職を辞した新聞記者とは一体何者なのであろう。

むのたけじは一九一五年の生まれ。三六年、東京外国語学校スペイン語部を卒業して報知新聞に入社。四〇年、朝日新聞へ転じ、四五年八月十五日に退社。四八年、秋田県横手市で週刊新聞『たいまつ』を創刊。七八年に休刊後は、講演と著作で苛烈な時代批判を続けた。八月二十一日、死去。百一歳だった。

『たいまつ十六年』は六四年の二月、版元を理論社に代えて「定本」とし、その秋には文藝春秋新社から実践の記録である『雪と足と』が出た。むのたけじの人となりはこの二冊で知れる。

若僧はむのへ手紙を書き、『たいまつ』を購読し、『たいまつ』に入りたいと思った。しかし社員採用の予定はすでになく、「行くのなら朝日新聞がいい」と言われた。

むのの退社の経緯は、簡約すればこうだ。

ポツダム宣言受諾を受け、新聞社としてどうすべきかが話し合われた席で、むのは「これじゃ戦争の原因となったものは解決されない。また戦争が始まるだろう。新聞はまた戦争協力の記事を書くことになる。社員はみなやめて、新時代の新聞人として自他ともに認められる人たちだけが、新しい新聞を作るべきだ」と主張、一人それを実行したのである。のちに「全身がカッカッ燃えていた。現在だって、あの時の無我夢中の思いで導かれているようなものだ」と回想している。

帰宅して「辞めてきた」と告げると、妻の美江は「そうですか」とだけ答えたという。思うに、駆け出しの秋田時代に得たこの伴侶なしに『たいまつ』はなかった。裂帛の気合で点火された『たいまつ』の炎は週刊から月刊へ、そして休刊を余儀なくされるが、火種を守れたのは妻のおかげだった。

「愛し合うことは、向き合って目を合わせることではありません。腕を組んで、共に同じ一点をみつめることです」

一昔前、九十歳の夫に向かって「ここらで文章のシンズイを書かないといけないのではありませんか」と言い置いて先立ったという奥さんに、今ごろ再会したろうか。

奥さんの他にむのがぜひに彼岸で会いたいだろう人が三人いる。

一人は折に触れ懐かしがった信夫韓一郎である。南方従軍特派員として半年仕えた信夫に新聞記者の真骨頂を見て、敬愛の念は生涯不変だった。信夫は威張りくさる軍部と正面切って渡り合い、部内では信賞必罰を徹底し、何より部下の真摯な仕事を丸ごと尊重した。

四二年夏、ジャカルタでの別れ。四十二歳の男と二十七歳の男は「君は俺が好きか」「好きです」「では、俺も言う。俺は君が好きだ」という言葉を交わしたとある。

戦後まで二人が会うことはない。敗戦時、信夫は福岡総局長で、むのの辞表を人づてに聞いたが、呼び戻そうとする動きを止めた。

「あいつは帰っては来ないよ」

社内改革で信夫は編集局長から経営中枢へと駆け上るが、むのは会いに行かない。「資本家側に地位をもつこの人を激励しに上京しようとは考えなかった。それが私の〈思想〉であった」のである。

信夫は何かとむのを気遣い、朝日が廃棄する活字を譲り、資金切れの急迫を知ると黙って処理し、五五年の衆院選出馬の際は「天から降ってきたものと思え」と二十万円を送った。「わが家のあしながおじさん」と称してむのは徳とした。

会いたいであろう二人目は、ベトナム戦争の最中、彗星のように現れた岡村昭彦である。「旧世代と違う道を進むことのできる青年」として惚れ込んだ。

二人で対話録『1968年——歩み出すための素材』を作ったが、当時世間で評判だった朝日連載の本多勝一によるベトナム・ルポを「権力そのもの」と岡村が批判。むのはこれを是認する。本多が再三抗議をしてきた。ところが一切無視し去って相手にせずの態度を通す。ビン・ラディンが話題のころ、「岡村が生きていたら、きっと会って来るだろう」と言った。

もう一人、認めていたのは、むのを師と仰ぎ、心酔した黒岩比佐子である。

稀に見る執着心と地道な取材力で村井弦斎や国木田独歩、堺利彦らを掘り起こした彼女を「まだまだ甘い。まだ鍛えようがあるな」と言いながら買っていた。

晩年、黒岩を相手に「辞めるべきでなかった」との感懐を漏らす。

「辞めずに朝日新聞社に残って、本当の戦争はこうでした、ということを正直に検証する記事を書き続けるべきでした」と言ったのだったが、もっとむのの真意を質して詳伝を書くはずだった黒岩は六年前、五十二歳で逝った。

むのは「戦わないという戦いのために、戦い続ける」と、百歳を超えても「反戦」の旗印を若い世代へつなごうとした。それを嗤うかのごとき今の政治状況には死んでも死に切れぬ思いだったろう。

『たいまつ十六年』にこうある。

「君は、あの戦争の本質をどうつかみ、日本の敗北をどう考え、連合国の占領政策をどう評価し、いまの日本をどう見るか？　おわった、と君は考えるか、それとも、はじまった、と考えるか？」

常に「今が発端だ」という気合で歩き続けた人であった。

●『たいまつ十六年』（企画通信社、一九六三年）▽『雪と足と』（文藝春秋新社、六四年）▽『戦争絶滅へ、人間復活へ』（岩波新書、二〇〇八年）▽『99歳一日一言』（同、二〇一三年）＝むのたけじ著

恋は理性の外である

（2017.11）

フリン、フリンと、政界も芸能界もフリン花盛りの日本には、オリンピックよりフリンピック招致こそ似つかわしかったのではないか。不倫とは「男女が、越えてはならない一線を越えて関係を持つこと」と『新明解国語辞典』第四版にあるが、越えようが越えまいが、他人の騒ぐことか。

とはいえ、明治の昔、「一夫多妻の国風」に憤慨し、これを「人倫の根本の破壊」と断じて、「蓄妾の実例」五百十例を延々連載した黒岩涙香の『萬朝報』以来、「男女風俗問題」はジャーナリズムの好餌である。今日の週刊誌がゲス芸人を槍玉にあげ、用意不周到な政治家のホテル出入りに密着する努力を惜しまぬ所以である。

銀座一丁目の小路に「卯波」という小体な店があった。名高い俳人の鈴木真砂女が五十一歳のときに始め、九十六歳で死ぬ少し前まで切り盛りしていた。もとは安房鴨川の老舗旅館の女将で、それが道ならぬ恋に落ち、家を捨て、ひとり東京へ出て開いた店だった。

暖簾をくぐると、満席のことが多かった。空いていたらカウンターの左隅を「どうぞ」と指した。そこは常連客だった俳人石田波郷が必ず座ると決まっていたので、「波郷さんの席」とされていた。

〈壺焼やいの一番の隅の客〉波郷
恐れながら腰を下ろし、壺焼を肴に呑んでいると、ふと客が途切れる。そんなとき、「これ、出したのよ」と、奥から新刊の書を持ってきて、扉に自作を一句書いて手渡してくれることがあった。

〈羅や人悲します恋をして〉と真砂女の筆跡の残る『真砂女の交遊録』に、恋の相手の「Mさんのこと」が綴られている。

「昭和十二年の十月、すでに日中戦争が始まっていたころのことである。日曜日の昼、一台の自動車がわが旅館の前に止まった」

食事をしたいと入ってきた四、五人の青年は近くに駐屯する館山海軍航空隊の若手士官と知れ、その中に彼がいた。たちどころに思い思われる関係となる。「長身で、至って無口だが、酒は強かった」

真砂女は「吉田屋」の三女で、日本橋の雑貨問屋に嫁いだが、七年後亭主が蒸発した。真砂女が出戻るのを待っていたかのように、家業を継いだ長姉が急逝した。義兄の妻に直り、女将になったのは親に拝み倒されたからだったが、一回り年上の夫にどうしても馴染めなかった。そこに七歳年下の彼が現れたのだった。

瀬戸内寂聴に真砂女をモデルにした『いよよ華やぐ』がある。岡本かの子の〈年々にわが悲しみは深くしていよよ華やぐ命なりけり〉に因る。主人公は九十一歳。その友である八十四歳と七十二歳の「快楽に耽る老女たちの天衣無縫さが、この作品の彩りとなっている」（文庫版解説の川西政明）という作物だが、言ってみれば、不倫範例集のごとき出来である。

彼女が三十一歳。彼が二十四歳。運命的な出会いであった。

「最初から命を賭けた秘密の恋だっただけに、一度の逢瀬は、いつでもこれが最後という激しさに、官能のすべてがそそのかされていた。／『死んでもいいのよ、あたしは今夜、死んでもいいのよ』／うわ言のように口ばしる自分の声に自分で酔い、わずかに残っている理性も大波にさらわれるように掻き消され、尖鋭になった感覚だけが絶頂に上りつめて行く」

戦が激しくなり、戦闘機乗りの彼は大村へ転属。彼女は追いかけて行った。出撃した彼は戦地を転々とする。連絡が途絶え、家に戻った妻を夫は問い詰めない。結核で入院していると便りが来て、海軍病院へ駆けつけたが面会できない。敗戦となり、転院した彼を見舞うと奥さんがいた。しかし左肺切除をして生き抜いた彼との関係は続く。

彼女は夫を裏切り、彼には妻を裏切らせている。「自分の罪業の深さに、背筋の冷えるような気がする思いもしないでもなかったが、どうせもう、犯してしまった罪によって、末は地獄に墜ちる身と観念してしまえば、この世に恐ろしいものは何もなくなった」。

事が露見した。「家か、彼か」と迫られた。身一つで家を出た。

店には彼もよく来た。カウンターの右隅が定席だった。常連はそれとなく事情を知っていて、黙って呑んでいる彼を誰ともなく「隅の客」と呼ぶようになった。

「酒は強かったが乱れることはない。飲み終わって出口の暖簾をくぐるときは、いつもの習慣で軽く挙手の礼をして路地に消えた」

そして日曜日には必ずアパートに来るのである。午前十一時ごろと決まっていた。真砂女は風呂を立て、酒をつけて待っている。「彼が来て、それで？」と聞くと、「あら、そんなこと、言えないわよ」と、いつも頬を赤らめた。

そんなことが真砂女七十一歳の十一月まで続いた。脳血栓で倒れた彼は意識不明のまま半年後に他界。一度も見舞えなかったという。「四十年間のおつきあいであった」と書いている。「お通夜の席に加わるのは遠慮し、お寺の外の暗がりで一人で通夜をさせていただいた」

小説の主人公は自伝を書いていて、その「あとがき」に「かのことは夢まぼろし」と言う。「生涯に何という愚かで、一途な恋の数々を通りすぎてきたことであろうか。人を傷つけ、それ以上に自分も傷つき、それでも尚、愛し、恋せずにはいられなかったわたくしの九十余年の一生というのは何であったのか。／かのこともこのことも、別れた人も死にし人も、もはやみな、夢まぼろしのように記憶の霧の底に沈んでしまった」

寂聴も真砂女と同じく「一途な恋」の女であった。不倫疑惑にさらされた政治家山尾志桜里のために、朝日新聞連載の「残された日々」（九月十四日付）で「不倫も恋の一種である」と断じている。「恋は理性の外のもので、突然、雷のように天から降ってくる。雷を避けることはできない。当たったものが宿命である。／山尾さんはまだまだ若い。これからの人生をきっと新しく切り開いて見事な花を咲かせるだろう」

不倫が何だ、神のみぞ知る。早く立ち直れと励ましたのである。

● 『真砂女の交遊録』（鈴木真砂女著、朝日新聞社、一九九七年）▽『いよよ華やぐ』上・下（瀬戸内寂聴著、新潮社、一九九九年）

古今亭志ん朝の御慶

(2019.1)


何がアベノミクスだ、何が「いざなき」超えだ。潤ったのはカルロス・ゴーンとゴーンもどきの亜流経営者くらいで、歳晩《さいばん》の巷はどこも冬枯れの景色に見えた。

正月である。すこしは景気のいい話をしなければならない。

宝くじの話はどうだろう。買わないと当たらない。年末ジャンボは行列が嫌で買ってない。落語ではよく貧乏人が当たる。自分は大金持ちと大ぼらを吹いた田舎っぺが、なけなしの一分で買わされた富くじで千両当てる「宿屋の富」とか、酒でしくじったタイコ持ちの久蔵が当たり札を火事で焼けた長屋に置き忘れていたと騒ぐ「富久」とかあるが、年頭は「御慶《ぎょけい》」がいい。これを志ん朝で聴く。

「ちょいとお前さん、どうすんだよォ？　ええ！　二十八日だよ、きょうは」。八五郎は、女房の一張羅、母親の形見の半纏を無理に脱がせて質屋に入れ、一分二朱ばかりこしらえて湯島天神の札場へ飛んで行く。夢見がよかったのだ。鶴が梯子に止まっていた。「鶴は千年てエだろ？　なァ？　だからまず鶴の千っ、と書くよ。ねえ？　梯子だァ。『は・し・ご』と。なあ。鶴のは・し・ご、いいかい？　八百四十五番、鶴の八百四十五番てえの、おれァもらいてえんだ」

ところが、である。その札は売れていた。しょんぼり帰る八五郎。易者に呼び止められた。梯子は下から登るのだから「ご・し・は」と逆に数えるべし。そう解説されて、成程と鶴の千五百四十八番を買う。するとこいつが千両富に「アタッタッタタタ……！」。

当日換金で二百両引き、八百両を持って家に帰り、女房に十二単衣買えだの珊瑚一尺玉のかんざしを買えだの有頂天になる。その挙句、お店の旦那のように裃つけて年始回りをしたいと言い出す。大家に挨拶の文句を聞くと、「御慶」という言葉がいいと教わった。「他人が必ずお前を見るってえと、『おめでとうございます』と言うに違いないから、そのときに、お前はちょいと反り身ンなって、『御慶！』と、こう言う。な？　うん。『まあ、お上がりください』と言われたらば、『永日《えいじつ》ゥ！』（いずれまた）と言って帰ってくりゃアいい」

古着屋で調えた裃をつけて大晦日を徹夜で過ごし、烏カアで夜が明ける。

「タッハッハッハッハ！　よオよオよオ！　おう、来たぞォッ。正月が来やがった。本当にイ！　元日だァ本当に！　ざまア見やがれィ（威勢よく）えいッ。オラッ、元日だぞォ、どうだアッ？」

八五郎のやつ、「御慶」と叫んで回っていると、往来を向こうから友達三人がやって来た。

「ぎょけーえッ！」「なんだ？」「ぎょけーーーえッ！」「なにを言ってんだかわかんねえなあ？」「ぎょけっ（言っ）たんだよォ！」「あア、恵方詣りの帰りだい」

昔は「てめえのなりは何だ。茶番（滑稽寸劇）の役でも当たったのか」「なあに、富に当たったんだ」と落としたのを三代目小さんがこう変えたとある。「御慶と言ったんだよ」を「どけー（何処へ）行ったんだよ」と聞き違えたのだが、「カエル（帰る）」が「カイル」「ケール」と変化する江戸っ子の巻き舌だとそう聞こえないでもない。

このオチを「お世辞にも誉められない代物」と言いつつ、「それでも締めくくりがつくのは、ひとえに演者の呼吸のよさだ。志ん朝のサゲはことのほか小気味よく、何もかも晴朗な元日の朝に一片の雲をさえ残さない」とこの上なく褒めるのは、嫌がる当人を落としてその高座を多数収録したプロデューサー京須偕充である。「御慶」は一九七九年十二月の録音、志ん朝四十一歳のときであった。

『圓生百席』を手掛けた京須は、次は志ん朝と念じたが、当人が渋ったという。「芸ってものは消えるからいいんです。残したくない。まだそれほどの芸でもないし……」と拒んだのは、三十六歳のときだった。京須はじっと時機を待った。三百人劇場の「志ん朝の会」を録音してLPレコード化されるのが七八年、四十歳の夏であった。

芸のピークについて志ん朝はこんなことを言ったという。「演目によっては三、四十代がいちばんだろうし、総合的には五十代、ま、六十ぐらいまでは保つかな」。今、われわれが志ん朝の絶頂期を聴けるのは京須のおかげである。

志ん朝は三八年三月十日、七代目金原亭馬生の次男として生まれた。父は翌年五代目古今亭志ん生になる。本名の「強次」は誕生日が陸軍記念日だからと近所に住む初代柳家三語楼が名づけた。

外交官志望の一方で、芸というものに惹かれて寄席や歌舞伎に通うが、噺家になる気はない。歌舞伎役者になりたいと思った。父の志ん生が言った。「歌舞伎役者は、梨園の血筋でなければ梲が上がるまい。そこへいくってエと、噺家は痩せても枯れても、いつだって一人舞台で芸ができるじゃアねえか」

姿がいい。声がいい。噺は上手い。鳴り物は上手い。着物が似合う。気配りがある。女にもてる。男にも好かれる。前座のころから抜きん出ていた。ふつう前座から二つ目を十数年かかって真打になるところ、志ん朝は五年で駆け抜けた。三十六人抜きであった。

「親の七光だ」と陰口をきくやつがいた。だが本人が一番分かっていた。自信家で、抜かれて悔しい思いの談志に「辞退しろよ」と迫られて、志ん朝はこう答えた。「いや、兄さん、あたしは実力でみんなを抜いたと思ってる」

どんなに遅く帰って来ても噺の稽古を欠かさない。父が夜中にそっと家を出て、近くの公園のブランコでおさらいをしているのを直に見ている。子も終生、稽古熱心であった。「大工調べ」の棟梁の啖呵の冴えも、「高田馬場」のガマの油売りの口上の切れのよさも、稽古の裏打ちあってのことだったのである。

かつて文楽に「圓朝を襲名できる」と言わせ、談志に「金を払ってまで聴く価値があるのは志ん朝だけ」と認めさせた一代の噺家が逝って十八年。存命ならことし八十一歳である。CDを聴きながら写真集『志ん朝の高座』を開けば、当人が「消えてこそよし」と言った芸が蘇る思いだ。

●『志ん朝の高座』（写真・横井洋司、文・京須偕充、筑摩書房、二〇〇五年）▽『志ん朝の落語』全六巻（京須偕充編、ちくま文庫、二〇〇三年〜〇四年）

オカラはカスにあらず

この本を毎日新聞書評欄で知った。「著者は一般には評価の低かった『風の中の牝雞』を高く評価する」とある。これは読まねばならぬと思った。だが著者の名前にも版元の屋号にも馴染みがない。駅前の書店に探す本があった例がない。アマゾンを検索した。ない。

「龜鳴屋」というのをネットで探した。金沢にあった。「かめなくや」と読むらしい。「二十世紀が終わる年、人生、にっちもさっちも行かなくなって、すがるように、一人こそこそ本づくりをはじめた零細自営の版元、かめなくやです」と、店主の挨拶が載っている。

「時流におきやられ、世間から忘れられた作家でも、掬すべき作ありと思えば一冊の本に仕立て、この世にその痕跡をとどめるのが、零細版元の本領。／無名、世評、関係なし。野垂れ死にあり、消息不明あり、ただただわが趣味嗜好のフルイにのこった作家、作品を並び立てたのが龜鳴屋本。／わが趣味嗜好を越えて、他所では出しそうにないけれど、これは本にする値があると踏んだラインナップが龜鳴屋一般本」

この言やよし。「書店では取り扱っていない」というから、ネットで注文した。クレジット決済でないと発送は代金支払い後とするのが多いが、郵便振込用紙同封で即送られてきた。気持ちがいい。


（2019.4）

かくて四六判、雀茶の麻布クロス装、二百八十八頁、頒価二千六百円のこの本を手に入れた。限定五百二部、奥付に「064」と記されていて、何かしら嬉しい。

さらに嬉しくなったのは、小津の中で悪評頻出、下から一、二位の『風の中の牝雞』と『東京暮色』を、著者が冷静に評定し、擁護していることだ。なぜなら、これらに『早春』を合わせた「不倫三部作」を、かねてわたしは小津の傑作と称して憚らぬ者なのだ。同好の士ここに見つけたり、である。

著者の田中康義は一九三〇年生まれ。東京大学経済学部卒業後、五五年に助監督として松竹に入社。『早春』『東京暮色』『彼岸花』の助監督を務めた。青春ものや喜劇の作品があり、小津生誕九十年の九三年にはドキュメント映画『小津と語る』を監督したというが、そのことを寡聞にして知らない。

「私は豆腐屋だからね。絹や木綿、揚げやガンモまでなら作れるが、ステーキやハンバーグを作れと言われても、それは出来ない」

小津の有名な「豆腐屋宣言」である。田中が初めて小津に付いたとき、小津組の映画談義の最中、監督はこう語った。すかさず田中が「豆腐屋ならば、オカラも出来ますね……」と口にした途端、座がさっと白けた。「オカラは立派な食材で一流どころの京懐石の一品にもなる」と小津が笑ってくれたが釈然としない。オカラは豆腐を作った大豆の絞りカスだ。田中発言を「カスも出来ますね」と聞いて、一座は沈黙したとみえる。

旨いと思うオカラを「カス」呼ばわりする気は、当人にはなかった。しかし「余計な一言」で白けさせた手前、この件には始末をつけなければならないと思ってきた。小津豆腐屋の売り物の中で「絹漉し」や「木綿」が何かはともかく、「オカラ」ならあれとこれと挙げられる。『豆腐屋はオカラもつくる――映画監督小津安二郎のこと』という外題をつけた所以だ。

『風の中の牝雞』(四八年)があれ、これは『東京暮色』(五七年)である。『牝雞』を見た松竹大船脚本部の重鎮野田高梧が「こんなものを作ってちゃ駄目だ」と言い捨て、小津も「失敗作」と認めたのは有名な話だ。その後『晩春』から二人は終生の脚本共作者となる。だが『暮色』では野田は終始非協力で、完成後「小津ちゃん、『暮色』は駄作です」と断じた。「ベストテンの十九位だもんな」と、小津は嘆いたといわれる。

栄光に包まれた小津映画のなかで、この二作は「カス」とされるのだ。そんな「定評」に対して、田中は断固として異を唱えるのである。

『牝雞』は、復員した夫が妻に病気の子の入院費のため一夜の売春をしたことを告白され、もみ合ううち妻が階段を転落するという暗い作品だ。「不貞を詫びる妻とそれを許せない夫のドラマ」と大方は見た。田中の見方は違う。

〈妻の売春は子を救うギリギリの選択だった。国は妻のために何もしなかった。夫は国家の命令で敵=人間を殺すべく戦場にいて、妻子の危機の場にいなかった。人間を殺すため「不在」だった夫に、幼児を生かすため妻が犯した「不貞」を責める資格があるのか〉

こう小津は問いかけたのだ、と田中は考える。なのに「評者達は問題から逃げ、眼を背けた」。

『暮色』も全編暗い。父は妻を部下に寝取られ、駆け落ちされる。長男は山で遭難死、長女は夫婦仲が悪く、次女は未婚で妊娠。崩れかけていた家族が、思いもかけない母の出現で完全に崩壊するのであった。

『東京物語』の助監督だった高橋治は、『暮色』を「生涯で忘れ得ぬような失敗作」とこきおろして顧みない（『絢爛たる影絵――小津安二郎』）。

だが田中によれば、これは「作品と観客との間にしっかりと距離を置いた、珍しいタイプの映画」なのである。映画には観客が一喜一憂出来る人物の存在が不可欠だ。『暮色』の父は生起する事実に無知のまま「家族崩壊」の悲劇を招く。最後まで彼に感情移入を試みようにも仕様がない。そういう人物設定をした作品の意図は「家族劇」の終焉にあった。以後小津は「家庭劇」しか撮らない、と田中は言う。

「俺は豆腐屋だ」と称した巨匠に二十五歳のとき「オカラ発言」をした田中は、八十八歳にしてここに、『牝雞』に「卯の花」、『暮色』に「雪花菜」と、オカラの「美名」を献じるオマージュを成した。

随所で小津の作法に言及しているが、ロウポジションは兵隊の伏射の姿勢であること▽人物の視線が「方向性の原則」に反するのは、作り手の視点の強要▽平凡な科白が繰り返されるのは「説明の芝居」を嫌ったことによる、といった指摘は腑に落ちた。「映画に文法はない」と小津が言ったのは「しかし、私には私の文法がある」という意味だったのである。

●『豆腐屋はオカラもつくる――映画監督小津安二郎のこと』（田中康義著、亀鳴屋〈電話〇七六―二六三―五八四八〉、二〇一八年）

物言えば唇寒し夏の風

（2019.9）


　この夏、企画展「表現の不自由展・その後」中止を巡る新聞各紙の反応ぶりが、安倍政権との距離に反比例していて面白いと思った。

　言論機関なら「表現の自由」に過敏になるのは当然のことだ。中止を受けて八月六日、朝日新聞と毎日新聞はすかさず社説を掲げ、ともに事態の深刻さと危機意識の表明に同一の論陣を張った。七日、東京新聞の社説も「まさに『表現の不自由』を象徴する恐ろしい事態である」と歩調を揃えた。

　産経新聞の主張は逆であった。憲法第十二条の「国民は憲法上の自由及び権利を濫用してはならない」を引き、展示内容は日本人へのヘイト（憎悪）行為だ、と断じて主催者に対して謝罪を要求したのである。

　一面から二面、社会面と展開した朝日、大々的に報じた毎日と東京。それに比して、終始冷淡だったのが読売新聞で、初報が第二社会面二段の扱い、愛知県知事による名古屋市長の「検閲」批判は第三社会面のベタであった。

「ガソリン携行缶持ってお邪魔」と脅した男が逮捕されたあとの九日、読売はやっと社説を出す。「想定の甘さと不十分な準備が、結果的に、脅迫を受けて展覧会を中止する前例を作った」

と主催者を難じること産経と軌を一にした。

朝日の「声」に投書が載った。いわく「企画展は大成功。なぜなら日本人はこれで表現の自由は日本にないことを知った。表現の自由を得るには闘い続けなければならない」。要点はこれに尽きる。

他の美術館で展示を拒まれた韓国人美術家の「少女像」や昭和天皇の写真を使った作品を陳列するという「落選展」の試みと思えた。

東京によると、作家の百田尚樹が開幕前日にツイッターで「なんで芸術祭に慰安婦少女像が？ あ、芸術監督が津田大介氏か……。こいつ、ほんまに売国運動に必死やな」と発信したのが始まりらしい。非難と攻撃が続いて「テロ予告」まで来たというのだが、その位の反響は織り込み済みだろう。「闘い続ける覚悟」が芸術監督になかったと見られても仕方ない。

「芸術はなぐさみの遊びではない。それは闘いである」とミレーは言った。「血染めのラッパ吹き鳴らせ／われらは武装を終へたれば」と自分を鼓舞したのは「火だるま」村山槐多であった。芸術家とは自分の「美」のために相手を問わず闘い続ける者の謂である。

一九一七年四月、ニューヨークに開催された独立芸術家協会のアンデパンダン展にリチャード・マットの「泉」が出品された。会費を払えば誰でも参加できるとの規則である。ところが「泉」は拒絶に遭う。逆さにされた小便器だったからだ。協会理事十人の見解は割れた。「何が美術かは、ほかの誰でもない、美術家に任せる」との意見は「どうみても芸術作品ではありえない」という声に抑えられたのだ。これに抗議して理事二人が直ちに辞任。その一人がマルセル・デュシャンであった。

デュシャンの出す小冊子に「リチャード・マット事件」と題する匿名の文章が載った。瀧口修造の『マルセル・デュシャン語録』に全文がある。

「六弗を支払えば作家は誰でも出品することができることになっている」との書き出しだ。だが「泉」はなんら討議されることもなく、作品は姿を消し、ついに展示されなかった、と経緯を述べ、「非道徳的、俗悪、剽窃で、ただの鉛管工事の部品にすぎない」との拒絶理由を一蹴している。「マット氏が自分の手でこの泉をつくったかどうかということは重要なことではない。彼はそれを選んだのである。彼はありふれた生活用品をとりあげ、新しい標題と観点のもとに、その実用の意味が消えてしまうようにそれを置いたのだ。つまり、その物体のために新しい思想を創り出したのだ」

デュシャンの文章だとは同定されてない。だが伝記作者トムキンズは「考えかたはあきらかにデュシャンのもの」と言う。「美術家の選択が新しい物の見かたと考えかたを産みだす。これは美術に関するデュシャンの哲学の根幹であり、レディメイドはその表現だろう」。

晩年チェスばかりしていたデュシャンが実はひそかに大作「一、落ちる水／二、照明用ガス、が与えられたとせよ」を制作していた。遺作は芸術界を衝撃した。死に至るまでデュシャンは闘いをやめなかったのだった。墓碑に「さりながら死ぬのはいつも他人」。

時あたかも、表現の不自由な戦中に一人の芸術家がどう身を処したかを見る企画展が、栃木県鹿沼市の「川上澄生美術館」で開かれている。「戦時下の創作——モノ言ヘバ唇寒シ春風モ——」である。

その「初夏の風」が、棟方志功をして木版画に転向させたことで有名な澄生だが、「実は私はへつぽこ先生」と自称する英語教師を本職とし、アンリ・ルソーを師父と仰ぐ「日曜版画家」であった。超俗精神の持ち主ながら、戦時に時勢と関わりなく暮らすのは難しくなっていた。弟二人が大陸へ出征した。同僚が出征、教え子も出征した。やがて戦死の報が来始める。「不安を紛らわす為に木版を彫ったが、何時もと違って没頭出来ない」。

対米開戦翌年の春、二十年勤めた教職を辞した。国民服にゲートル巻きの輩が闊歩して大言壮語する職場の雰囲気に嫌気が差したのだ。四三年創立の日本美術報国会の入会金は「致し方なく」払ったが、「決戦下、吾等版画家の任務は、芸術の尖兵たるところにある」とする日本版画奉公会の結成式には出ず、理事にも名を連ねなかった。

生活の資は自刻版画本の制作によった。戦意高揚とは関係のない『時計』を作って内務省に納本したら、特別高等警察から呼び出しがきた。出頭すると、「非常時に趣味的贅沢本の発刊まかりならぬ」と言われた。「別に安寧秩序を害したというものでもなく、時計を主題とした画集を作って特高に呼ばれて叱られた人は、私の他にあるだろうか」と書いている。

物言えば脣寒き季節に、おのれの主体を貫いた表現者がいた。「我は俗の俗／俗極まれば仙となるべし」。九月二十九日まで開催。ぜひとも参観ありたい。

●『コレクション瀧口修造〈3〉』（みすず書房、一九九六年）▽『マルセル・デュシャン』（カルヴィン・トムキンズ著、木下哲夫訳、みすず書房、二〇〇三年）▽図録『川上澄生　戦時下の創作——モノ言ヘバ脣寒シ春風モ——』（鹿沼市立川上澄生美術館編集・発行、二〇一九年）

オリンピックの虚実

（2019.12）


　オリンピックのマラソンが、東京ではなく札幌開催になったのには笑ってしまった。マラソンのないオリンピックなんて、何とかのないコーヒーみたいなものじゃないか。もっともヨーロッパから遠く極東を望めば、東京も札幌も変わりはないのであろうよ。

　ドーハの世界選手権で深夜に走ったマラソンの選手がばたばたと棄権した。この珍事にＩＯＣ（国際オリンピック委員会）が鶴の一声を発したというが、東京都は寝耳に水だったとかで、「ばかにするな」と頭に来たのも無理はない。

　しかし東京都や組織委員会とＩＯＣの間には「開催都市契約」というのが結ばれていて、「何か解決できない問題がある場合、ＩＯＣが最終的な決定を行い、東京都や組織委員会は、新しい指針および指示の全てに対応しなければならない」と規定した条文があるそうだ。まさにこれは、絶対権力は連合国軍総司令部（ＧＨＱ）が握り、政府は何事もその命令に従うしかなかった敗戦後の日本の立場にそっくりである。ＩＯＣに「マラソンを札幌に移せ」と言われたら、東京都は聞くよりほかない。「闘う女」を演じたがる小池百合子が知事として抗って見せても無駄だった。

　問題は夏の暑さで、そんな季節に運動会をするのが無茶なのである。それを招致運動で「この時期の天候は晴れる日が多く、かつ温暖であるため、アスリートが最高の状態でパフォーマンスを発揮できる理想的な気候」と宣伝したとは虚言だが、招致した知事の猪瀬直樹は「七月中旬までは雨期、九月からは台風シーズン。夏が最適というのは間違いない」などと今も強弁している。笑うしかない。

　そもそもが、ごまかしのオリンピックなのだ。大嘘つきは二〇一三年九月のブエノスアイレス、ＩＯＣ総会で招致演説をした首相安倍晋三である。福島原発のメルトダウンで放射能汚染を懸念する世界を向こうに、「アンダーコントロール」という言葉を使って「フクシマは完全制御下にある」と大見えを切ったものだ。放射能汚染水の処分もままならぬのに、「アンダーコントロール」とは、こいつは笑うにも笑えない。

　こんな嘘で固めたオリンピックは返上すべきだと思うが、新聞は「現状では大きな不安を抱かざるを得ない」（毎日）とか「開催時期や開催都市の選定のあり方について、見直すべき点は確実に見直していかねばならない」（朝日）としか言わない。むかしＧＮＰ礼賛の時代に「くたばれＧＮＰ」を唱えたような気概の影も形もない。

　金がかかり過ぎ、ドーピングに汚染されたオリンピックである。しかし大方の選手は能力の限界に挑んで全力を尽くす。そして勝っても敗れても、その笑顔は清々しい。そこには嘘も偽りもないだろう。これが世界一流の選手が集うオリンピックの引力だ。

　一九六四年の東京オリンピックにチェコスロバキアから来たベラ・チャスラフスカを思い出す。芳紀二十二歳、真紅のレオタードに身を包み、平均台に乗り、跳馬を跳び、床で躍り、段違い平行棒を回った。「人を包み込むような柔らかい演技」と弾ける笑顔が観衆をとらえた。その後の女子体操界を席巻した発育不全の体型とは違い、ベラは「女性」だった。

「去年、この人は国際スポーツ大会で泣いた。『審判の点のつけ方がソ連勢に甘すぎる』と、青いひとみに涙をたたえ、キッと審判席をにらんだ顔がテレビで大写しになり、その顔がまた茶の間の人気を呼んだ。美人とは、そういうものなのだろう。／得意の平行棒でみせたダイナミックな均整のとれた演技。うなじに乱れる金髪。ライトにはえるハダがびっくりするほど白かった」(当時の朝日新聞)。

常勝ソ連を制して、ベラは「新女王」になる。金メダル三個を取り、「東京の名花」と称された。「体操は『魂』を必要とするスポーツ」と言い切るベラの範例は、遠藤幸雄ら日本男子選手の演技であった。熱狂した日本人からトラック一台分の贈り物が集まった。一振りの日本刀まであった。

「多くの日本人を魅了した彼女はその後、激動の人生を送ることになる。そしてその傍らには、いつも日本人の姿があった」と帯にある『桜色の魂――チャスラフスカはなぜ日本人を50年も愛したのか』で、その過酷な運命をたどることができる。長田渚左が二十四年の歳月をかけて書いたものだ。

東京の次は六八年のメキシコ。その年の一月、「人間の顔をした社会主義」を標榜して「プラハの春」が来た。賛同表明の「二千語宣言」にベラは署名する。署名者は十万人を超えた。「反革命」と断じたソ連は座視しない。八月、戦車の群れが侵攻、チェコは占領された。

メキシコに現れたベラは痩せて、やつれて、練習不足でコンディション不良だった。それでも四個の金メダルを獲得。再び祖国の「英雄」になる。だがそれも束の間の夢。「春」は去っていたのである。

「宣言」への署名の撤回を迫られ、「私は自分自身を裏切ることはできない」と拒否した。執拗な迫害が続く。仕事がない。道で会う人が顔を背ける。体操界から追放される。名前を偽って掃除婦になった。二十年間の「冬の時代」だった。「上を向いて歩こう、涙がこぼれないように」と口ずさみ、日本刀を凝視して耐えた。

八九年、「ビロード革命」が起きる。ベラは復権して「私たちの義務は、暴力、おべんちゃら、嘘、そして偽善のない生活のため戦うことです」と演説。大統領補佐官としてハベル政権を支えた。

ところが息子が、別れた夫を偶発的に死なせてしまう。鬱病を発症したベラは殻に閉じ籠もったが、十四年後奇跡的に蘇る。ベラは、ロシアのグルジア（現ジョージア）侵攻を強く非難し、そして東日本大震災の時には、「激励の言葉」を送って来て、被災地の中学生をチェコに招いた。その不撓不屈の人生を、著者は桜に例えて言う。「満開の花を散らし、枯れても再び咲くことを忘れない、あの桜の魂のよう」。

この本が出た二年後の八月、ベラ・チャスラフスカは波乱の生涯を閉じた。七十四歳。

●『桜色の魂——チャスラフスカはなぜ日本人を50年も愛したのか』（長田渚左、集英社、二〇一四年）

新年に亡き人を偲ぶ

大晦日、昔は紅白歌合戦を見たが、今は見ない。見ても歌手に馴染みがない。歌も知らない。けばけばしい演出には辟易するばかりだ。紅白を見ずに、酒を呑む。呑みながら、読売新聞政治部の記者だった詩人中桐雅夫の「新年前夜のための詩」を読む。

「最後の夜／最初の日に向う暗い時間／しずかに降る雪とともに／とおくの獣たちとともに在る夜／さだかならぬもの／冷たくまたあわれなすべてのもののなかに／形づくられてゆくこの夜」

ゆく年くる年。「聖なる瞬間」が近づいて来る。闇の中で「死と生とが重なりあうその瞬間」だ。「『時』のなかのそのちいさな点が／われわれに襲いかかってくるまえに／なにかなすべきことがわれわれに残されているだろうか」

「おお　その聖なる瞬間／われわれはただ知らされるのだ／すべての偉大な言葉はすでに言いつくされ／生の約束も死の約束の変形にすぎないことを」

年を重ねれば、少しは大人を装えるかしらんと怪しんでいたが、案の定、悟りなど来ない。中桐が「やせた心」で「老い先が短くなると気も短くなる／このごろはすぐ腹が立つようになってきた」と言っているのは尤もだ。

（2020.1）

やたら甘い酒、品のない学問、品のない商売、自ら首をしめる労働者、おのれだけ正しいとする若者、学生に色目をつかう芸者のごとき教授。ことごとく苛立ちを抑えきれぬ詩人は、「戦いと飢えで死ぬ人間がいる間は／おれは絶対風雅の道をゆかぬ」と叫ぶ。

「風雅の道って、何のことだろう?」と、朝日新聞学芸部の記者で詩人だった安西均が言ったそうだが、風雅とは「詩歌・文章の道、芸術一般」と辞書にある。中桐は「おれは芸術家にあらず」と宣言したのだろう。ついでながら、お国から勲章を貰ったり、芸術院会員になったりする詩人もいるが、中桐なら断ったに違いない。

元日も中桐雅夫の詩集を開く。

「新年は、死んだ人をしのぶためにある、／心の優しいものが先に死ぬのはなぜか、／おのれだけが生き残っているのはなぜかと問うためだ、／でなければ、どうして朝から酒を飲んでいられる?」(「きのうはあすに」)

かくて独酌しながら新年会の準備だ。中桐の伝に従い、招待状はあの世へ出す。今年は池内紀さんを招くことにした。去年の夏の終わり、突然の訃報に驚いたのがついきのうのことのようである。

池内さんが五十五歳で東大教授を辞めたとき、「地位に恋々として恥じぬ手合いが多いのに、大学を五年も余して退いてしまった」と新聞の「ひと」に書いた。

前例はあるけれど、高給を以て朝日新聞の小説記者に招聘された夏目漱石にしろ、「教授じゃ食えない」と言って辞めた中野好夫にしろ、どことなく「生活臭」がつきまとって拭えないのと違い、池内さんは何よりも清々しかった。

「教えることが好きで、愛着はあるのですがね。近ごろの学生は大吟醸ばかりで、気に入りません。わが愛する二級酒のようなのが入って来ない。人生の残り時間を考えて、はい、隠居します」

隠居後の計画は立ててある。気ままな山歩きとカフカの全訳、それに自由な生活。もともと家にテレビはない。パソコンもない。携帯は持たない。車も別荘もない。「五軒ばかりある行きつけの宿が料理人つき別荘、タクシーが運転手つき自家用車ですね」と言って破顔一笑するのを見て、この人は人生の達人だと思った。

その後、新聞の書評委員会で同席した。悠々とした佇まいは変わらなかった。いつも飄然と現れ、本を選ぶ作業を終えて、しばらく談笑すると、「では」とゆっくり腰を上げた。書評委員には自宅送りのハイヤーが用意されるのだが、池内さんは「私は結構」と手を振り、歩いて去って行った。

隠居と称しながら、目覚ましい勤勉ぶりであった。カフカの全訳を果たし、ゲーテの『ファウスト』を訳し、自由人辻まこと、版画家恩地孝四郎、ドイツ語学者関口存男の評伝を著し、随時随意にエッセイを書いた。膨大な文章を集めた『池内紀の仕事場』全八巻にその世界を覗くことができる。

誰も入らせなかったという仕事場は、中二階の北向きの洋間。三方に本棚、窓に面して机と椅子と腕つきのランプ。机の上には辞書六冊、書見台、ペン皿、インク壺、文鎮、拡大鏡。足元に本と資料。壁にチェコの彫刻家セカールによる「顔」と亡友の描いたゲーテの顔。午前三時に起き、一文字、一文字、万年筆で原稿を書いた。

家は深大寺の近くと聞いた。散歩に出て、行きつけの蕎麦屋で一杯やる。「これがいいのです」と言われた。一度お付き合い願いたいと思っていたが、つい先延ばしにしていて機会を逸した。

池内さんはラジオと新聞を愛好した。無論ツイッターとかインスタグラムとは無縁である。コラムに一家言を持ち、「そうですね。情報、文体、そして意見。この三つが不可欠と思いますが」と柔らかな語り口ながら、「日本の新聞に本当のコラムはありませんね」と痛烈だった。ラジオは少年時代から唯一の娯楽。ラジオで沢山の友ができたのだそうである。

『池内紀の仕事場』の第七巻「名人たちの世界」に、川田晴久やトニー谷、徳川夢声、ロッパにエノケン、花菱アチャコ、三升家小勝、捨丸・春代といった面々が次々と出て来る。落語に漫才、漫談、浪曲、講談までめっぽう詳しかったが、録音テープが六百本あるということだった。新年会には連中をお連れ下さいと頼んである。

池内さんは七十歳から「老い」の観察記録を取り始め、七十七歳で『すごいトシヨリBOOK』と題して本にした。若ぶる。せかせかする。群れたがる。カタカナ言葉や若者語が分からなくて、世間と疎遠になる。見捨てられたようで寂しい。しかも惑いから解放されることはない。それが老化だが、「抗わず、自立をして、楽しみを見つけなさい」と説いている。

こんな親切な「遺言」を残して、達人は七十八歳で世を去った。

●『中桐雅夫全詩』（中桐雅夫著、思潮社、一九九〇年）▽『池内紀の仕事場7』（池内紀著、みすず書房、二〇〇四年）▽『すごいトシヨリBOOK――トシをとると楽しみがふえる』（同、毎日新聞出版、二〇一七年）

黒板五郎という生死

(2021.5)

久しく姿を見なかった俳優田中邦衛の訃報に接した。四月二日に家族が公にしたところによると、三月二十四日に老衰で逝ったそうである。八十八歳だった。「すばらしい医療・介護チームのサポートのもと、私たち家族も、共にかけがえのない時を過ごすことができました」とあるから、終末看護を受けていたのであろう。葬儀は家族だけで済ませた。香典、供花は辞退。「お別れの会」や「しのぶ会」はしないと明言しているのが未練たらしくなくていい。

「彼ほど純粋で真面目で無垢で、家族を愛した男を知らない。いや家族だけではない周囲全てをだ。彼はあたかも僧籍にいる人のようだった」と倉本聰が悼んでいる。

田中邦衛と言えば黒板五郎だ。倉本脚本のテレビドラマ『北の国から』で、二十一年にわたり父親を演じた。最後は『北の国から'02遺言』。炭焼き小屋で五郎は遺書を書いている。

「純、蛍。おれにはお前らに遺してやるものが何もない。でも――、お前らには――うまくいえんが、遺すべきものはもう遺した気がする。金や品物は何も遺せんが、遺すべきものは伝えた気がする」

「金なんか望むな。倖せだけを見ろ。ここには何もないが自然だけはある。自然はお前らを死なない程度には充分毎年喰わしてくれる。自然から頂戴しろ。そして謙虚に、つつましく生きろ。

それが父さんの、お前らへの遺言だ」

むろん『北の国から』の人物像は倉本の造形であり、科白の一言半句まで倉本によるものと承知するが、五郎と邦衛は合同図形のように重なり合って離れない。

あたかもそれはフーテンの寅と渥美清の関係に似ている。いろんな役を演じるのが役者の醍醐味であるとすれば、一つの役にはまり込んでしまうのは考えものだ。渥美は「寅さんのイメージ」を大事にする余り仕事を制限したというが、狂気の殺人者にもなれる凄みを持っていた渥美にとって、それは不幸だったかも知れない。

今年の正月、ケーブルテレビで『北の国から』をやっていたのを全作見た。四十年前、金曜日夜の十時までになるべく帰宅して見たから物語の流れは知っている。

妻に愛人がいると知った男が、純と蛍という子供を連れて東京から故郷の北海道に帰り、富良野・麓郷の電気も水道もないあばら家で暮らし始める。文明とか都会の嘘っぱちに対する作家積年の抑え難い憤怒が、火口から噴出するマグマのごとく飛び散っている。

忘れられない場面がある。

その一　ラーメン屋で、純が自分の卑怯な行いを告白している最中、丼を下げようとした店員をぎらりと見た五郎が一喝する。「子どもがまだ食ってる途中でしょうが!!」

その二　中学を出た純が東京へ行くのにトラックに便乗する。運転手が「しまっとけ」と二万円を渡す。「いらんというのにおやじが置いてった。抜いてみな。ピン札に泥がついている。お前のおやじの手についてた泥だろう」

その三　純が東京で女友達を妊娠中絶させた。飛んで来た五郎が、彼女の親代わりである叔父の豆腐屋の前で土下座する。土産のカボチャを相手は受け取らない。「あんたはさっきから誠意といってる。誠意って何かね」

その四　蛍と孫の快が去る。駅で五郎は快を奪いかけ、発車した列車を泣きながら、転びながら、線路まで降りて追いかけるのだ。「あなたのそういうみっともないところを、昔のぼくなら軽蔑したでしょう。しかし今」と純は思う。「父さん、あなたはすてきです」

『遺言』から九年後の二〇一一年に倉本聰がドラマの由来を述べた『獨白』によると、五郎役の候補には高倉健、藤竜也、西田敏行、中村雅俊、緒形拳といった名前が挙がって、選考は難航した。「最も情けないのは誰だろう」となり、満場一致で邦衛に決したそうだ。高倉健だったら、みっともない真似はさせられなかったろう。

八十歳を越えた黒板五郎が「来し方」を語る記録を読んだ。東京の大新聞の論説委員から富良野に、女性問題で左遷されたらしい記者が訪ねて来て、インタビューを受けている。

五郎は一人暮らしである。

「耳は遠くなる。目はかすむ。物忘れはひどい。ナニはもう立たん。ひたすら眠い」。そのうえ頻尿である。傍の壷で用を足す。「この方が早いちゅうことに気がついたンだ?、立ってトイレに行くエネルギィの節約だ?、かしこいべ」（注「?、」は語尾が上がる表記）

家族のことも「忘れた?、」と言う。「でも時々は思い出す?、純と蛍がうんとたまに来るから、それに蛍の息子の快がもうーいくつだ。それも覚えとらん」

だが昔のことは記憶鮮明だ。

別れた妻の抵抗を押し切って、子連れで帰郷した経緯を聞かれ、「令子への復讐心も勿論あったけど、純をあのまゝ東京に置いて、もやしっ子みたいな頭でっかちにだけは、絶対させたくなかったンだ？　コンクリトでなく地べたの上であいつには育って欲しかったンだ？」と明確に述べている。

純の不祥事の際に持参した「カボチャ」にも理由があった。自分も若いころ「出かし」たが、その都度おやじはカボチャを持ってお詫びに行った。だから「デカした時のお詫びにはカボチャ」と思い込んでいた。豆腐屋には「誠意がない」と怒鳴られたが、「でもオイラの誠意はカボチャだったの」。

訥弁ながら雄弁に五郎は語り続ける。「日が沈んだら眠る、っちゅうのが、本来の人間の生活だ？」に始まって、「甘やかしたら子供は伸びん。自分で闘って力をつける。それが男の生き方だ？」「大化の改新の年号おぼえるより、ナワ綯いの方法教える方が、よっぽど実生活に役立つ」と、子育て論から農政批判、人生論まで、言うことはいちいちもっともなのだ。

純と蛍に「遺すべきものは伝えた」と思う五郎にこの世への未練はない。「墓はいらん。どこかそこいらに埋めてくれりゃいゝ」と言うのである。子もすぐに親を忘れるだろう。「忘れられた時がオイラの本当に死んだ時だ？　所詮、オイラは、そんだけのもンだ？」。

誠意あふれる人生だった。

●『定本 北の国から』（倉本聰著、理論社、二〇〇二年）▽『獨白——2011年3月「北の国から」ノーツ』（同、フラノ・クリエイティブ・シンジケート、二〇一一年）▽『「北の国から」異聞——黒板五郎独占インタビュー』（同、講談社、二〇一八年）

立花隆の最高傑作

(2021.9)

新聞にいたころ、記者になりたいという青年が訪ねてくることがあった。「調査報道をやりたい」とか「環境問題をやりたい」とか、いずれも意気盛んである。

「初歩は地方の警察回りだ。サイレンが鳴れば火事場へ走る。殺しと聞いたら現場へ飛ぶ。夜討ち、朝駆けもしないといけない。君、それができますか」と言うと、ちょっと事志と違うという顔をするのがいた。

立花隆に警察回りをやらせてみたかったと思うのである。「田中角栄研究」から二年後の『文明の逆説』のなかに、自分の方法論に触れて、こんなことを述べていた。

まず自らを「野次馬」と定義する。「『こと』が起きたら、とにかく現場にできるだけ早く駆けつける。次に『こと』が起きている範囲を見きわめ、その全体像がながめ渡せる見晴しのきく場所を確保する」とし、次に「人波を押しわけかきわけ、とにかく一番前の一番よく見える場所に強引に割り込んで、ひたすら熱心に見物する」。

これはそっくり警察回りの心得だ。ただし自分の興味次第で「こと」を選べるのと、無関心事の現場にも行かねばならないのとでは大きな違いがある。就職の際、朝日新聞にいた二歳上の兄に「新聞社だけはやめろよ」と言われたというが、兄は弟に警察回りは務まらないと考えたのかも知れない。

ついでながらこの兄者は社会部の先輩だった。温厚な人柄で、「右翼の大物」橘孝三郎が親族だった。『週刊朝日』の「ブラック・アングル」に揶揄された野村秋介に抗議を受けたとき、出版局長として応接に当たり、その最中に野村が拳銃自殺するという事件があった。

さらについでながら、立花が四月三十日に死去したことは六月二十三日の毎日新聞が第一報だったが、「死んだ後のことは関心がない」が口癖の人が「喪を秘せ」などと遺言するはずはない。「知の巨人」の死はニュースだ。訃報にも「抜いた、抜かれた」はある。兄が役員まで務めた朝日が後塵を拝したとは不思議でならない。

閑話休題。兄の助言で新聞はよして文藝春秋を受けた立花は、週刊文春の記者になった。だが関心のないプロ野球の取材が厭さに二年半で辞める。辞めたもう一つの理由が「忙しすぎて読みたい本もろくに読めない。このままいくと、自分がどんどんバカになるような気がした」というのであった。

元来が本の虫だった。元みすず書房社長の加藤敬事は立花と同い年だが、遺著『思言敬事』で「その読書遍歴を読むと、子ども時代、青年時代に彼の読んだ本の量に圧倒される。それがいまの彼を形づくっていることは確かである。おそらく私はその百分の一、いや千分の一も読んでいないのではなかろうか」と言っている。いかにも『ぼくはこんな本を読んできた』にある書名の羅列には、「知の侏儒」としては恐れ入るよりない。

用意周到で、死の一年前に『知の旅は終わらない』を出して、来し方を回想している。「好奇心に導かれるままに仕事をしてきた。それが僕の人生なんですね」。

旺文社の全国模試で一番だったという。並みの秀才なら東大法学部から官僚を志すだろうが、彼はそうでなかった。安保反対デモに行き、原水禁運動をやり、欧州や中近東の旅行に出た。文学部仏文科で大江健三郎に憧れて小説を書いたというが、やがてノンフィクションの面白さに惹かれていく。

「田中角栄研究」が載った一九七四年十一月号の『文藝春秋』は、今や入手不能だ。「当局の調べによると」ではなく、「われわれの調べによると」というスタイルを確立したことで、立花は特筆される。あたかも米国ではワシントン・ポストの若手記者がウォーターゲート事件で大統領を追い詰めたところで、「調査報道」という呼称が特別の響きを以て語られ始めていた。

「くだらない」と言いながら、田中との関わりは二十年続いた。退陣後にロッキード事件が起き、裁判が続き、「闇将軍」として君臨した。カネがらみの汚い噂は文春時代から耳にしていた。疑惑の塊が首相になるとは思わなかった。しかも、新聞は提灯記事ばかりで批判しない。ならば自分がカネ作りの実態を解明するまでだ。

「金脈」を本にまとめてけりをつける気だった。ところが文春は逃げ、他社からも出ないとなった。「あんな奴らに負けてたまるか」との思いが沸き上がった。「奴ら」とは「田中と田中の権力を支えていたすべての人間」だ。「偉そうなことをいっていても、裏にまわるとさもしい金儲けと税金逃れに精を出していた」のが田中角栄である。実態を暴き続けて原稿用紙は一万枚に達した。今なお田中追慕の出版物が絶えない。石原慎太郎に至っては『天才』と持ち上げる始末だが、立花は「害毒以外の何ものでもない」と断じて動じない。

「三万冊を読み、百冊を書いた」という「生涯勉強家」の知は、新左翼から臨死まで働き続け、

『宇宙からの帰還』や『精神と物質』、『武満徹』といった傑作を生んだ。ただし元秘書の佐々木千賀子に言わせると、元ボスは知と対極の情を苦手とする。それを承知で彼女は「分析や解明はわかった。『それで、立花さんはどう思うの？』と言いたくなる」のだが、そこのところが「巨人」のアキレス腱だろう。

立花も情に掉さすことがある。小沢一郎らが「政治改革」と称して新生党を結成した際に書いた「感想」が、九三年六月二十四日付の朝日新聞に載った。わたしは切り抜いて持っている。

「あなた方は、要するに経世会の分裂した片割れではないか。経世会とは何か。要するに旧田中派ではないか。田中派とは何か。五億円収賄犯・田中角栄をかついで、日本の政治を十年余りにわたって目茶苦茶にしてきた徒党ではないか」と書き起こし、「自分たちの過去にけじめもつけずに、何が新生だ。ちゃんちゃらおかしい」と締め括った七百字足らず、憤怒の文章である。

切り抜きを再読してみる。独断だが、彼の最高傑作はこれだ。

『臨死体験』の著者は晩年癌に罹り、心臓病を患い、自分の死と相対した。「死ぬときは死ぬさ」と言っていたそうである。

●『文明の逆説』（立花隆著、講談社、一九七六年）▽『知の旅は終わらない――僕が3万冊を読み100冊を書いて考えてきたこと』（同、文春新書、二〇二〇年）▽『立花隆秘書日記』（佐々木千賀子著、ポプラ社、二〇〇三年）

Ⅱ 人生の章

持つべきものは友

（2016.3）

何かの折に人は告白したくなるが、問題は聞いてくれる友がいるかどうかだ、といったようなことを小林秀雄が述べていた。

「俺が生きる為に必要なものはもう俺自身ではない。欲しいものはたゞ俺が俺自身を見失はない様に俺に話しかけてくれる人間と、俺の為に多少は生きてくれる人間だ」（「Xへの手紙」）

清原和博が覚醒剤で逮捕されたとき、「悪い噂を耳にしたらすぐ連絡した。本当なのか、と言えるのは僕しかいないから」（傍点筆者）と桑田真澄が言ったと新聞で読んだ。ただしそれは三年前までのことだった。「僕の小姑のような小言が耳障りで、嫌気がさしたのでしょう。でも、僕がもっと連絡をしていたらよかったのかもしれない」と、桑田は悔いているようだ。

持つべきものは友である。桑田は何と友情に厚いやつかと思うのがいても不思議ではない。案の定、三日後の紙面に、清原にとって「桑田氏のような苦楽を共にした友の苦言はとても大切だと思う」との投書が寄せられていて、「苦境の時に寄り添ってやるのが真の友である」とあった。

噴飯物だ。清原と桑田が「真の友」のわけがない。高校時代は知らず、プロへ入るとき、桑田は清原を裏切った。早稲田進学を口にして周りを欺き、ドラフト会議で巨人の指名を受けたのであった。

清原は「巨人、巨人」と叫び続けたので他球団が端から指名を回避したところ、西武が一位指名した。江川卓にしろ、桑田にしろ、巨人が絡んでくると、ドラフト制度はにわかに薄汚れてくる。清原は涙を流した。桑田と巨人との密約を思いもしなかった。ラ・ロシュフコオいわく「友人に不信を抱くことは、友人に欺かれるよりもっと恥ずべきことだ」（内藤濯訳）。以来、桑田が清原の何かの時に「僕しかいない」などと言えた義理か。いくら野球ばかでも、意地はあるであろう。

桑田はすでに清原にとって友ではない。朋有リ遠方ヨリ来ル、亦タ楽シカラズヤ、と孔子はのたもうたが、清原の朋は上州、下野の方にいた。自ら車を駆って会いに行き、会えば覚醒剤を売ってくれた。徒然草によれば、物くれる友はよき友である。欲しい物を調達してくれる「よき友」がいて、清原は幸福だったに違いない。

「仲良きことは美しきかな」の武者小路実篤に『友情』がある。一九一九年、三十四歳の時に大阪毎日新聞に連載。わたしがむかし読んだ筑摩版の現代日本文学全集（五五年刊行）では、解説の臼井吉見が「数すくないこの国の恋愛小説のなかのおそらく随一のすぐれた作品」と称賛していた。

脚本家として駆け出しの野島が友人の妹杉子に一目惚れする。図ぬけて美しく、清い感じがして、快活で、明るく、ピンポンが上手で、思ったことは何でも平気で言う。まことに申し分のない娘である。ぜひ妻にしたいと思う。

「彼は日本の女の内に、殊に自分に近い処に、杉子のやうな女のゐることを賛美し、感謝したい気になつた」

野島は、何かと好意的な小説家の大宮に日々募る恋心を吐露する。大宮は、「恋は馬鹿にしないがいゝ。人間に恋と云ふ特別のものが与へられてゐる以上、それを馬鹿にする権利は我々にはない。それはどうしても駄目な時は仕方がない。しかし駄目になる処までは進むべきだ」と、励ましの言葉を連発して後押しするのである。

大宮の従妹と杉子が友だちだったり、鎌倉にお互い別荘があったりで往来があり、野島も驥尾に付して杉子への接近を図る。機会あるごとに大宮は野島を応援する。野島はその「友情」に感謝するばかりだが、突如大宮はパリへ発つ。「僕は君の幸福を望むよ」。

野島は人を立てて求婚した。だが断られる。それどころか、杉子はパリへ向かうのだ。杉子は野島には一片の恋情もなかった。大宮を終始恋慕していたのである。大宮も実は最初から杉子に好意を抱いていたのだが、野島に遠慮して消えたのだった。そのことを、大宮の小説で知らされた野島は、彼から贈られたベートーヴェンのデスマスクを庭石に叩きつける。「石膏のマスクは粉微塵にとびちつた」。

「友情」とはそんなものだ、と武者小路実篤は言ったのかも知れない。いや、失恋の野島に「君よ、仕事の上で決闘しよう」と言わせているから、二人の「友情」の初期化を暗示したのかも知れない。

三角関係の研究では夏目漱石が権威である。有名な『こゝろ』は気色の悪い作品だ。「友人」Kを出し抜いて静と結婚した先生は、Kが自殺したことをひどく気に病んで生涯隠棲生活を送り、最後は自殺する。静がKより先生を好きだったのは間違いない。ちょうど「友情」の杉子が大宮を恋していたに等しい。杉子ははっきりと野島を振ったが、静はどうしたのだろう。先生に結婚を急がせたという「静策略家説」が生まれる所以である。

案ずるに、女が絡むと友情も危うい。ここに、中島敦の『山月記』がある。男同士の友情を書いたものとして名高い。一高、東京帝大を出て文学を志し、一心に精進しながらも、『光と風と夢』が芥川賞候補になったくらいで、文名上がらず、鬱々とした歳月の末に、中島敦は戦時の四二年、三十三歳の若さで死んだ。

『山月記』は科挙に合格した秀才李徴が、官途を捨て、詩人としての名声を望むが、過剰な自尊心のために発狂して失踪、人喰い虎と化す。一年後、科挙同期の袁傪と出会い、記憶する自作の詩幾編かを朗唱して、これを後代に残してくれと頼んで去る——という話が、「端正な文章」で語られる。

虎は中島、では袁傪は誰か。実際の交友関係を合わせ鏡にして島内景二は『中島敦「山月記伝説」の真実』を映し出して見せる。

志を得ずに死ぬ友人の請託を受け、その無念を晴らすべく釘本久春（文部官僚）と氷上英廣（東大教授）の献身があって、『山月記』は戦後の国語教科書に入った。そして、「傑作としての評価を確立」していく。友情というものは確かにあるのだと思われる。

●『現代日本文学全集第十九巻　武者小路実篤集』（筑摩書房、一九五五年）▽『中島敦「山月記伝説」の真実』（島内景二著、文春新書、二〇〇九年）

「かのように」の前に

(2016.4)

温暖化と専門家は言うけれど、今年は寒さが骨身に堪えた。

それが済んだら春が来るという奈良東大寺二月堂の修二会がことのほか待たれた。十一人の練行衆が本尊十一面観音の前で日ごろの罪障消滅を祈願する悔過の行法で、天平以来一千三百年、連綿と続く有難い行事の極みが三月十三日未明のお水取りの儀式である。

観光好きの芭蕉に一句。

水とりや氷の僧の沓の音

句碑には「氷」が「籠り」とある。添削者がいたらしい。「籠り」のほうがいいじゃないかとの鑑賞もあって、五七五の道も限りない。俳聖の作品だろうと憚らず朱を入れるとは有難いことである。

修二会は籠りの坊さんが大松明を振りかざして走り回る「達陀の妙法」が見せ物だが、芭蕉はどうやら内陣には入れず、離れた場所で、ただ坊さんたちの駆ける足音だけは耳にしたとみえる。

その辺の水を適当に汲んでくるのではない。閼伽井屋の若狭井の水と決まっていて、何とその水は若狭国からはるばると流れて来て、十二日深更に井戸の下に達したものといわれる。福井県は小浜を十日前に発した水が、地底の水脈をたどり二月堂に到達するというのだから有難さはいや増す。

小浜の神宮寺の神事で三月二日、「お香水」と呼ばれる聖水が遠敷川に注がれる。それが奈良への「お水送り」であると聞いた。しからばと、水の源を見物に出かけたのは神仏に呼ばれたのかも知れない。

二日夕刻、一本一千五百円なりの手松明に願い事を書いたのを持って境内に入る。中では有難い行法が行われているようだが見えないのが残念だ。だんだん暮れていき、寒さも募ってくる。人も増えてくる。達陀松明が登場するが、寺が小さいので、回廊を大松明一本が走っただけだったのは寂しい。

またしばらく待たされる。見上げると、オリオンの三ツ星が寒空にくっきりと見える。

実忠和尚が二月堂を建てて本尊をまつり、日本中の神々を勧請したとき、若狭の遠敷明神は鯖釣りに行っていて遅参した。そのお詫びに若狭の水の献上を申し出た。すると二月堂の前の岩が割れて水が出た。そういう記録が『東大寺要録』にあって、これがお水送りとお水取りの縁起という。

昭和にできた観光行事だと言う方もおられますが、いえ、東大寺の僧の御本にも「鵜の瀬で水送りの式、松明行列があった」とありますし、江戸時代の文献にも「鵜の瀬の水が奈良へ流れて神聖な水になる」と記されておりますと、これは福井県立若狭歴史博物館で聞いた話であった。

大松明が境内に出てきて大護摩法要の段になる。三日前の雪が残っていて、湿り気のあるせいか、これがなかなか点火しない。ようやく点いて大きく炎が上がったときは歓声が上がった。火をそれぞれ手松明に移し、高くかざして鵜の瀬へ向かう。松明行列である。

一・八キロ上流の鵜の瀬で神宮寺住職が「お香水」を注ぐのだが、遠目には判然としないうえ、いささか不審な点がある。だいいち遠敷川は日本海へ流れているのである。奈良とは逆方向だ。有難さが多少薄らぎかけて案内人に質したら、「いやなに、深夜、流れが変わるのです」とことこともなげに言い、声が低くなった。「何せ、神事ですからな」。

そう言えば、神宮寺という名称からして奇妙に見えないこともない。本堂に注連縄という景色も珍妙であった。神仏混淆で、坊主が神事を司っても誰も不思議と思わないのが古来日本の曖昧さで、その曖昧なところが、一神教同士日常的な殺し合いをやめない現代世界では得難い取り柄になる。

流れるはずのない水路をたどって行った水が、遠く奈良の都で汲まれて二月堂のご本尊に供えられるのだと、この国の人々は一千年以上も昔から信じてきた。水は奈良へ向かったかのように考えてよしとしたのであろう。何とも有難いことではないかと思えてきた。

「かのやうにがなくては、学問もなければ、芸術もない、宗教もない。人生のあらゆる価値のあるものは、かのやうにを中心にしてゐる」と考えたのは、鷗外『かのやうに』の主人公であった。歴史家たらんとして神話の扱いに苦慮したあげくのことである。

「シユライエルマッヘルが神を父であるかのやうに考へると云つてゐる。孔子もずつと古く祭るに在すが如くすと云つてゐる。先祖の霊があるかのやうに祭るのだ」

「昔の人が人格のある単数の神や、複数の神の存在を信じて、その前に頭を屈めたやうに、僕はかのやうにの前に敬虔に頭を屈める」

生来純朴なお人柄のわたしとしても「かのように」の前に頭を屈めることとし、神事に野暮な難癖をつけるなど以ての外である。

小浜は入り江を抱えた静かなまちである。不景気は何処も同じで、八年前（二〇〇八年）のNHK朝の連続ドラマ「ちりとてちん」のポスターがまだ貼られ、破れ目が風にハタハタ鳴っていた。北陸新幹線に来てほしいのだが、どうもだめらしい。

だが、一九七八年夏には北朝鮮による拉致事件が発生した。岬の向こうはいま原発が並んでいる。ここはまぎれもなく現代史の「現場」なのである。

作家の水上勉が小浜の先の大飯の出身である。そこにも原発がある。水上は「貧しい町のことやでのう」と言うだけだったが、都会で講演するときは、「こんな明るい場所で話ができます。この電気はどこから来ているのか。私の故郷からです」との決まり文句で語り出すのが常であったという。

二〇〇四年に世を去ったから水上はフクシマを知らない。しかしスリーマイルやチェルノブイリには強い関心を示した。晩年、原発のある若狭へ住もうかどうしようかと悩むアメリカ帰りの夫婦が登場する『故郷』を著し、随想では「原発が、まったく安全なものだという保証はない」と書いた。

原発を安全であるかのように言う専門家がいたが、大嘘だった。こればかりは「かのように」の前に頭を屈めてはいけないのである。

●『鷗外全集』第十巻（森林太郎著、岩波書店、一九七二年）▽『故郷』（水上勉著、集英社、一九九七年）▽『若狭海辺だより』（同、文化出版局、一九八九年）

主君の恨み晴らさんと

(2017.1)

昨年極月、国立劇場開場五十周年記念と銘打たれた通し狂言「仮名手本忠臣蔵」の第三部を観た。

浮世とは誰がいいそめて飛鳥川、扶持も知行も瀬と替り……

と始まる八段目。加古川本蔵の妻戸無瀬と生さぬ仲の娘小浪が、許婚の大星力弥に会うべく西へ向かう「道行旅路の嫁入」から十一段目の討入りまでである。

三十年前のことになるが、通して観た丸谷才一が山崎正和との対談で、「非常に満足しました。やはり『忠臣蔵』というのは、討入りまでないと恰好がつかない」と言っていたのがうべなえた。山崎が「仮名手本忠臣蔵」の台本を「構成が非常にしっかりしていて、主題や人間の描き方、息抜きのつくりかたといったものの首尾結構が合理的で西洋風」と賞賛し、これに丸谷も「非常に論理的」と応じているのも理解できた。前段に敷かれた伏線、例えば若狭之助と本蔵の会話、勘平が手にする縞の財布などの意味が後段で一つひとつ明かされていく。

艱難辛苦の末に四十七士は主君の無念を晴らすのだが、その陰に様々の無念、例えば色にふけっていて大事に居合わさず、脱落した勘平の無念があり、殿中で鯉口切った判官を「相手死なずば切腹にも及ぶまじ」と抱き留めたことが仇になって「一生の不覚」と言い残す本蔵の無念がある。人生は思うようにいかない。それぞれに無念を抱える見物によって「忠臣蔵」は支えられてきたのだと思われる。

人気の基盤を「御霊信仰」に求めて『曽我物語』から説いたのが丸谷の『忠臣藏とは何か』である。一九八四年の作。新鮮な驚きを以て読まれた。「在来の忠臣蔵解釈とあまりにも違ふので、とまどふ向きもあるやうだが」と反応を楽しむように、「この本に、相変らず自信を持つてゐる」と書いている。

『花の忠臣蔵』を著した文芸評論家野口武彦によれば、この本の眼目は次の一節にある。

「今さしあたり大事なのは、曾我兄弟の霊験を再確認した江戸の町が、年々の春、将軍殺しの正月を記念して曾我狂言を出すことに定めたちようどそのころ、日本中が綱吉の頓死によつて曾我兄弟＝赤穂浪士の霊験に打たれ、芝居としての忠臣蔵がはじまつたといふことである。人々は、十郎五郎の怨魂をせおつて徘徊する浪士の死霊を尊崇し、ぜひともこれを、曾我兄弟とは別に祀らなければならないと考へた」

「忠義」とか「武士道」は大嫌いなのに、なぜ忠臣蔵は好きなのかと自問して究明したというが、「何か言うときには、人と違うことを言うのでなければ意味がない」とは丸谷の持論であった。この批評家は「対象のなかに何かを新しく発見し、それによって世界を颯爽と更新する」（湯川豊）と評されるが、忠臣蔵論は白眉である。

江戸時代、曾我狂言が芝居小屋に頻繁にかかっていたのはなぜかと思ったのが発端で、この敵討ち物語に「源頼朝呪詛」が秘められていると気づき、江戸庶民は曾我兄弟に赤穂浪士を重ね合わせて見ていたのだと思い至る。

呪いは暴君綱吉に向けられていたのである。偏執的で、感情的で、発作的で、独裁的で、自己陶酔的で、やたら名君を気取りたがる為政者は困ったものであった。

最悪なのが「生類憐みの令」である。新井白石によると、これによって「罪かうぶれるもの、何十万人といふ数を知らず。当時も御沙汰いまだ決せずして、獄中にて死したるものの屍を塩に漬けしも九人まであり。いまだ死せざるものまた其の数多し」であった。

この悪法に加え、度々の貨幣改鋳が庶民の暮らしを圧迫した。悪政が続いたことを、丸谷は「武士を含めてみんなが、長いものには巻かれろといふ気分だつた。それゆゑ誰も直諫せず、抵抗しなかつた」と断じている。今も同じだ。

せっかくの観劇に一、二の不満を覚えた。一つは義太夫の分かりにくさである。耳で聞いてすんなり入ってこない。こっちの不勉強のせいもあるけれど、字幕があればいいのにと思った。

もう一つは、真山青果の「元禄忠臣蔵」で綱豊卿と大論争をやって、殿様を「作り阿呆」と痛罵する冨森助右衛門がその他大勢だったことだ。これはまあ、ないものねだりで言うも詮無い。

そこで架蔵の『うろんなり助右衛門』を取り出した。著者の冨森叡児は、わたしの先輩である。一九二八年の生まれ。朝日新聞でワシントン特派員、政治部長、編集局長から常務取締役を歴任。珍しくまともな判断力と感覚を持つ人物で、あまねく敬慕された。

小学生のころ、助右衛門の末裔だと父に聞かされるが、家は断絶後再興されたので血脈の繋がりはないらしい。多忙の合間に文献を集め、縁者を訪ねた。古文書に「助右衛門は福有人なれば、此人の心底いかがかと、大石もうろんにおもい、諸人も是を疑ひしとや」とのくだりを見つけ、これを書名とした。「うろん」とは「怪しげで信用できない」という意である。

脱盟者が相次ぐ。高禄を食む者にも大石内蔵助の親戚にもいた。江戸詰めの有能官僚だった助右衛門は、裕福で母思いの愛妻家。仲間から「うろん」と思われていたのが、いつか盟約に加わる。ただし迷ったらしい。〈人の世の道し分かねば遅く共消ゆる雪には踏み迷うかな〉という歌を残している。

気丈な母や上司の堀部弥兵衛の影響で「武士としての筋を貫くことを選んだ」と著者は見る。討入りでは表門から斬り込んだ九人の一人であった。大石らと細川藩下屋敷に預けられた。〈寒鳥の身はむしらるる行衛かな〉を辞世の句として切腹、三十四歳だった。

討入りから七年後、綱吉急死。生類憐みの令は廃止となった。庶民の呪詛は成立した。おぼろだった先祖助右衛門の素顔を追って「忠臣蔵」の世界に引き込まれていった末裔は「史実としては謎に満ち、幻想としては楽しく、そして悲しい物語である。とくに、四十七人の浪士たちの人間模様がたまらなく面白い」との結論に達するのである。

事件から三百十五年。「忠臣蔵もの」の絶えることはあるまい。

●『忠臣蔵とは何か』（丸谷才一著、講談社、一九八四年）▽『うろんなり助右衛門』（冨森叡児著、草思社、二〇〇二年）

敵討ちはしたけれど

（2017.4）

「果たし合いに行く侍の気持ちだ」てなことを言って、やっと公式の場に出て来た石原慎太郎に、相も変わらぬ子どもっぽさを見た。

この人は作家としても政治家としても、いつまでも新人というか素人というか、幼児性の抜けないまま老いていった感がある。

築地から豊洲への市場移転決定の経緯が問題にされているとき、すべては部下の報告を「裁可」しただけで、専門家でない自分は「知らない」で通ると考えているところがプロでない。失敗を他人のせいにしたがる子どもと同断なのである。昔はそれでも、障子を突き破るくらいの勃起力はあったらしいのに、年は取りたくないものだ。

現都知事と元都知事は、今や敵同士に見える。小池百合子に対し「大年増の厚化粧」などと雑言を浴びせた石原は恨みを買っても仕方ない。日本人は芝居でも小説でも敵討ち物が大好きだから、大詰めやいかにと誰もが見ている。

去年「仮名手本忠臣蔵」がかかった国立劇場で、先月は通し狂言「伊賀越道中双六」を観た。

寛永十一（一六三四）年十一月七日、伊賀上野は鍵屋の辻で、荒木又右衛門が助太刀して妻の弟渡辺数馬の敵河合又五郎を討ち取ったという史実がもとだ。曽我兄弟、赤穂浪士とともに「日本三大敵討ち」の一つに数えられる。

近松半二の脚色で、固有名詞を変えてある。又右衛門は政右衛門、数馬は志津馬、又五郎は股五郎。殺された弟を父親にしたのは、江戸時代、敵討ちが許されたのは、子弟が父兄の敵を討つ場合に限られたからであった。

全段通すと十時間以上かかるのを半分に縮めてあったが、四幕目の「三州岡崎」が山場である。敵の股五郎を追う志津馬は、自分に一目惚れした娘の父幸兵衛が敵に頼られていると知り、股五郎になりすます。一方、捕り手に追われる政右衛門を幸兵衛が助けたら、これが昔の弟子と判明。しかし志津馬との関係は不知。「股五郎の後ろ盾になってくれ」との要請を、政右衛門は正体を隠して引き受け、後を追ってきた妻と乳飲み子を凍てつく戸外に見捨てる。

さらに「身の証」を立てるとして赤子の喉を小柄で刺し、庭に投げて見せる。このとき目に涙が浮かぶのを見た幸兵衛は、政右衛門の素性を知ったと言うのだが、実は事情は先刻承知していた。そう伝えてやれば、政右衛門が子を殺すことはなかったはずである。

わたしの歌舞伎見物は韓流ドラマに付き合うのと同様、主たる動機は家内安寧にある。家人が歌舞伎好きで吉右衛門贔屓なのである。「伽羅先代萩」にしろ、「一谷嫩軍記熊谷陣屋」にしろ、忠義のためにわが子を手にかけるところが見せ場だが、どうもついていけない。あそこはおかしいじゃないかなどと言ってみる。

だが家人は「歌舞伎には無理があるのよ」と言って動じる気配がない。歌舞伎を楽しむには、無理に拘泥してはいけないらしい。

長谷川伸に『荒木又右衛門』がある。一九三六年十月から翌年六月まで『都新聞』に連載。大方の評判を博し、部数拡張に資したそうだから、連載小説が読者を得ていた時代だった。

例によって、手に入る限りの資料を集めて書かれたものである。この作品を「歴史小説の傑作」と激賞したのは佐藤忠男である。

「森鴎外ばりの緻密な歴史考証と客観的なリアリズムの記述法によって史伝小説を試み、それに完全に成功したものであり、ここにはもはや、講談本的なキマリ文句もないし、誇張もない。その場の状況の細部を要領よく精密に描写しながら、事柄の核心に単刀直入に切り込み、説明し、分析し、個々の登場人物に対する作者の愛憎や評価は、その言動の客観的描写の裏にひっそりと隠している」

発端は男色がらみだ。又五郎が嫉妬で殺めた数馬の弟は池田藩当主の寵童だった。殿様は激怒。逐電した又五郎は旗本の庇護下に入る。ために事は幕閣を巻き込んで「大名対旗本」の対立という様相を帯び、「墓前に又五郎の首を供えい」との殿の遺言で、敵討ちは上意討ちへと変容する。

決闘は午前八時に始まり、午後二時に終わった。「三十六人斬り」は俗説で、敵側の死者は四人。うち又右衛門が斬ったのは二人。敵討ちの本筋は数馬対又五郎である。その死闘を又右衛門はひたすら見守り続けたと、長谷川伸は書く。

「午後二時に近くなった。数馬の負傷は十三ヵ所、又五郎の負傷は五ヵ所、双方とも、血に染まざるところなき姿である」

又右衛門が、ふと動く。

「ただ観ていただけの又右衛門が、いよいよ、討取りにかかるものと思ったのだろう。おのずとそのために隙ができた。そこへ数馬が一念、太刀打した。まさに左腕の動脈を斬った。／又五郎がきりッとひとつ旋った。／数馬が畳みかけてまた斬った」

又五郎の命が尽きた。又右衛門が手向けの言葉をかけてやる。

「又五郎、よく闘いたり」

芝居はここで幕だが、現実は終わらず、しかも後味がよくない。

数馬は傷跡のためにすこぶる醜怪な顔面になった。又右衛門は預けられた池田家に到着してわずか半月後に急死した。四十一歳。毒を盛られたのではないかと噂された。しかしながら長谷川伸は謀殺説を採らない。

「鍵屋ヶ辻で数馬対又五郎の真剣勝負にあたり、熱するを抑えて静かに、数馬が亡君の遺命を遂行し終るまで、およそ五時間、剣を携げて監視した。この海のごとく広く深く、山のごとく高く強く、花のごとく美しい有情の五時間が、又右衛門の命を害ったのである」

又右衛門の死で、男子のいない荒木家は藩の法によって絶家となった。艱難辛苦の末に、本望を達してもこの様では、敵討ちは割に合うものでないと思われる。

落語にも敵討ちは数々ある。

ほんの趣向のつもりがとんだ介入を招く「花見の仇討」、隣の部屋のバカ騒ぎに嘘をついて黙らせる「宿屋の仇討」、見物集めのために敵討ちを演出する「高田馬場」等々、いずれも大いに気楽でいい。今夜はひとつ、ＣＤを聴きながら眠ることにするか。

●『国立劇場第３０３回歌舞伎公演解説書』（国立劇場編集企画室編、日本芸術文化振興会発行、二〇一七年）▽『昭和国民文学全集７　長谷川伸集』（長谷川伸著、筑摩書房、一九七九年）

語り伝えられたこと

(2017.12)

立冬を挟んで、黒部峡谷へ紅葉を見に行った。前日まで雨だったという空に雲一つなく、錦繡を満喫できたのは、わたしの日ごろの行いがよかったからに違いない。

宇奈月からトロッコ電車で欅平まで上る。そこにある黒部川第三発電所は一九三六年に着工され、四〇年に完工したが、ダムを構築した上流の仙人谷との間に水路と軌道のトンネルを掘鑿していった難工事の詳細は、吉村昭の『高熱隧道』で知ることができる。

「紅葉が上流からくだってくると、亀裂のように食いこんだ小さな谷々の樹葉を素早い速度で染めていった」。トロッコ電車は欅平で終点である。吉村はさらに木製の箱車で密度の高い熱気と湯気の隧道を通って上がった。「岩盤ととりくむ技術者や労務者に異質な世界にすむ人間の姿」を見て心動き、十年がかりで小説を完成した。

吉村は『戦艦武蔵』に続くこの『高熱隧道』で作風を確立し、記録文学者への道を行くのだが、「『高熱隧道』が記録ではなく関係者の記憶によって成り立っていることが、『戦艦武蔵』との基本的な相違である」と書いている。

『戦艦武蔵』には克明な記録があった。しかし『高熱隧道』は記録がなく、「当時の関係者の記憶にたよらざるを得なかった」というのである。戦史小説を書くのに証言を集めながら知ったのは、人間の記憶力の確かさとともに、それがいかに心もとないものかということだった。『高熱隧道』にあやまりは避けられないと記している。だがこの著作により、ダムと発電所を生んだ難工事をこのように語った人たちの存在が伝わる。

「記録文学」でなく「記憶文学」の嚆矢《こうし》は『古事記』である。

天武天皇の命令で、稗田阿礼が暗誦する古来の言い伝えを、太安万侶が書き記し、元明天皇に献上したと学校で習った覚えがある。

〈臣安萬侶言。夫、混元既凝、氣象未效、無名無爲、誰知其形〉

序文冒頭の漢字の羅列に恐れをなし、恥ずかしながら、きちんと読んだことがない。池澤夏樹個人編集と銘打つ日本文学全集第一巻『古事記』によれば、池澤はここを、〈陛下の僕である安万侶が申し上げます。／そもそもの初め、混沌の中に造化のきざしが見えながら、未だ気と形が分かれる前、万事に名がなく動きもありませんでした。その時のことを知る者は誰もおりません〉と訳している。

古事記でいちばん有名なのは、国生みのくだりであろう。

〈於是、問其妹伊邪那美命曰「汝身者、如何成」。答曰「吾身者、成成不成合處一處在」。爾伊邪那岐命詔「我身者、成成而成餘處一處在。故以此吾身成餘處、刺塞汝身不成合處而、以爲生成國土、生奈何」。伊邪那美命答曰「然善」〉

〈そこでイザナギがイザナミに問うには――／「きみの身体はどんな風に生まれたんだい」と問うた。／イザナミは、／「私の身体はむくむくと生まれたけれど、でも足りないところが残ってしまったの」と答えた。／それを聞いてイザナギが言うには――／「俺の身体もむくむくと生まれて、生まれ過ぎて余ったところが一箇所ある。きみの足りないところに俺の余ったところを差し込んで、国を生むというのはどうだろう」と言うと、イザナミは、／「それはよい考えね」と答えた〉（池澤訳）

「然善」がいい。いつか全文を読むとして、わたしの『古事記』は谷川雁の絵本『国生み』である。

「がらんどうがあった。大地は、まだなかった。がらんどうしかないけれど、まんなかはあった。そのまんなかを見あげると、高いなあという感じがあった。とうといものがあるぞという感じだった。この感じがあつまり、けもののあぶらのように浮いてきた。くらげみたいにただよいはじめた」

谷川雁は一九六〇年代、総資本と総労働がぶつかった九州で、大正行動隊を組織して「しんがり戦」を戦った。長き沈黙に入ったとされる時期、東京で英語教育会社の経営に携わり、傍ら「らくだ・こぶに」と称して教材用に英語と日本語の絵本を作っていた。

イザナキとイザナミが協力して「こども」を生んでゆく。最初の淡路島、それから四国、隠岐、九州、壱岐、対馬、佐渡、大和。「これを、大八島とよぶことにしよう」とイザナキが言う。「名前もわたしたちがつけるのですか」「よい名前をつければ、よい土地になる」

それから土と砂、春、夏、秋、冬、水、川、海、海の汐、風、木、山、野、岩などを生み続け、最後に火を生んだ。それがイザナミの命取りになる。「おどりあがり、のびあがる炎のなかに、イザナミはうめきたおれた」

イザナキは地下の国にいったイザナミに会いに行くが、彼女はそこの食べ物を食べてしまったのでもう戻れない。見てはならぬものを見て逃げるイザナキと、追いかけるイザナミがヨモツヒラサカで向かい合う。「あなたの国の人間を一日に千人ずつ殺すことにしますからね」とイザナミが言う。イザナキは「わたしは毎日千五百人ずつ生ませるようにするよ」と答え、宣言するのだ。「人間が決してほろびないようにしてみせるぞ」

ことし五月、八十六歳で逝った歴史家岡田英弘は、モンゴルが世界史を作ったとする壮大な史観で知られる。異端視されても意に介さず、刺激的な説を唱え、『古事記』は偽書と断じ去った。

太安万侶に歴史編纂に関する経歴はない▽奈良朝の書物に『古事記』の名前を見ない▽平安朝の『新撰姓氏録』に『古事記』の引用なし▽七一二年編纂とされる『古事記』の内容が七二〇年の『日本書紀』より新しい▽『日本書紀』より後の『風土記』が引かれている等々、証拠が数々あるのに、公然と認めないのは、日本には固有の純粋な文化があったと思いたい感情的な理由からだと言って憚らない。

岡田史観に敬意を表するにやぶさかでない。しかしわたしは谷川雁が『古事記』を「遠い、遠い昔、じぶんたちの国がこんなふうにしてできたと語りつたえているひとびとがあった」と述べたことに惹かれてやまないのである。

●『高熱隧道』（吉村昭著、新潮文庫、一九七五年）▽絵本『国生み』（らくだ・こぶに再話、ラボ教育センター、一九七九年）▽『日本史の誕生』（岡田英弘著、ちくま文庫、二〇〇八年）

栄誉に合理性はない

（2018.2）

日本の新聞はノーベル賞がお好きである。「文学賞村上春樹」で空騒ぎするのが恒例だ。去年またも村上は貰えず、貰ったのは英国人作家カズオ・イシグロだった。するとイシグロが「日系」だからと千年の親戚のごとき扱いをして、経営が斜陽というのに特派員を現地に送って表彰式の模様を知らせてきた新聞があったりする。たしか一昨年はアメリカの歌うたいに虚仮《こけ》にされたような賞を、かくも有難がるとは怪訝である。

ノーベル文学賞と言えば、かつて井上靖で騒ぎ、三島由紀夫で騒ぎ、井伏鱒二も騒がれた。井伏は「自分をノーベル賞候補に推す動きがあるが、ノーベル賞を受けるなどということは考えただけで身震いがする」と嫌悪の情をあからさまにした。これを「朋有リ、遠方ヨリ来ル」のごとく喜んだのが畑違いの野田良之であった。

野田は比較法学者。一九一二年生まれ。府立一中、一高、東京帝大法学部の秀才で、助手、助教授から教授でフランス法講座を持つ。パリ大学教授を併任して日本法を教え、帰朝して「比較法原論」の初代教授。六十歳で定年退官して学習院大学に移り「法哲学」を担当、七十歳で定年退職するや千葉県柏市に引っ込んだ。礼記にいわく「七十ヲ老トイフ、而シテ伝フ」。悠々自適のなか多々書き置いてくれると後生のためになると思われたが、天は余命を赦さず、ただ一編の随筆集『栄誉考――柏随想』を残したのみ、余生はわずか二年で他界した。七十二歳。

その著書のなかで野田が井伏を引いている。ノーベル賞候補と囃されて身震いするとの発言に、「ここに私と同じ病に罹っておられる方がおり、しかも私より重症なのを知って、同病相憐れむとともに、心強く思った」と両手を挙げる。なぜなら「私は人前で公然と表彰されることが、面映ゆく、嫌になってきて、こういうものとは近づきにならない方がよいと思うことが切実になり、今日では病膏肓に入った感がある」からである。

野田の「栄誉嫌い」は徹底していて、学者なら誰もが喜んで受ける日本学士院会員に推されても、これを峻拒した。「栄誉というものについては、クリスト教徒としても人間としても甚だ消極的な気持ちしか持っていないので、到底受けられない」と言うのであった。向こうがなってほしいと言うのだから、受けて差し支えないだろうと口説かれても断固拒否した。パリ大学名誉博士授与の話も断った。

野田は外交官だった父の任地のブラジルに生を享け、クリスチャンであった。心のよりどころは聖書で、栄誉の問題も「僕、命ぜられし事を為したればとて、主人これに謝すべきか。斯くのごとく汝らも命ぜられし事をことごとく為したる時『われらは無益なる僕なり、為すべき事を為したるのみ』と言へ」（ルカ伝十七章九―十節）に拠って考えた。

才能は天与の賜であり、恵まれた人が立派な成果を挙げたとして、それは当たり前のことではないか。功績はその人の功労というよりも「為すべき事を為した」に過ぎないのである。

自分のことについても「私はかなりの才能を与えられ、その結果、幸運にも人に羨まれる社会的地位にも就き、才能において私より劣るところのない多くの人々よりも恵まれた生活を送ってきた」と言い、「いま余生を楽しんでいるのも国民の税金のおかげである。これ以上国家から優遇されることは心苦しい」と謙虚なのである。

なぜ栄誉を拒むのか。それは栄誉に合理的な説明がつかないからである。文化勲章のような国民的栄典に選ばれた人たちの業績を、野田は「毫も疑わない」としながらも、「問題は無数の選ばれなかった人に比してより優れていたと言えるのかどうかにある」と言って憚らない。栄誉を受くべき人は公正に選ばれているのか。「真に表彰さるべきは、無名・謙虚にして世に大きく貢献している人であると思うが、そういう人選はなされていず、既に名を成している人に栄誉が集中しているように思う」。

モンテスキューは政体を共和政、君主政、専制政の三つに分け、それぞれの運動原理として、徳、栄誉、恐怖を挙げた。「栄誉は君主政を動かすバネであり、栄誉を与えて他律的に市民の活動を促進する」。つまり「勲章制度は君主政の遺物」なのだ。戦功なら等級付けもできなくはないだろうが、今日の非軍事的勲賞が表すはずの社会活動における勲功の評価となると、公平な判定は実質的に不可能である。

従って形式的基準に当てはめて格付けをするのだ。国家機関の上位にいた者は格別功績がなくても上等の勲章を貰う。叙勲名簿は現役時代の序列どおりに並んでいる。大学教授も、国立大学教授が上で私立大学教授はたいてい下である。野田に言わせると「国立大学は総じて設備もよく、学生の質もよいから、教育の効果が私立に比して上るのは理の当然で、教授の功績ではない」とにべもない。

しかも不可解なのは、小学校の先生には例外的にしか叙勲がないことだ、と指摘する。「非行や暴力事件が激増していて、その波をもろに被っている小中学校の先生はそっちのけにして、やれ中教審だ、やれ臨教審だと言って、波の来ないところで涼しい顔をして御高説を開陳しておられる方々がやがて勲章を貰われるのだろうと考えると不可解は一層深まる」。

野田には合理性なき名誉を受ける気持は全くない。自分に対する好意ある評価を素直に受け入れないのだから、それはむしろ傲慢なのかも知れないと思う。しかしキリスト者として「私は人間の無数の魂を救い給うたイエスがこの世ではそれにふさわしい何の栄光も受けられず、むしろ十字架の死という恥辱を受けられたことを思うと、傲慢の謗を受けても、名誉に与る気にはなれない」のである。

栄誉渇望者にあふれる今日、栄誉を回避しようとする者は少数派であろう。しかし野田良之はこう呟いて生涯偏屈を通した。

「はたしてソクラテスやプラトン、アリストテレスが勲章を貰ったか」

●『栄誉考——柏随想』（野田良之著、みすず書房、一九八六年）

予知は不可能と知る

草津白根山が一月二十三日、突然噴火、飛んだ噴石に当たり十二人が死傷した。木曾の御嶽山の噴火は四年前の秋だった。山頂にいた人たちが噴石を逃げ切れず、五十人以上が犠牲になった。山に登る趣味はないが、むかし信濃に住んでいたころ、御嶽山も白根山も近くまで見物に行ったことがあるので何かしら他人事でない。

蔵王も噴火かとテレビが伝えている。「どちら側かしら」と、山形は庄内生まれの家人が言う。蔵王は宮城と山形にまたがり、むかしの噴火口に水が貯まったお釜は宮城側だが、草津白根の噴火口は古い湯釜ではなかったというし、蔵王も思わぬところが火を噴くのではないかと思ったらしい。

気象庁が「恐れ」を予告したら大丈夫だ。ほら、箱根も収まったからなと言うと、訝るような目で見る。俺の生きているうちに地震は来ないなどと公言していたら、七年前の東日本大震災で液状化にやられて以来、わが信用度は地に墜ちて回復していない。

火山噴火といえば、地震が怖い。地震の予知ができるようなことがいわれ、観測網があり、学者や識者から成る「予知連絡会」なるもので専門的な検討が繰り返されているはずだから、予想がつくのではないかと門外漢は思いたいが、本当の専門家はそうは考えない。

（2018.3）

地球物理学者竹内均がつとに「いわゆる『地震予知』というものについて、私自身は懐疑的だ」と述べていると、曽我文宣が去年出した『楽日は来るのだろうか』で知った。曽我は一九四二年生まれ。東大原子核研究所などから科学技術庁放射線医学総合研究所に移り、今や注目の的の重粒子癌治療装置の建設と運用に長く関わった。六十歳で定年後、「おぼしき事言わぬは腹ふくるるわざなり」とばかり、折に触れての思念を文章にしては本にして、これが十冊目になる。

曽我の挙げた竹内均といえば、かつて旺文社の『物理の傾向と対策』の著者で、いま七、八十代の元受験生には懐かしい名前である。東大教授のあと、雑誌『ニュートン』の初代編集長だった。

竹内は、予知政策に同意しない。「地震国の日本では、地震予知という政策に対して何十億円もの予算が投じられている。だがこうした『地震予知』で本当に役立つものはない」と断じ、「なぜなら、地震がおきるのは、たぶんに確率論的な現象だから」と言うのだ。

曽我はさらに東大地震研究所にいた泊次郎による「地震予知はあきらめよう」との提言に言及して、予知不能は「ほとんどの地震学者の共通意見になっているのではないか」と述べている。

突然だが、泊次郎とは朝日新聞で同僚だった。彼は科学部でわたしは社会部だったから親しく口を利いたことはないが、温厚そうな風貌は覚えている。四四年生まれ。東大物理学科地球物理コースを出て記者になり、『科学朝日』副編集長、大阪本社科学部長、編集委員。原発容認に傾く部内で慎重派の一人だったと聞いた。退社して東大大学院で学術博士号を得て、地震研究所の研究生、特別研究員、外来研究員。『日本の地震予知研究130年史』を著した。安政の江戸地震から東日本大震災まで、地震予知を望む日本人の情熱と苦闘と、しかし叶えられない軌跡を詳細にたどった大冊である。

泊は記者として何度も「地震予知に明るい見通し」的な記事を書いた。「地震を予知することは科学のロマンであると考えていたし、そう書けば、記事が大きく扱われたからでもある」と正直に告白している。けれども取材を進めていくうちに、予知は容易でないということが分かってきた。

東海地震に備えて直前予知ができることを前提に大規模地震対策特別措置法が作られている。予知は覚束ないと知って、東海地震対策を疑問視する記事も書いた。「しかし、無知故とはいえ、地震予知の実現は遠くないとの希望をもたせ、世間の期待・誤解をあおるような記事を書いたことは、自身の記者生活での大きな悔いとして残った」と言い、退社後に「罪滅ぼし」のつもりで地震予知研究の歴史を調べ始めたと、立志の動機を語っている。それまでの人生を賭した新聞記者としての仕事に、こういう始末のつけ方があるのかと、わたしは感じ入った。

泊によると、歴史は繰り返す。濃尾地震、関東大震災といった大地震・震災が起きるたびに地震予知への関心が盛り上がり、地震予知研究や地震研究に関する新たな制度的枠組みが生まれる。しかし期待の地震予知は実現しないまま時は推移し、社会の関心もやがて冷めていく。するとまた大地震が来て、地震予知熱が再発する。

誰しもいきなり大地震に見舞われるのはご免だ。地震予知は研究者の願望であり、世間の期待である。だから地震予知は国家計画として続けられてきた。膨大な国家予算が注ぎ込まれ、観測網も強化され、地震学は進展した。だが地震学が国家計画と絡んで「体制化」したことが問題だった。これが弊害を生んだのだと泊は言う。

例えば、一九六八年の十勝沖地震で「地震予知が可能かどうかの研究計画」が「地震予知を実施する計画」に変わったり、九五年阪神・淡路大震災のあとでは「直前予知」から「長期予測」へと変わったりと問題意識が科学の外の事情で変更されることが弊害の一つ。

二つ目の弊害は、研究者の選別が行われ、国策参与の「仲間内」はムラを形成して馴れ合い、研究者同士の競争意識、批判精神が薄くなり、逆に批判者は排除されて周辺に押しやられたことである。

東海地震対策の公共事業費だけでざっと一兆円が投じられたように地震関連費は巨額に上る。竹内均は「地震予知研究より、地震災害の直接的な被害を少なくするための防災に国費を投じるべきだ」と言っていた。いま泊次郎も「地震の『予知』に拘泥することなく、『防災』を強化すべきだ」と警鐘を鳴らしながら、自戒を込めて「無知であることは、罪深い」と言うのだ。地球物理学には無知ながら、予知は不可能なことだと知った。

●『楽日は来るのだろうか』(曽我文宣著、丸善プラネット、二〇一七年)▽『日本の地震予知研究130年史』(泊次郎著、東京大学出版会、二〇一五年)

宍道湖の落日を見る

（2018.9）


夕日を見たいと思った。

見るなら松江の宍道湖《しんじこ》と決めている。若年時、石川淳著『諸國畸人傳』で小林如泥の項を読んで以来の執着であった。ふた昔ほど以前、ついでに松江に立ち寄ったことがある。季節が春三月だった。大陸から黄砂というやつが流れてきて、そのせいで天空は霞んでしまう。せっかくの夕景も台無しで、「今はだめ。こんどは夏においでなさい」と土地の人に教えられた。

「宍道湖に於て見るべきものはただ一つしか無い。壮麗なる落日のけしきである。そして、これのみが、決して見のがすことのできない宍道湖の自然である」

文章の魔術師石川淳の断言をゆめおろそかにはできない。「夕日の名所」は青森の不老不死温泉をはじめ数々あるが、わたしにはひとつ、宍道湖しかないのである。

折よく、新聞にいたころの若い友人が松江に在勤する。さっそく威厳ある先輩風を吹かせて、宿の手配その他万端頼むことにした。ところが折から第百回を数える高校野球地方大会の真最中で、そんな暇はありませんやと一蹴され、先輩の威厳なんざ木っ端微塵となったのは甚だ遺憾だった。

ホテルなどすぐにあるだろうと高をくくっていたら、次々と「もう満室です」と断られたのには驚いた。八月の初め、何かの学会だか大会が開かれるということだった。駅から外れた宿にたどり着くまでいささか苦労した。

「松江は美しい町である」と称えたのは『暮しの手帖』の花森安治である。一九五四年に訪れたときの町の景色を、小泉八雲、芥川龍之介、志賀直哉の松江印象記を引いてこう書いている。

「子供のころ、抜けた上の歯を屋根に投げ上げた、その同じ場所に、今年行ってみれば、その小さな可愛い自分の歯がころがっていた……としても、決してふしぎではないような、言ってみれば、松江とは、そういう町である」

五五年の秋に、石川淳は活夫人を伴って松江に旅した。現地取材のためである。この年十二月から『別冊文藝春秋』に『諸國畸人傳』を連載。出雲の指物師小林如泥、豊後の歌舞伎役者算所の熊九郎、駿府の左官安鶴、常陸の遊芸人都々逸坊扇歌、出羽の医者細谷風翁、信濃の俳人井月、越後の商人鈴木牧之、阿波の人形師デコ忠、安房の石工武田石翁、越後の政治家阪口五峰の伝記を綴った。

これより先、五四年に出した『夷斎清言』には「畸人」の章があり、「荘子に、畸人は人に畸にして天に侔しといふ」「畸は字義に於て奇にひとしいとしても、畸人とはかならずしも言行の奇なるものの謂ではない」と述べられている。また「世界の意味は畸人が見つけるべきものであつて、世界が畸人の意味を考へるはづではなかつた。しかるに、人物の言行を見てこれを奇とする。これを奇と見るのは地上の世界のはうである」「むかしの舊畸人は、運動の極に信仰を配置して本分をあきらかにしたが、信仰うしなはれてすでに久しく、後世の新畸人はおのおの據るところの道にしたがつて発明の眉目を示さうとする」とある。

かくて石川淳は近世草莽の中に畸人を求めた。中村幸彦によれば、「それぞれの芸に遊んで、普通の眼からすれば、二流三流、ややげてもの臭いものも混ずるが、共通して個性の強い『あく』の持ち主である」となるが、とりわけ小林如泥にわたしは惹かれた。

如泥は「ジョテイ」と読む。宝暦三（一七五三）年、松江十八万六千石の城下大工町（現・松江市灘町）に生まれた。七代藩主治郷の贔屓を受けて側近に侍し、父の死で三十八歳大工竝、四十歳で譜代格大工。四十五歳のとき治郷から如泥の号を授けられる。「笑殺山翁酔如泥」から採ったとされ、泥の如く酔うほどに酒を好んだせいであろう。治郷は不昧と号する茶人で、数々の難題を如泥に課したが、ことごとくこれに如泥は応えて見せた。

その一　如泥と一彫り師に鼠を作らせて戦わせた。審判は猫である。二匹の鼠が並べられた。猫はただちに如泥の作に飛びついた。鰹節で作られていたのだった。

その二　江戸城中で治郷が如泥の神技を自慢した。薩摩侯が「名人でも瓢簞の中に紙は貼れまい」と言った。それを聞いた如泥は紙漉場に行き、紙を溶かした液を瓢簞に注いだ。乾いたとき、紙は瓢簞の中に貼られていた。

その三　不昧に菓子器を所望された。如泥は動かない。督促されて、にわかに四分板に五寸釘を打ち込んで杉箱を一つ作った。板は割れず、ほどよく膨らみ、美しい地紋を成していた。

こういう機知と手業を不昧はこよなく愛した。だが鼠も瓢簞も菓子器も伝わっていない。「つい近年まで某家にあった」と聞かされたのは竹かんざしである。妻か娘かが「かんざしを買えない」と嘆く。さればと如泥は竹の枝に少し細工をして与えた。銀かんざしの婦女子は竹かんざしを欲しがった。

如泥作と伝わる作品が残っている。釣煙草盆、寄木莨箱、書見台、炬燵やぐら、刀掛、梯子、神社の龍の彫物、雪月花茶箱、トンド宮（神輿）……いずれも「依怙地に於て自由」な作風である。細工に彫銘はない。一作ごとに使用した道具は始末された。跡を消したのだ。手を見せず、弟子もなかった。ただ一言言い残した言葉が「いもの葉の露を見ならへ」である。

如泥は暮れ方、湖畔に立った。「雲はあかあかと燃え、日輪は大きく隈もなくかがやき、太いするどい光の束をはなつて、やがて薄墨をながしかける空のかなたに、烈火を吹きあげ、炎のままに水に沈んで行く。おどろくべき太陽のエネルギーである。それが水に沈むまでの時間を、ひとは立ちながらに堪へなくてはならない」

工匠の活力の源泉はここにあったのだ。日が沈んだあと家に戻り、ひとり籠る。誰も近づけなかった。「夜の時間は仕事場のものである。落日からもちかへつたエネルギーは仕事に於て照つて出るだらう」。

夏日、かつて如泥が見たであろう夕日を見た。あいにく当方に、太陽のエネルギーを作物に転化する天分なきを遺憾とする。

●『諸國畸人傳』（石川淳著、筑摩書房、一九五七年）。のち中公文庫（七六年）

西郷隆盛の不思議さ

NHK大河ドラマの『西郷《せご》どん』に魅了されてファンになった、という投書が新聞に出ていた。六十八歳の主婦で、「気は優しくて力持ち。ぜいたくを好まず、実直な性格。皆から信頼され、統率力がある」と、ベタ惚れである。

この六月に出た原田伊織著『虚像の西郷隆盛』には、その本性は「軍」好きの冷徹な策謀家、度量偏狭で人の好き嫌いが激しいとあった。見方もそれぞれである。

大河の主人公として西郷隆盛は二番煎じだ。今回は林真理子原作というが読んでない。一九九〇年の初回の原作は司馬遼太郎の『翔ぶが如く』で、これは読んだ。

文庫本で十冊に及ぶ『翔ぶが如く』を書き上げた司馬が「ついに西郷という男は分からなかった」とどこかで述べていたが、出典を探せないでいる。「書いてみて、はじめて何を書きたかったのかが知れる」と言う作家もいたから、西郷は畢竟不可解ということに司馬は行き着いたのかも知れない。

何しろ、革命を主導して成功し、新政権の「首班」となりながら、一転反乱軍の首謀者に祭り上げられて死んだ男である。勝海舟によれば、西郷に会った坂本龍馬が「西郷という奴はわからぬ奴だ。少しく叩けば少しく響き、大きく叩けば大きく響く。もし馬鹿なら大きな馬鹿で、利口

(2018.12)

なら大きな利口だろう」と評したとは有名な話だ。よほど単純か、あるいは複雑か。龍馬も戸惑ったのではないか。

司馬では『竜馬がゆく』と『燃えよ剣』が良い。生彩を放つ主人公像は、むろん小説家の手並の冴えである。その証拠に坂本龍馬は「竜馬」と記される。土方歳三などは「ただの田舎の暴れん坊に過ぎない」と地元の人がけなしたとの話に「それはそうだよ、あれは僕のつくった土方なんだよ」と言っている。その司馬も西郷の不思議さは扱いかねたとみえる。

「討幕段階の西郷はたしかに陽画的で、かれがどういう人物だったかを、ほぼ私たちはつかむことができる」と書いている。だが討幕後の西郷はにわかに陰画的になり、「みずから選んで形骸となってしまった」のであった。「幕末における充実した実像は、そのまま維新後の人気のなかで虚像になった。蓋世の虚像といってよかった」

読み巧者の丸谷才一に「司馬遼太郎論ノート」がある。概して近代日本を扱った司馬作品には評点が辛く、『坂の上の雲』や『殉死』とともに『翔ぶが如く』についても「全体としては焦点が曖昧で、印象が濁る」と批判的だ。

「一時代を率ゐた英傑、西郷吉之助は、革命に成功して隆盛と名を改めた途端、単なる一個の愚物と化す。事実さうであつたかもしれないが、それはともかく、小説家は西郷がかつて偉大であつたことと今はもう尊敬に価しないこととのつづき具合には責任があるはずなのに、司馬はただ茫然として彼の没落と頽廃を見まもるだけなのである」と言い、「おそらく西郷隆盛には西郷吉之助が持つてゐたやうな、小説の登場人物としての魅力が乏しいため、作者は匙を投げてゐる」と手厳しい。

薩摩と国境を接する肥後に盤踞する日本近代史家渡辺京二の司馬観はもっと厳しい。「『翔ぶが如く』雑感」と題する文章があって、七九年に雑誌『カイエ』に発表されたが、長らく「幻の司馬論」といわれた。うそかまことか司馬批判は新聞社でも出版社でもタブーで、なぜなら出せば売れる作家の機嫌をそこねたくないからだと囁かれた。渡辺論考は司馬の死後に、伝説的編集者の齋藤愼爾による『司馬遼太郎の世紀』に再録された。それで今は容易に読める。

渡辺京二は司馬の初期は愛読したが、『坂の上の雲』で離れた。年々高じる一方の「講釈癖」に読み続ける意欲をなくしてしまい、こんど課せられて『翔ぶが如く』を読んだが、「読了するのは正直いって苦痛だった。なぜならば私は、司馬という作家から小説の提供を欲するもので、歴史に関する講釈を聞きたいのではないから」と言う。読んだがしかし人物把握が透徹しておらず、「小説としてみれば、スカスカである」と仮借ないのである。

さすれば司馬は史家であるらしい、史家ならば史家としての対応をせねばならぬ、と思い至り、渡辺は居住まいを正して作品に向かう。そして「彼はよく勉強をした」と努力は認めつつも、「史眼の不徹底」から先行の諸論考の綜合をしたに過ぎず、考察は西南戦争論としても西郷論としても、「数千枚を費やしたにしては見るべき独自性に乏しい」とにべもない。

司馬は「百人が百通りの幻想を西郷に託し、やがて幻の西郷像が日本国をおおういきおいになる」とも書いている。様々の西郷像があって当然ということだ。

家人の里が庄内の酒田で、初めて訪れたとき南洲神社があるのに一驚した。何と、ここでは西郷は神様である。庄内藩は戊辰東北戦争で官軍に降伏したが西郷によって寛大な処分に与った。そのことを徳として、御礼に西郷を訪ねた庄内藩士が聞いた言葉をまとめたものが『西郷南洲遺訓』になったのだという。時にこれを開く。そして溜め息をつく。

「萬民の上に位する者、己れを愼み、品行を正くし、驕奢を戒め、節倹を勉め、職事に勤労して人民の標準となり、下民其の勤労を気の毒に思ふ様ならでは、政令は行はれ難し」

「命もいらず、名もいらず、官位も金もいらぬ人は、仕末に困るもの也。此の仕末に困る人ならでは、艱難を共にして国家の大業は成し得られぬなり」

こんにち、名を求める政治家のみ蠢き、うそが飛び、忖度が横行し、不正が繰り返され、妄言が止まず、不適材不適所だらけ。これでまともな政令が行われるはずはなく、次々とスローガンを並べる首相の掛け声ばかりが空しい。

西郷は漢詩を遺した。「幾たびか辛酸を歴て、志始めて堅し。丈夫玉砕、甎全を愧ず。一家の遺事人知るや否や。児孫の為に美田を買わず」。ふやけた二世、三世議員が跋扈する今の政界を西郷が見たら、きっと溜め息をつくことであろう。

●『司馬遼太郎が考えたこと』8（司馬遼太郎著、新潮文庫、二〇〇五年）▽『虚像の西郷隆盛――虚構の明治150年』（原田伊織著、講談社文庫、二〇一八年）▽『丸谷才一批評集』第五巻（丸谷才一著、文藝春秋、一九九六年）▽『司馬遼太郎の世紀』（齋藤愼爾編、朝日出版社、同年）▽『西郷南洲遺訓』（山田済斎編、岩波文庫、一九三九年）

新聞人の出処進退

（2019.10）


井上靖に小説『城砦』がある。

それに桂正伸という初老の男が出て来る。桂は、手塩にかけて育てた「TR工業」の社長を惜しげもなく辞めて、道楽の釣りに余生を送ろうとする。

「長身で、痩せ型で、顔は陽灼けして色が黒かった。六十歳に近いということだが、老人じみたところはどこにもなかった」

「その引退事件は、いろいろに解釈されていた。それが突然のことであったので、組合との関係がもつれて、それで責任をとったのだとか、会社内部の長く続いていた勢力争いの犠牲になったのだとか……勝手なことが取り沙汰されていた」

「彼と親しい一部の者の間では『彼は会社勤めがふと厭になったのだ。厭だと思い立つと無性に矢も楯もなく厭になってしまう。そういう生まれつき我儘なところがある』という見方も行われていた」

一九六二年の夏から一年間、毎日新聞に連載された。主人公の桂は「あれだけきっぷのいい男は当今余りない」と、伊豆の釣り宿の内儀が折り紙をつけるほどだ。「釣り宿の内儀さんと、美人の娘さんと、そこの女中の三人に、家を挙げて惚れられていた」。

桂の風貌、桂の辞め方、桂の所作のことごとくが、二年前の六〇年六月三十日に朝日新聞社の代表取締役・専務取締役を突如退いた信夫韓一郎と瓜二つである。社主の村山長挙が会長で社長は空位だったから、事実上の最高経営責任者であり、七月一日が信夫六十歳の誕生日であった。

作家いわく「主人公の性格は、信夫さんが身につけているものの一部を拝借した。たいへん気難しく、贅沢で、おしゃれで、潔癖で、多少虚無的でもある」。

画家生澤朗による挿絵の桂がまた信夫にそっくりで、「あまり似すぎて、このさき娘を誘惑することにでもなったら困るな」と当人が苦笑したということだ。

井上とも生澤とも信夫は昵懇だった。桂は釣りだが、信夫はゴルフ三昧で、井上には道具一揃いを贈ってゴルフを勧め、生澤とはよく一緒にコースを回った。

信夫韓一郎は漢学者恕軒の嫡孫、外交官から国際法学者になった淳平の長子として一九〇〇年、京城（ソウル）に生まれた。父と葛藤があり、母の死後、弟たちを残して家を出た。許せないことがあったのだろう。「親父は勘当した」と公言し、和解は終生なかった。

暗鬱な青春期だったらしい。新聞志願の理由は判然としないが、早稲田の政治経済学部在学時、『早稲田大学新聞』の創刊に関わっているから、新聞に関心があったと思われる。朝日新聞の入社試験を受けて入ったのは二五年四月、二十四歳であった。試験の成績が良くなかったとみえ、本社に残る同期生をよそに信夫は京城通信局に配置された。それから名古屋通信局を経て、大阪本社整理部に上がった。

後輩の面倒見はよい反面、平のくせに平気で上と喧嘩した。日曜出勤の新人が死者多数の事故発生で特落ちをした。信夫は「私が出番でした」との始末書を黙って本社に出した。初任地では職務を顧みない上司の通信局長排斥運動の先頭に立った。転任先でも上役とぶつかった。さらに本社整理部では「おい、××君、これどうなんだ?」などと、部長を「君呼ばわり」する。覚えのよかろうはずはなかった。

取材記者としてこれという特ダネもなければ、名文もなかった。出稿各部からの記事の軽重を決め、見出しをつける整理部にいたが、語り草になるような「傑作」もない。しかし「頭のてっぺんから足の爪先まで、あの人は新聞記者でした」と言うのは、信夫と従軍行を共にした武野武治(むのたけじ)である。

武野によると、「軍の権力に向って新聞の権威を対峙させていく努力」を信夫はした。ジャワ方面軍司令官今村均が記者に会おうとせぬ。副官が寄せ付けようとしない。そう聞いて信夫は社旗をはためかせた車で官邸正面に乗りつける。誰何《すいか》する衛兵を「俺は新聞記者だ」と気合で圧して退け、今村に会って軍の不心得を直言した。以後、会見取材は自由となったという。

賦性狷介は祖父の恕軒譲りで、扱いにくい存在だったからか、それとなく遠ざけられていた信夫が社の中枢に参与するのは敗戦後である。戦争責任の追及で首脳陣が一掃され、大阪本社の、ついで東京本社の編集局長になる。それが初の東京勤務という異例ぶりであった。五一年に代表取締役に就任、九年間にわたって経営を担う。

緊縮財政の続く大変な時代を、信夫は生来の勘の鋭さと頭の回転の速さで乗り切った。増頁のたびに紙面構成を決め、南極観測の後援を求められて一億円(今だと二十億円か)の支出を即断し、ファクシミリ印刷の導入を主導した。いちばん心を砕いたのは、社内の自由闊達さを維持するということであったらしい。いなくなったあと、信夫の時代がいかに明るかったかと社員は気づくのである。

新聞経営者として政治家や財界人との付き合いには一線を画し、対外的にはほとんど無名を通した。「六十歳で社を辞める」が口癖で、「社員が五十五歳定年なのだから役員も定年制にしたらいい」とも言った。「新聞は六十、七十のじじいがやる事業じゃないんだ」が持論だった。『週刊朝日』の全盛期を築いた扇谷正造が問うたら、「誰かの言葉だが、自分が会社にとって必要だと自分で思った時は、実は会社はその人物を必要としないのだ」と答えたそうである。

大岡昇平が「お前をほっとく奴はいない」と言ったが、三つの政府機関、八つの会社からの招聘を信夫は全て断った。「一人一業」を貫いて、七十六歳で逝った。


日本新聞協会前会長で読売新聞グループ本社の白石興二郎という七十三歳の会長が、九月二日付でスイス大使に任命された。

読売を牛耳るのは、安倍と頻繁に酒食をともにする渡邉恒雄という九十三歳の主筆である。特定秘密保護法施行のための情報保全諮問会議座長も務めた。沖縄密約を暴露した元毎日新聞記者西山太吉は八十七歳、渡邉を「安倍内閣の最高のスポンサー」と称する。新聞人も色々ということだ。

●『城砦』（井上靖著、毎日新聞社、一九六四年）▽『記者風伝』（河谷史夫著、朝日新聞社、二〇〇九年）＝のちに『新聞記者の流儀』と改題して、朝日新聞出版から文庫版を刊行）

かい人21面相の暗黒

（2021.11）

婚期――と書き出して、ふと躊躇する。いまどき婚期だなんてアナクロニズムですと、妙齢の編集者から糾弾されはしまいか。小心のわたしは恐れるのである。女性と年齢の問題は何かと厄介だ。八方に気を遣わないといけない。芯の疲れることである。

駆け出しのころ、六十歳の女性の交通事故は、例えば平気で「老婆、はねられる」などと記事にしていたが、そのうち紙面から老婆は消えた。きっと「老女」とせよとの社内通達が出たのだろう。「ひと」欄担当のとき、テレビのニュースキャスターから評論家に転ずるとかの女人に会いに行かされた。五十歳だというので論語の「五十ニシテ天命ヲ知ル」を絡めて綴ったら、「女性の年を暴くのはけしからぬ」との抗議がどこからか飛来して、「アニ慎マザルベケンヤ」となったことであった。

「婚期」は、映画『晩春』にまつわる。婚期を逸しかけた一人娘の原節子を嫁がせようと父親の笠智衆がやきもきする物語である。「このままお父さんといたいの……」と渋るファザコンの原を説得するように、笠が言う。

「――お父さんはもう五十六だ。お父さんの人生はもう終りに近いんだよ。だけどお前たちはこれからだ。これからようやく新しい人生が始まるんだよ」

この科白を書いた小津安二郎は、そのとき四十五歳だった。五十代はもう晩年とみなされていたのである。小津自身、六十歳の誕生日で還暦の日に人生を終えた。

朝日新聞の戦後を担った信夫韓一郎の出処進退が潔い。六十歳で代表取締役を退いてさっさと隠居したのだが、日ごろ「新聞は六十、七十の爺がやる事業じゃない」と口にしていたそうである。今日卒寿を越えてなお、創業者でもないのに新聞事業を手放さない爺がいると知れば驚くことだろう。

むかしはキンさんとギンさんくらいだった百歳以上が、今は八万六千人いるから、年齢というものへの意識も変化して当然であるが、池内紀が『すごいトシヨリＢＯＯＫ』で述べたように、年を取ることは避けようがない。

だんだん億劫がって出歩かなくなるのを防ぐために、とにかく予定を立てろとの池内の助言に従って、わたしもたくさんスケジュールを組む。グリコ・森永事件を描いたという映画『罪の声』を観るのもその一つだったが、コロナ蔓延で映画館へ行きそびれた。先日テレビでようやく観られたのを機に、原作の小説と事件を追ったノンフィクションを読んだ。

いきなり三十七年前にタイムスリップした景色のなかで実感したのは、未解決事件は未解決のゆえに今も生きているということだ。犯人が捕まり動機も分かれば、どんな大事件も過去になるが、迷宮入りしたら新鮮さを失わない。

日曜日の午後九時半、入浴中だった江崎グリコ社長を裸のまま拉致して、「現金十億円と金百キログラム」を要求するという乱暴な発端から食品各社への脅迫、青酸混入菓子のばらまき、キツネ目の男の出没、警察と犯人のニアミス、そして何より何十通もの「かい人21面相」による脅迫状や挑戦状の連発は、前代未聞の劇場型犯罪と化した。一九八四年春から八五年にかけての出来事である。二十七年後のＮＨＫスペシャルが現場の証言を集めた。「一網打尽」に拘った幹部の指揮を指弾する刑事に対し失敗を認めないキャリア組の姿は、敗戦の責任から逃げた旧日本軍指揮官そっくりであった。

成り行きは朝日新聞大阪本社社会部による『グリコ・森永事件』で一気に辿れる。事件一年目に出た「中間報告」だが、警察幹部も記者も実名で出てきて、随所の叙述は詳細極まる。捜査員がデータブックとして活用していたというのも肯ける。余談ながら、これを取りまとめた加畑公一郎は新聞記者には珍しく才筆で聞こえた。

犯人からの脅迫電話の肉声が大阪府警で記者たちに公開された。

「事務文書を読みあげるような、抑揚のない、乾いた女の声であった。若い女とわかったとたん、記者の間から『おおっ』と小さなどよめきがおこった。肩すかしをくって水たまりに手をついたような、鳥肌が立つバツの悪さを感じたのだが、それを無視して、平野（捜査一課長）の表情は変わらない」

続いて別の音声が流れてきた。

「凶悪な犯罪者の声を予期していた記者たちは、機械仕掛けの人形みたいな発音が紛れもない子供の声と知ると、一瞬、ひきつった目で顔を見合わせた。大部屋はしんと静まりかえった」

課長の説明を聞き終えるや記者は階段を駆け下りて二階の朝日ボックスへ飛び込むと、社会部への専用電話をつかんで怒鳴った。

「女と子供だ！」

テープの声をのちに聞いて「この子供たちの人生は一体どうだったか」と思い、『罪の声』を書いたのが塩田武士の独創である。事件のときは五歳だった。神戸新聞記者を経て作家になった。小説家には想像力を駆使する特権がある。現実と違って作中の記者は犯人に行き当たって一面トップを飾るのである。

被害企業への個人的怨念、新左翼運動崩れ、暴力団の絡み、警察内部の腐敗、株価操作、仲間割れ、外国逃亡といった当時もいわれた可能性の数々を織り込んでいる。そうだったかも知れず、そうでなかったかも知れない。ただし三人の子供は紛う方なくいた。今何歳になっているだろう。

八四年十一月十四日が山場だった。現金強要で大捜査網が敷かれるが、想定外の滋賀県に一味が現れた。偶然に接触した県警パトカーが取り逃がして失態とされた。警察の縄張り根性と秘密主義が元凶であった。翌年八月、ノンキャリアだった県警本部長が退官したその日に焼身自殺した。「失態」を気に病んでいたといわれる。

五日後、事件は突然終わりを告げる。「わしら　みたいな　悪　ほっといたら　あかんで」と言い残して、悪党は闇に消えたのである。

未解決だったことが、のちの閉塞感に繋がったと述懐する元記者がいた。八七年の朝日新聞阪神支局襲撃事件も迷宮入りする。

●『グリコ・森永事件』（朝日新聞大阪社会部著、朝日文庫、一九九四年）▽『未解決事件 グリコ・森永事件～捜査員300人の証言』（ＮＨＫスペシャル取材班著、新潮文庫、二〇一八年）▽『罪の声』（塩田武士著、講談社文庫、二〇一九年）

捨てるか捨てないか

（2021.12）

「終活」が盛んらしい。就活が就職のための活動で、そんなら終活は人生を終えるための活動だろう。年寄りどもよ、死に備えてケリをつけておけということか。

志ん生の孫娘の池波志乃と中尾彬の夫婦が、自分たちの終活をやたら喧伝していた。家を処分し、本を処分し、衣服を処分し、遺言書を書き、墓を建てたとある。万端整えて、あと残っているのは我が身の処分ひとつである。

余談だが、この二人の結婚を、志乃の叔父の志ん朝が噺の枕にしていたのを思い出した。中尾は前妻と別れてのことで、いろいろあったとは役者なら珍しくない。弟子たちの間で密かに「この結婚はいつまで持つか」と賭け事になっていたというのである。年単位、月単位、週単位、いや即離婚との見立てまであった。それが何と長く続いて、ご両人終活とはめでたし、めでたしではないか。

週刊誌やテレビで何かと終活を特集している。六十五歳以上が三千六百万人もいて、年金や国民保険やその他もろもろの政策上、爺さん婆さんは邪魔に違いない。早くあの世へ行ってくれとの政府の本音に呼応するように、遺言の書き方から乏しい貯金の整理の仕方まで、手取り足取りの指南にはほとほと有難さが沁みてくる。

コロナにいつ罹って死ぬかも知れぬからと、終活を急いだ人がいたそうだ。自粛暮らしの間に家の片付けをした人は数知れず、ゴミの出方が一方ならぬ分量になったという。不要品を一気に捨てたのだ。さぞすっきりしたことだろう。乱雑な空間より、モノがないほうが清々するのは間違いない。「すっきり信仰」の信者が雲霞のごとくとは言わないが、バッタの数くらいはいるかも知れない。

ふた昔ほど前だったか、どこかの主婦が『「捨てる!」技術』を書いてベストセラーになった。モノを捨てないことは美徳ではない。どんどん捨てて、モノにとらわれない生き方こそ新しいライフスタイルだとの御託宣であった。

「捨てること至上主義」の彼女は、聖域をつくるな、仕事の資料は一区切りついたら捨てよ、思い出の絡んだモノはあなたが死ねばゴミなのだから、死ぬ前にすっきりさせようと叫び、「捨てなきゃいけない——これが現代に生きている私たちにとっての至上命題だ」と鼓吹したものである。

これに怒れる獅子のごとく嚙みついたのが、今年四月に「死ねば無になる」と言ってあの世へ去った立花隆だった。この人には自分が理不尽だと感じる事柄に遭遇すると、かっと頭に血が上る癖があったように思うが、この時も「捨てなきゃいけないのは、この本だ」と吼え、「著者は強迫神経症だ」とまで決めつけた。

膨大な資料を集めて、分野の異なる多面な主題と取り組んだ立花にとって、資料の保存は最大関心事である。散逸を防ぐために数千万円の借金までして「猫ビル」を建てたほどだから、「仕事の資料は捨てよ」と言われたら、断固反駁しないわけにいかない。

捨てられるのは、その仕事に継続性や持続性がないからだ。その場限りの泡のような仕事なら資料を捨てても痛痒あるまい。「資料が『いつか必要になる』ととっておいても、『いつか』は来ない」などと分かったようなことを言うけれど、多少とも知的職業につけば、その「いつか」は必ず来る。立花はそう明言するのである。

写真、アルバム、プレゼント、年賀状、母親手作りの服……思い出を伴うモノが誰にもある。立花をとりわけ憤激させたのは、彼女が婚家に入ったとたん、そういうモノを猛然と捨て始めたことだった。「人の聖域に踏み込んで、平気でそれを踏みにじるような無神経な女は絶対に許せない。三日目には離婚したろう」。

立花がこの本を「カス」と言い捨てて全否定したのは、捨てるか捨てないかは、人類文明の起源に関わることだからである。ヒトは他の生物と違い、本格的にストックを作って利用する「ストック依存型生物」となった。それで時間をこえて生きることができるようになったのであり、よきものは「捨てない派」が作るストックから生まれ、常に無用とも思えるほど過剰なストックの中から、未来が生まれてきたのである。

つまり「捨てない」のは人類社会の基礎原理であり、最も大切な基本的価値観であった。だから「さあみんなでせっせと捨てる『捨てる主義者』になって、ハッピーな生活を送りましょう!」などと煽られても、そう簡単には、話にのれないというのが、「人間として当たり前」なのである。

だがすっきり信仰の波は止まらない。ひと昔前、「断捨離」なる耳障りな新語が世間を席巻した。要は「片付け」の言い換えで、延長上に「終活」がある。人生たそがれ、動けるうちに身辺を整理して後腐れなくしておく。そのことに異議はないのだが、しかしそれは密かにやればいいので、他人様に吹聴することではあるまい。

わたしはモノを捨てない。部屋は天井裏までごった返している。東日本大震災のとき、茅屋も揺れて傾いたが、保険会社から来た地震保険の査定員が、「おや、ずいぶんモノが落ちていますね。こんなにひどかったのですか」と同情の目をしたほどだ。威張れることではないけれど、ことさら整理しようとは思わないのである。

死ねばすべてゴミだが、生きている間は、古新聞の切れ端までわたしには意味がある。立花も言っているが、「死んだらどうなるかより、いまどう生きているかのほうがはるかに大切」なのである。それでも、じきに死ぬと分かれば、その時はその時で大いに慌てふためくつもりである。ただし死期を正しく知り得るかが問題だ。

癌と告知された男がいた。

「これは大変だ」とばかり、隠し持っていたエロチックな写真を少しずつ処分した。ところがそれが医者の誤診だったというのである。この話、池内紀の『すごいトシヨリＢＯＯＫ』に出て来る。

池内は言ってやったそうだ。「せこいことしなくていいんじゃないか」

●『「捨てる！」技術』（辰巳渚著、宝島社新書、二〇〇〇年）▽『ぼくが読んだ面白い本・ダメな本　そしてぼくの大量読書術・驚異の速読術』（立花隆著、文藝春秋、二〇〇一年）

生きて恋して書いて

（2022.1）


寂聴尼僧との「御縁」は一度、四半世紀前のことになる。

朝日新聞に「対論」という欄があった。二人に一つの主題を縦横に語り合ってもらおうという趣旨で、立案、招聘、司会、構成を一人で担当するのだが、それに管野須賀子や伊藤野枝といった「大逆者」を小説に仕立てた寂聴と全共闘世代の歌人で〈ガス弾の匂い残れる黒髪を洗い梳かして君に逢いにゆく〉の道浦母都子の組み合わせを企てたのである。

「来ていただけませんか」と京都の寂庵に依頼したら二つ返事で承諾してくれた。一九九六年、寂聴著『わたしの樋口一葉』が出たときで、題目は一葉にした。縮刷版を繰ってみると、一葉命日の十一月二十三日の社説対向面に「没後百年　樋口一葉を語る」という「対論」が掲載されている。

佳人薄命の見本のごとき一葉の「病弱で、貧乏で、夭折して結婚もせず、可哀想」というイメージを覆して、彼女は幸せ者、なぜならば「天才でありながら、いかに自分が認められたかを見て死んでいます」と寂聴は言い切り、「生きていればもっといい作品を書いたろうと言いますが、私はそうは思わない」と確言するのである。

日記から浮かぶ実生活のしたたかさを指摘して「処女説」を一笑に付し、「男は少なくとも二人いて、しかも両方から金を取っている」と暴露。さらに「妹は美人だけど、一葉の器量は悪かった。色は黒くて黒豆というあだ名だった」と興ざめなことを言って、佳人説を「鏑木清方なんかが絶世の美女に描いたからよ」と一蹴した。

古い記事をこうして転記していると、対談当日のやり取りがにわかに思い出される。スパッ、スパッと、研ぎたての小太刀で木片を殺《そ》いでいくような寂聴の語調がまことに小気味よかった。一葉は東京朝日新聞の小説記者半井桃水《なからいとうすい》を師と仰ぎ、慕っていたが、道浦がそのことに触れたときがふるっている。

道浦　一葉は半井をほんとに好きだった。でも彼の方が一葉は自分より大きな器だと感じ、逃げたのでは？

瀬戸内　桃水は一葉の大きさを分かっていたかしら。大体、女はつまらない男を好きになるのよ。（笑い）

道浦　すみません。

瀬戸内　あら、何か差し障りがあった？

道浦　はい、身に覚えが。

瀬戸内　桃水って、ハンサムですからね。美人じゃない女はハンサムに弱いのよ。私も。（笑い）

一葉が半井や相場師の久佐賀義孝《くさかよしたか》と体の関係があったとは寂聴説である。一葉研究者の前田愛が「資料が出てこない限り、僕は瀬戸内さんのようには書けない」と述べたことを「学者ってつまらない」と切り捨てたが、道浦が男関係のことは「日記にない」と質すと、「日記は創作」の一言であった。「紫式部だってうそを書く」。

一葉は二十四歳で文学仲間に看取られて息を引き取る。「いいですねえ。私だって、お棺を担いでくれる人を選んでおいたんだけど、みんな先に死んだり、よたよたしてきたりで」と座を笑わせ、「あなた、恋をしなきゃだめよ」と四十九歳の道浦をさんざけしかけてから、寂聴は帰って行った。

二十四歳の寂聴はまだ夫と娘の三人で暮らす平凡な主婦だった。それが翌年、夫のかつての教え子を好きになり、「不貞」の烙印を押された女の一生へと踏み出す。

恋とは雷と同じと、生涯言い続けた。「恋は理性の外のもので、突然、雷のように天から降ってくる。雷を避けることはできない。当たったものが宿命である」。

別の男と出会い、そこに昔の男が現れて、三角関係、あるいは四角関係の修羅場をくぐるなかで、寂聴は作家になった。源氏物語を現代語訳し、出離をし、岩手の天台寺で法話をし、寂庵に来る悩める衆生を力づけ、天台宗の権大僧正になり、文化勲章を受けた。

望むがまま駆けた生涯の象徴的出来事が五歳のときに起きた。親が入園手続きを忘れた幼稚園に自分から出向いたのだ。「姉ちゃんは二年幼稚園に来たのに、うちは来させてくれん。どしても来たい。ほんで一人で来たん」。埃と汗にまみれた子の出現に大人は驚いた。これからも情熱に駆られて、彼女は果てまでおもむくであろう。

「妻子を捨て放浪の血のうながすままに、我儘に生きた無頼の峰八の血が、もしかしたら一番私に流れているのではないだろうか」と、七十九歳で出した『場所』にある。父方の祖父は旅役者の女座長に惚れ、家業の和三盆づくりを捨てて出奔した。二十数年後に九州の博多で死んでいたという。

作家としての地位を確立した『夏の終り』にはじまり、寂聴は「わが愛の遍歴」を幾つもの私小説にしているが、なかでも『場所』は、日野啓三が「この作品における主人公は作者自身も、私小説の『私』も越えている。いや人間の捉え方がこれまでの域を大きく逸脱して自由になっており、根源的で普遍的な気配を帯びはじめている」と激賞したほどである。

寂聴は二刀流遣いで伝記小説も書いた。ことに『遠い声』で大逆事件の刑死者管野須賀子、『美は乱調にあり』と『諧調は偽りなり』で帝国陸軍に虐殺された伊藤野枝、『余白の春』で天皇の特赦状を破って自裁した金子文子らを今に蘇らせた仕事は特筆に値する。

四十四歳のとき、谷川雁が「最後のプロレタリア作家」と称した井上光晴と運命的に出会った。「文学上の恩人」となるが、それはまた新たな三角関係の始まりであった。「情熱だけを愛の証にした男と女の仲」は、やがて女が「出家する」と告げ、男が「そういう方法もある」と応じて終わった。天台宗大僧正今東光との間に、「下半身はどうする」「断ちます」「髪は」「剃ります」の問答があり、五十一歳での落飾であった。

浩瀚な『寂聴伝』二巻を著した齋藤愼爾によると、寂聴は晩年「今が最も悪しき時代だ」と言っていたそうである。墓碑は「愛した、書いた、祈った」としたというが、まだ書き切れぬものを抱えていたと思われて仕方ない。

●『朝日新聞縮刷版　一九九六年十一月号』（朝日新聞社刊、一九九六年）▽『寂聴伝――良夜玲瓏』（齋藤愼爾著、白水社、二〇〇八年）▽『続寂聴伝――拈華微笑』（同、同、二〇一七年）▽『場所』（瀬戸内寂聴著、新潮社、二〇〇一年）

Ⅲ　政治の章

せこい都知事の品性

久しぶりに東海道線を下った。

小田原を出た普通電車は早川に止まり、根府川に停車する。

茨木のり子が「根府川／東海道の小駅／赤いカンナの咲いている駅」（「根府川の海」）とうたった駅である。降りたことは一度もないのに、何かしら懐かしい。

「たっぷり栄養のある／大きな花の向うに／いつもまっさおな海がひろがっていた」

詩人は十代のころ、友と二人して、動員令をポケットにゆられて、燃えさかる東京をあとに、この駅を何度も通過した。

「ほっそりと／蒼く／国をだきしめて／眉をあげていた／菜ッパ服時代の小さいあたしを／根府川の海よ／忘れはしないだろう？」

あの「無知で純粋で徒労だった歳月」は逝き、彼女はふたたび根府川を通る。

「あれから八年／ひたすらに不敵なこころを育て」

敗戦の年は十九歳だった。八年経って一九五三年、二十七歳のとき、この詩はできた。「現代詩の長女」の「不敵」は「わたしが一番きれいだったとき」で炸裂する。四年後、三十一歳であった。


（2016.8）

「わたしが一番きれいだったとき／わたしの国は戦争で負けた／そんな馬鹿なことってあるものか／ブラウスの腕をまくり卑屈な町をのし歩いた」

四十九歳のときに発表した「自分の感受性くらい」では、「ぱさぱさに乾いてゆく心を／ひとのせいにはするな／みずから水やりを怠っておいて」と刃を自分に向け、「自分の感受性くらい／自分で守れ／ばかものよ」と突きつけた。

不敵な詩人のことを思いつつ根府川を出ると真鶴、そして湯河原である。と、いきなり不出来な政治家の名が車内から聞こえる。

「舛添さんのとこよ」「別荘だろ」「売ったのかしらね」「さあね」

国際政治学者、テレビタレントから政界へ転じた舛添要一は、「せこい都知事」として歴史に名をとどめる仕儀となった。「ＳＥＫＯＩ」はニューヨーク・タイムズも取り上げたというから、「ＳＵＫＩＹＡＫＩ」に列するかも知れない。

「せこい」は手元の『広辞苑』第二版（六九年）にない。第三版（八三年）には「けちくさい。みみっちい」とある。『日本国語大辞典』第二版（二〇〇一年）は「ずるい、素早いという意の俗語」。

『新明解国語辞典』第四版（一九九六年）では「ずるかったり、人目をごまかしたりする所が有って、まともには付き合えない感じだ」が、第七版（二〇一二年）は「目先の利益（効果）にとらわれて、他から見れば度量がせまいと思われることをする様子だ」となっている。

家族旅行に政治活動を紛れ込ませたり、漫画本を公費で買ったり、週末ごと公用車で別荘通いをしたりと、小ずるく、度量せまく、こんな男とは確かにまともには付き合えそうにない。ただし当人は当初、当然のような顔をしていた。

東京都知事が往復二百六十六万円のファーストクラスで何が悪いか。一泊十九万八千円するホテルのスイートルームで何が悪いか。別荘へ「動く知事室」を使って何が悪いか。そう思っていたのだろう。主張を通せばよかった。舛添の失敗は信念を貫けなかったことだ。成り上がり者の悲しさで、信念など持っていなかったのに違いない。

テレビの井戸端会議番組は連日「舛添問題」に占拠された。いつもながらの安易な作法で、中国服を着用して習字実演までやっていたのには笑ったが、舛添の知事職への執着ぶりは尋常でなかった。

ひよわな志もどこへやら、政治を金儲けの手段と履き違えた手合いは絶えないが、それにしても舛添はみみっち過ぎた。「自分の勘定書くらい／自分で支払え／ばかものよ」である。

詩人が尊んだ品格というものを思う。戦前は、農民には農民の、職人には職人の人間的品位があった、と書いている。それが戦後は失われた。「負けるというのはこういうことか」と情けながり、「日本人の顔つきが浅ましくなりゆくばかりである」と嘆いた。

「品格」とは何か。『茨木のり子辞典』では、こう定義される。

「威儀を正した端正な姿かたち、しぐさ、たたずまい、そういうものを指すのではなく、長い歳月をかけて自分を鍛え、磨き抜いてきた、底光りするような存在感」

これを備えた人がまれにいる。例えば木下順二について思いめぐらすとき、「品格」という言葉が浮かんできて、彼女は「ほっとする」と言うのである。

初対面は四七年、二十二歳だった。木下は三十三歳。山本安英の紹介だった。今書いている作物を尋ねたら、「女のひとが、余分なものを一枚一枚脱いでいって、ついに裸になるといった、つまりそういうテーマです」が答えだった。それが戯曲『山脈』だった。

木下は旧制五高から東大英文科で中野好夫に師事。シェイクスピアの翻訳に励む一方、劇作家として立ち、民話をもとに『夕鶴』を書き、ゾルゲ事件に取材した『オットーと呼ばれる日本人』や戦争裁判を題材にした『神と人とのあいだ』で戦時日本を鋭く問うた。

その作品は格調が高い。

「エッセイひとつを見ても、下卑たもの、狎れ狎れしいもの、媚びたもの一切がない。木下さんが傾倒しているシェイクスピアの猥雑さもない。その稀な清澄さを高く評価したい」

熊本の大地主の息子だが、だから品格があるというのではない。

「そんな育ちの人はいっぱいいる」と彼女は言う。「育ちの良さが仇になって、人間として崩れっぱなしと言う人も多いし、逆にひどい環境で育ちながら『すばらしい!』とひそかに讃嘆を惜しまない品位を備えた人もいる」

木下には「鼻濁音がなってない」「アクセントが違う」「終戦でなく敗戦」「元号でなく西暦」などと、他人の言葉を咎める癖があったという。思うに、育ちは無関係だが、言葉を大事にすることと品格とは密接な関係があるのではないか。

世間を侮り、舌先三寸で言い逃れを図った舛添は、せこい品性と行状をさらけ出して失脚した。うべなるかなである。

●『茨木のり子集　言の葉』全三巻（茨木のり子著、二〇〇二年、筑摩書房）

天皇制は必要なのか

(2016.9)

らくだ・こぶに作『国生み』という『古事記』再話がある。わが愛読書の一冊で、書き出しがいい。

「がらんどうがあった。大地は、まだなかった。がらんどうしかないけれど、まんなかはあった」

イザナキとイザナミが現れる。大きな矛がおりてきた。ふたりはそれをおろし、力をあわせて「こおろこおろ」とかきまわす。すると、島々ができ、陸地が生じた。それからふたりは、神々を生み、人間を生んだ。——天皇をいただく日本創生の物語である。

らくだ・こぶにとは、「瞬間の王は死んだ」と宣して詩人をやめた谷川雁が、日本語と英語で教材用絵本の物語を作っていた時代の名乗りである。雁が書いた作品のなかで、これが一番の傑作である。

締め括りの一文がまたいい。

「遠い、遠い昔、じぶんたちの国がこんな風にしてできたと語りつたえているひとびとがあった」

わたしはこのくだりが好きで、口ずさむときがあるが、ＮＨＫの特ダネで始まった天皇の「退位意向」騒ぎのなかで、ふと「遠い、遠い昔……」が蘇ったのは、各紙の反応を一覧していて、東京新聞の八月九日付社説に異様な文言を見たからであった。

「万世一系の天皇家が千五百年、あるいは二千七百年にわたって統治者であり続けた歴史は世界に類がない。誇るべき内実は一系にあり、男系や女系ではないはずだ」とあったのである。

社説というのは「床の間の天井」で、わざわざ見る人間はいない。だからどうとでも書いておけとは年来冗談めかして言われることながら、しかしいくら何でも、これはない。よしんば担当の論説委員が確信犯ないし不勉強でこう書いたとしても、新聞社にあっては同僚が掣肘するはずである。二一世紀の今日、じぶんの国の統治者が万世一系の天皇家であると語りつたえる新聞があるとは驚くに値する。しかも安倍政府が「戦後体制」改変を着々と進めるなか、今や最もリベラルな紙面を作ると評判の東京新聞が、である。

皇統は古代から中世にかけて幾度も途絶えた。南北朝正閏問題論争を想起しても「万世一系」はあやしい。近世の武家政権下にあって天皇に政治的実権はなかった。民衆の主は領主であり、天皇の存在など忘れ去られていた。それが歴史上の実態である。

現天皇が「退位の意向」を発表した。年を取るということがどういうことかは年を取ってみなければ分からない。八十二歳の老人が任を退きたいと言い出したのだから、希望を叶えてさしあげるのが周囲の義務であろう。

天皇には職業選択の自由もなければ、引退の自由もない。「神」だった戦前ならともかく「人間宣言」をした天皇に「基本的人権」が認められないとはおかしい。

在野の歴史家岡部牧夫が著書の中で「原則として死ぬまで一つの職務、それも自分の意志で選んだわけでもない職務を続けなければならないことは、非人間的で残酷な制度と言うほかない」と述べていたのを思い出す。

岡部は一九四一年生まれ。成蹊大学政治経済学部から東京大学泉靖一文化人類学教室研究生。成蹊学園中・高の非常勤講師を経て無所属の文筆業。信州諏訪は富士見町に住まい、自然誌著述の傍ら、日本近現代史の研究に勉めた。二〇一〇年、学会帰りの高速バス車内で急逝、六十九歳だった。

旧岸和田藩主の一族で、祖父長職が貴族院議員、伯父長景が東條内閣文部大臣、父長章は三六年から四六年まで昭和天皇の侍従だった。いわば特権階級で、物資欠乏の戦時下も、岡部家は「窮乏には遠い暮らし」ができたという。長じて本名の長興を牧夫と変えたのは屈託からであったに違いない。

天皇の「生前退位」表明に対し、「お気持ちを汲んで」とか「ご意向に添って」といった心情的な反応がマス・メディアに氾濫する。しかしこの際肝心なのは、天皇制に関して原則的な論議が国民的になされることではないか。その場合、岡部の残した『出処進退について』や『十五年戦争史論』は改めて繙《ひもと》かれるべきものと考える。

家柄に似合わず、岡部は「私は共和主義者」と立場を鮮明にし、天皇制を「近代世界の歴史の現実から見て奇怪異様な体制」と断じる。「世界的普遍性の全くない一民族の架空の建国神話と、皇統の一系性という歴史の偽造」を法源とする明治憲法に依る天皇制は「奇型的な君主制」である。ところが「祖父や父の代の日本人は天皇制を世界に比類のない尊い存在だと教えこまれ、無批判に信じこみ、独善的かつ狂信的な態度で東アジアに覇をとなえたのだった」。

各戦線で敗走相次ぎ、国土は焼き払われ、硫黄島が落ち、沖縄を占領され、原爆を落とされ、満身創痍となっても、支配層は民衆の苦難をよそに「国体護持」のみを念じて「徹底的な敗戦」を招来した。国体とは天皇制のことだ。

戦後、内外で天皇の戦争責任追及の声が起きた。側近の内大臣木戸幸一も「天皇は講和条約成立時には退位すべし」と進言した。マッカーサーの判断で結局天皇制は維持され、昭和天皇が温存された。天皇制延命は「国民の政治的・倫理的無感覚やアメリカの占領政策上の必要が交錯した結果」であり、ついには「昭和天皇の、ひいては日本国家とその国民の責任問題が、冷徹な事実認識をもとに明快に論議されなかった」のである。

敗戦後すぐに見直すべきだった天皇制である。遅ればせながら原点に立ち返って論議することだ。岡部牧夫なら、こういう論陣を張るであろう。

〈特定の家系が政治的権威を世襲で伝世する君主制は、不合理でむだな体制である。世襲制だと秀れた人物が常に国家元首になる保証がないし、またその維持に莫大な経費を要する〉

〈国民は、君主制を本当に必要とし、今後も維持していくつもりなのか。天皇制の維持にはどれくらいの社会経費の支出が妥当か、その政治文化上の意義はどこにあるか、真剣に議論すべきだ〉

わたしは全面的に岡部に賛同する。

●『英日絵本　国生み　The Birth of Land』（らくだ・こぶに著、C・W・ニコル英訳、一九七九年、ラボ教育センター）▽『出処進退について――昭和史省察』（岡部牧夫著、一九八九年、みすず書房）

「忘却の穴」の子を救え

次から次へと事は起き、流れ去る。読み捨てていく新聞記事のなかで、しかしいつまでも胸に引っかかり続けるものがある。

原発事故で二〇一一年夏、福島から横浜へ避難した小学二年の男の子がいた。今は十三歳の中学一年生になっているが、転校先でいじめに遭い、学校に行けなくなった。いじめられた経緯を明かす手記が昨秋、新聞に出た。

「ばいきんあつかいされて、ほうしゃのうだとおもっていつもつらかった。福島の人はいじめられるとおもった。なにもていこうできなかった」「お金もってこいと言われたときすごいいらいらとくやしさがあったけど、ていこうするとまたいじめがはじまるとおもってなにもできずにただこわくてしょうがなかった」「ばいしょう金あるだろと言われむかつくし、ていこうできなかったのもくやしい」「いままでなんかいも死のうとおもった。でも、しんさいでいっぱい死んだからつらいけどぼくはいきるときめた」

記事に引用された男の子の手記の断章を、こう書き写していると、暗然としてきて、言うべき言葉がない。

転校直後から「ばいきん」と呼ばれていじめられたという。三年生で一度目の不登校になる。

(2017.3)

四年の時は暴力を振るわれた。五年になったら「賠償金あるだろ」とたかられだした。遊園地やゲームセンターでの遊興費の総額は百五十万円。家から持ち出した。再び学校に行けなくなった。いじめた子は、「福島」「原発事故」「放射能」「汚染」「避難」「賠償金」といった言葉を大人が口にするのを耳にしていたのだろう。

福島から避難して来た転校生は「汚染」と結び付けられ、「難民」として扱われた。子どもというのは残酷なものである。「ていこう」しない被害者を面白がって、意地悪く、嵩《かさ》にかかっていたぶるようになっていったに違いない。

いじめられた転校生は、先生に訴えたが全く無効であった。

「いままでいろんなはなしをしてきたけどしんようしてくれなかった」「なんかいもせんせいに言おうとするとむしされてた」

教師の無能さと無力ぶりは度し難い。教育者たる資格を疑う。二年生の時から辛い思いに耐えてきたうめき声に気づこうともせず、無視した担任のために、少年はまるで「忘却の穴」に落ちてしまったかのようではないか。

「忘却の穴」とは、ハンナ・アレントが全体主義のもとでの収容所を表現した言葉である。

「誰もがいつなんどき落ちこむかもしれず、落ちこんだら嘗てこの世に存在したことがなかったかのように消滅してしまう忘却の穴に仕立てられていた」

「忘却の穴」が学校に歴然としてある。そのことを小玉重夫の『難民と市民の間で』で知った。この本は、アレントの『人間の条件』を読み直すという作業を通じて、アレントを今日の日本に引き付け、教育問題について思考を重ねたものである。

「実は、私たちの日常生活、特に学校教育における身近な問題と背中合わせのところに、『忘却の穴』は存在しているのだ。たとえば学校におけるいじめ」と指摘し、「周りから無視されたり、あるいは居場所を奪われたりすることによって、存在そのものがなかったことにされる」と小玉は言う。

「ばいきん」と同級生に呼ばれた転校生は、教室内での居場所を奪われ、教師には無視され、不登校に陥ることで存在そのものがなかったことにされた。つまり「忘却の穴」に落とされたのだった。

このことが恐ろしいのは、難民にさせられたユダヤ人が被ったホロコースト、大量虐殺の構造と相通じているからである。

国家から見捨てられ、追放されて難民化したユダヤ人は、強制収容所へ送られ、そこでアイデンティティを消され、生命を剝奪され、この世に存在していた痕跡まで拭い去られた。「存在を歴史の記憶から抹消してしまう、それがホロコースト、大量虐殺の重要な意味」なのである。

小玉は、綿矢りさの『蹴りたい背中』や朝井リョウの『桐島、部活やめるってよ』を援用して、学校にある「スクールカースト」と呼称される階級制を論じる。低位のカーストは上位から無視され、見捨てられて、「忘却の穴」に落とされるという状況が、教育現場を浸蝕しているのである。

『蹴りたい背中』の「私」は「いじめられているわけではないが、人間関係からはじかれて、ある意味で見捨てられ、余り物になり、忘れられている、つまり忘却の穴に落ちてしまった、そういう存在として自己認識され描かれている」のであり、『桐島、部活やめるってよ』で、バレーボール部やブラスバンド部といったスクールカースト上位にある部活の生徒に言わせれば、下位に位置している映画部なんてのは、そもそも「存在自体が記憶されていない」のであった。

ナチスは階層下位のユダヤ人を「追放」した。ドイツを追われて無国籍者になったことがアレントの思想を形作る。国民国家は国民を追い出してしまう契機を孕んでいたのであり、国民国家成立とともに確立された国民教育制度としての学校教育の中には、「追放、難民化の契機」が内包されていたのだとのアレントの分析に拠って小玉は学校の現状を考える。

「見捨てられた状況に子どもがおかれるスクールカースト」が象徴するように、今の学校は「難民収容所」なのである。かつて学校は監獄に例えられたが、収容所は監獄と違い、「囚人を更生させて世の中に送り出す機能を期待されていない」のである。

「忘却の穴」に落ちた子を救え。

子どもに「新しい始まり」を見て、教育に大事なことを考えたアレントにならい、「排除や差別のない、自由な活動が展開される世界」を作り出すことの必要性を述べたこの本は、今読まれるべきだ。

新潟で、愛知で、福島で「見捨てられた子」の自殺が後を絶たない。子どもの問題ではない。それは大人の問題なのである。

●『難民と市民の間で』（小玉重夫著、現代書館、二〇一三年）▽『人間の条件』（ハンナ・アレント著、志水速雄訳、ちくま学芸文庫、一九九四年）

姑息ハ小人之道ナリ

優勝回数三十九回、初土俵以来の勝ち星一千五十という「大横綱」白鵬に不満がある。おおらかなはずの不知火型の土俵入りが、何であぁ縮こまっているのか。のみならず、立ち合いが汚い。相手の頬を張ったり、肘で顔面を狙ってかち上げたりする。こういう手を常用する横綱を見たことがない。名古屋場所でも頻繁だった。同憂の士の声を新聞の投書欄で読んだ。

「あの張り手が出て来るたびに、横綱の風格に欠けると思ってしまい、白鵬の取組になるとチャンネルを変えるようになった」と言うのは千葉の八十九歳翁＝朝日。「いやしくも『横綱』を名乗る力士がこのような立ち合いを繰り返していては、『相撲』という伝統が衰退するのではないかと危惧する」のは兵庫の六十三歳老＝毎日。

横綱審議委員会という老人クラブの座長が、白鵬の張り手に「私はあんまり良い印象を持っていない」と苦言を呈したが、横審としての意見ではないらしい。そもそも相撲記者があの立ち合いを何ら問題にしないのはおかしい。連中も政治記者に似て、取材相手に批判めいたことは書けないのか。

勝ってなんぼの世界である。勝つために何をしようと構わないという考えはあろう。張り手も相撲の技だ。禁じ手ではない。だからいいじゃないか、とはならない。

（2017.9）

わたしなぞは千代の山、鏡里、吉葉山、栃錦の四横綱時代からは知っているが、常陸山や双葉山は話に聞くだけだった。勉強熱心で相撲の歴史にも通じる白鵬が、過去の力士で挑みたい相手として常陸山と双葉山、大鵬を挙げたことがある。いつも受けて立ったという双葉山や敬愛する大鵬の顔に張り手を敢行するであろうか。

下位力士なら張ってもいいというのには姑息さを感じる。姑息は「小人之道」と『後漢書』にある。横綱は小人であってはなるまい。

大リーグに行って「日米通算安打数」などという無意味な記録を重ねているイチローのバントにも、同じ姑息さを覚えてならない。投手が投げる。その球を打者はバット一本で一振りする。それが野球の醍醐味である。ちょこんと当てて塁に出ればいいのは高校野球だ。大方に持て囃されるイチローを、だからわたしは好まない。

思えば白鵬とイチローとは、ともに出稼ぎ人だ。これもやはり出稼ぎに来た朝青龍が「品格」そっちのけの、ただ勝てばいい主義で、相撲愛に満ちた横審紅一点委員の顰蹙を買ったことがあった。だが姑息さは出稼ぎ人に特有かと言えば、さにあらず、この国の為政者の言行が姑息なのである。

「一強」などと言われていた安倍晋三内閣が、カケ（加計）につまずいて一気に落日を迎えている。やることが強引、強弁、強行で、「真摯な説明」などどこへやら、姑息な対応ばかり繰り返す。姑息とは「根本的に対策を講じるのではなく、一時的にその場が過ぎればいいとする様子。その場しのぎ」と『新明解国語辞典』にいう。

アベノミクス、女性活躍、一億総活躍、働き方改革、人づくり革命と、めくらましのスローガン連呼を姑息と言わずして何と言うか。拉致被害者救済はどうしたのか。デフレ脱却はどうなったのか。何もかも「道半ば」で済ます気か。

加計学園獣医学部新設は、誰の目にも安倍政権が首相の「腹心の友」のために便宜を図ったと見える。そうでないと言いくるめようとするから、強権官房長官が「怪文書」と言い捨てた文書が出てくるわ、地元側と「記憶では会っていない」と言い張る秘書官に「いえ、面会した」と証言する人が現れるわ、辻褄が合わなくなるのだ。

安倍は「李下に冠を正さず」という言葉を口にしてしきりに釈明したが、正したあとに「正さず」はない。

「君子ハ未然ニ防ギ、嫌疑ノ間ニ処ラズ、瓜田ニ履ヲ納レズ、李下ニ冠ヲ正サズ」（『古楽府』）。事前に予防の措置をとり、嫌疑をかけられることのないようにするとの意味を本当に理解していれば、政府の看板施策の事業者から「腹心の友」だけは外したであろう。

どだい安倍には言語能力に欠けるうらみがある。国会質疑でも記者会見でも、一方的に言いたいことを喋るだけで、言葉のラリーというものが成立しない。下僚の作った答弁書かテレプロンプターを棒読みするだけで、聞かれたことにまともに答えることがない。この夏も被爆地で、核兵器禁止条約不参加を難じられ、「あなたはどこの国の総理か」と厳しく問われたのに、ただ無表情なまま真っ当な返事をすることが出来なかった。

三年前、集団的自衛権の行使に反対する長崎の被爆者代表に対し、「見解の相違だ」と言い捨てて背を向けた光景が忘れられない。東京都議選の際の「こんな人たち」発言は安倍の本性が現れたのである。

こんな為政者には、至当な忠言をする友人や側近が必要だ。だがあれほど連日高級料理店で誰かと会食しているのに真の友はいないらしい。部下もまた万事隠蔽に躍起で「記憶にない」「記録がない」としか言わない忠犬ばかりだ。

孔子は「益者三友、損者三友」を語った。「直キヲ友トシ、諒アルヲ友トシ、多聞ヲ友トスルハ、益ナリ。便辟ヲ友トシ、善柔ヲ友トシ、便佞ヲ友トスルハ、損ナリ」。正直な友人、篤実な友人、物知りの友人は益がある。責任を回避する人、反対しない人、口先だけが達者な人は、友人にすると損である。

さらに「益者三楽、損者三楽」を言う。「礼楽ヲ節スルヲ楽ミ、人ノ善ヲ道《い》ウヲ楽ミ、賢友多キヲ楽ムハ益ナリ。驕楽ヲ楽ミ、佚遊《いつゆう》ヲ楽ミ、宴楽ヲ楽ムハ、損ナリ」。礼儀、音楽をほどほどに愛好し、他人の善事を吾が事のように吹聴して喜び、賢友を増やしていっては悦に入るのは有益だ。奢侈を極めた享楽に耽り、物見遊山に遠出する癖がつき、酒をのんで騒いで楽しむのは損害。（宮崎市定の訳）

人の生き方を教え、政治の要諦を説く『論語』は、古来政治家の必読書である。我らが宰相もぜひ熟読されたい。もっとも会食とゴルフ三昧で還暦過ぎまでやって来た男に読書を勧めても詮無いか。それで変化を期待したのは、我ながら姑息であったか。

●『論語の新研究』（宮崎市定著、岩波書店、一九七四年）

大日本帝国と北朝鮮

町内のみそっかすが鬼っ子と化して世間を掻き回している。核爆弾とミサイルを弄ぶものだから、熊公も八五郎も大迷惑だ。

鬼っ子が何か仕出かすたびに、我らが宰相は鸚鵡のように「圧力、圧力」と繰り返し、当選祝いに参じた米国大統領やらあちこちの首脳やらに電話をかけたが期待ほどの利き目がない。国際政治における影響力のなさが哀れを催す。

ことに選挙区山口の高級温泉宿へ招待し、「ウラジーミル」と呼んだくらいのロシア大統領とは差しで会って「圧力」を頼んだのに、つれない返事だったのは我らが宰相のために遺憾であった。毎日新聞社説に「十九回会談の結果がこれか」と揶揄されていたが、いざというとき頼りにならないのは真の友ではないと知るべきだ。

鬼っ子は「米国との対話」を望んでいるのだから、ただ「圧力、圧力」と叫んでも始まるまい。圧力の耐え難さに鬼っ子が自爆したりしては元も子もなくなる。

絶対的権威の指導者を戴き、世界の孤児となり、「ならず者国家」といわれる今の北朝鮮を見ていると、日米開戦前夜の大日本帝国を連想せずにおれない。米国からの圧力に耐えきれず「このままではジリ貧だ」と暴発し、亡国の道をたどった。

（2017.10）

朝日新聞ニューヨーク特派員だった森恭三が、徐々に戦争へと進んでいった当時の見聞を書いている。「朝日の良心」と称された温厚篤実な勤勉家で、論説委員から論説主幹として「進歩的」な論調を主導した記者であった。

一九三九年、欧州でドイツが戦争を始めたとき、森は米国の参戦を考えた。ただし第一次大戦の反省から中立法があり、交戦国への金融や軍需品提供を禁じている。それが十一月に改正され、翌四〇年九月には徴兵法が公布された。これで米国は英、仏の側に立って参戦するに違いないとなった。

四〇年九月二十七日、日独伊三国同盟が締結された。米国の欧州参戦が不可避なら、太平洋での日米開戦も避けられない。三国同盟は結んではならなかったのである。「日米関係は救い難きものとなるであろう」と森は打電した。記事は大阪朝日にはかろうじてベタで載ったが、東京朝日ではボツにされた。

四一年三月、米議会は軍需品貸与法を可決。森は開戦必至と断定、対日経済圧迫に備える。資産凍結から開戦まで仕事を続けられたのは、森の情勢判断に従って本社が送ってきた巨額のドルを森が隠し持っていたからだったという。

同年七月の在米日本資産凍結、八月に対日石油輸出禁止と、米国は「圧力」を強めた。このとき「戦争の危機だ」と新聞が木鐸を鳴らしていれば、十二月八日の朝に国民が目を覚ましたら戦争が始まっていたとはならなかっただろうというのが、森の痛切な反省である。

「資産凍結」「石油禁輸」といった文字が、最近の新聞紙面に躍り出した。米国が北朝鮮にちらつかせる「圧力」だ。かつて大日本帝国は「全面禁輸」から四カ月後に暴発したが、ビックスや堀田江理の著書で開戦への道をたどると、政府と軍部が戦争準備を着々と進めながら、国民には何も知らせなかったことがよく分かる。今の北朝鮮も似たようなものだろう。

ニューヨークの森は知る由もなかったが、大日本帝国中枢は開戦へ走り出していた。四一年七月二日、御前会議で「帝国国策要綱」が採択され、昭和天皇は直ちにこれを裁可。「要綱」には「対英米戦を辞せず」と明記されていた。日中戦争の泥沼化を打開するため、次の戦争を始める方向へ踏み出したのである。

七月二十六日に日本の在米資産凍結、八月一日には石油・ガソリンの対日輸出全面禁止と容赦ない経済制裁拡大に、近衛内閣はパニック状態となった。ひそかに進めていた対ソ戦準備は停止され、近衛文麿はルーズベルトと首脳会談を試みようとしたが拒絶に遭う。交渉姿勢に変化なしと見られたのだ。日本は追い込まれた。圧力に屈するか従来の路線を続けるか。

九月六日、御前会議は「十月下旬を目途とし戦争準備を完整す」と定めた「帝国国策遂行要領」を決定した。つまり戦争を準備しつつ、対米交渉は続けるという二枚舌だ。米国を負かすことはできない。戦争を始めても終わらせる目処はつかない。そういう見通しにも拘らず、天皇はこれを裁可した。

いざとなれば逃げる癖の近衛は、そろそろ辞意をほのめかし、十月十六日、内閣を放り出した。後継を「忠臣」東條英機とするのに天皇は躊躇しなかった。「陸軍の士気を維持すべし、撤退は日中関係の問題解決にならず、米国への譲歩は米国をさらに傲慢にさせるだけ」との東條の言い分を認めたうえで大命を下したのであった。

十一月二日、天皇は東條に「戦争の大義名分」を考えるよう命じた。五日の御前会議で、天皇は「作戦準備の完整」と「米国との交渉は十二月一日深夜をもって打ち切る」の両方を裁可した。このとき開戦が事実上決定された。すでに天皇は真珠湾攻撃作戦について詳細な報告を聞き、戦争計画全容の報告を受けていた。ビックスによると、「日本のあらゆる『交渉』は、真実と欺瞞がいりまじったものとなっていた」のである。

中国とインドシナからの完全撤収を求める「ハル・ノート」が十一月二十七日に届いた。東條はこれを大本営政府連絡会議で米国からの「最後通牒」だと断じた。すでに機動艦隊は集結地の択捉島《えとろふとう》を出てハワイへ向かっている。

聯合艦隊司令長官山本五十六は三国同盟に反対し、かねてアメリカと戦ってはならないと主張したが、天皇裁可を受けて、真珠湾作戦命令を発した。ジリ貧ならぬドカ貧が日本を待ち受けている。

ジリ貧を北朝鮮も恐れているに違いない。だがドカ貧よりはジリ貧のほうがまだましなのである。国中を焼き払われ、原爆を二つまで落とされた大日本帝国の轍《てつ》を踏むことなかれ。無益な脅し合いはよせと双方に言い、話し合いのテーブルに着かせるほか方途はないではないか。「被爆国の宰相」ならば、そのための鸚鵡になる努力を惜しむべきでない。

●『私の朝日新聞社史』（森恭三著、田畑書店、一九八一年）▽『昭和天皇』上・下（ハーバート・ビックス著、吉田裕監修、岡部牧夫・川島高峰・永井均訳、講談社、二〇〇二年）▽『１９４１　決意なき開戦――現代日本の起源』（堀田江理著、人文書院、二〇一六年）

政治家野中広務の原点

ことし一月二十六日に九十二歳を一期として世を去った野中広務を悼む歌を、「朝日歌壇」（二月十九日付）で読んだ。

被差別者弱者に熱き心寄せ
いくさあらすなと野中広務逝く
（柏崎市）阿部松夫

春待たず平和求めて遠き空
筋金入りの護憲派一人
（静岡市）安藤勝志

選者永田和宏の寸評に「私にはわからない政治家だったが、今になって惜しまれる」とあった。「今になって」というところが肝要である。野中は政界を引退してすでに十五年。何の影響力もない。永田のいう「今」が、ひたすら改憲にはやり、アメリカにべったり追従し、数を頼んで、自衛隊を世界のどこへでも「出兵」できるよう法整備をした安倍政治の時代を指していることは明らかである。戦争体験から二度と日本は戦争をしてはならないと言い続け、「護憲」の立場を持した野中が自民党に今健在であったら、との思いが永田にもあるのであろう。

野中広務は一九二五年、京都府園部村の自作農の長男に生まれた。旧制府立園部中学校を卒業後、旧国鉄大阪鉄道管理局に入り、業務部審査課。不正摘発を職務とした。

四五年一月応召。本土決戦用に編成された部隊に属し、高知県内で攻撃演習を繰り返しながら米軍の襲来に備えた。だが銃剣は竹光、食糧は乏しく、行軍に耐えかねる兵士が続出した。

山中で物資輸送の任務に従っていて玉音放送を聞かず、立ち寄った民家で敗戦を知る。死のうとして仲間と龍馬の像の立つ桂浜に集まったら、小隊長が飛んできた。野中らは殴られ、諄々とこう諭されたという。

「おまえら、死ぬ勇気があれば、これから日本の国を建て直す勇気に変えろ」。

復員して国鉄に復職。精勤する野中の考課は抜群であった。一から十までの職階制があり、旧制中学卒は入局十八年以上、大学卒でも九年以上でないとなれないという「十職」に、野中は七年足らずで到達、上級課員になった。これが先輩同僚の嫉妬を買う。そして「事件」が起きた。

野中は被差別部落の出自である。しかし職場でそのことを意識することはなかった。中学の後輩を二人、国鉄に入れて手取り足取り面倒を見ていた。ところがその一人の陰口を偶然のことに耳にするのである。「野中さんは大阪におれば飛ぶ鳥を落とす勢いでやっているけれども、園部へ帰れば部落の人だ」あっという間に話が広がった。「なぜ、あいつをあんな高いポストにつけるのか」との抗議が起きた。悔しさと無念さで野中は呻吟した。

「私は一週間、泣きに泣きました。私に目が三つあるわけではない。皮膚の色が違うわけではない、口が二つあるわけではない。何も変わらないのに、そして一生懸命がんばるのに、自分が手塩にかけたそういう人たちに、なぜそんなことを言われなくてはならないのだという、奈落の底に落ちた私の悲しみは一週間続きました」

野中は後に京都府議会議員のとき、本会議場で国鉄を辞めた経緯をこのように切々と語った。

「私が最後に出した結論は、私はあまりにもいい子になっていたということでした。大阪へ出て部落の出生であることを言いふらそうとも、隠そうとも思っていなかったけれども、自分の環境から逃げ出していい子になりすぎておった。やっぱりまっすぐ自分を育んでくれた土地に帰ろうと。府議になることよりも、町長になることよりも部落差別をなくすことが私の政治生命であります。ここでこんな哀しいことを言わなくてはならないのも、これが私の最大の政治生命であるからです」

野中は上司の慰留を振りきって帰郷し、園部町議選に立った。これが政治家野中の「原点」である。二十五歳町議、三十三歳町長、四十一歳京都府議、五十三歳府副知事、五十七歳衆議院議員。自治相、官房長官、自民党幹事長と、出世の階段を駆け上った野中のことを、金丸信は「十歳若かったら、天下を狙えた」と言った。

「大物政治家」の死に、新聞は「評伝」を載せるのが習いである。

「権力のただ中にあって反権力のにおいが濃厚に漂う不思議な人だった」（朝日）▽「在日朝鮮人、同和、沖縄、ハンセン病などの差別問題に熱心な強面ながら弱者に寄り添うリベラルなイメージ」（毎日）▽「抜群の情報収集力と相手を縮み上がらせる弁舌の鋭さ」（読売）▽「自民党のど真ん中にいたら政界の風景は変わっていただろうか」（日経）▽「修羅場をくぐり抜けてきた眼光は鋭かった」（東京）▽「『武闘派』『豪腕』『狙撃手』など物騒な代名詞をつけられた一方、社会的弱者への視線を絶えず持ち、『義理人情に厚い』『気配りの人』と慕われもした」（産経）――筆者はいずれも親交のあった政治記者であろう。故人を讃えてやまない。ただし政治家野中の言動の「原点」の記述がない。

十四年前に出た魚住昭の『野中広務　差別と権力』によると、野中は中学二年のとき、同級生のつぶやきで「秘密」を知ったという。さらにまた、野中が首相に擬せられた際、麻生太郎が会合で「あんな部落出身者を日本の総理にはできないわなあ」と言い放ち、そのことを出席者に確かめた野中は麻生に「私は絶対に許さん」と詰問した。麻生はただ顔を真っ赤にしてうつむいたままだったとある。

二月八日付の朝日新聞に、瀬戸内寂聴の野中追悼が載った。寂聴は野中から、小学五年の時、親友の母から出自をののしられて事実を知った、と聞いた。涙ぐみながら野中は語ったという。「この私が首相になるなど、この国でなり得るはずがない。200％の割合で、私は首相になどなり得ませんでした」

政治家を送る文章に、故人が「政治生命」とまで言った事柄は落とせない。作家は書き、政治記者は申し合わせたようにそれに触れないとは怪訝《けげん》なことである。

●『野中広務　差別と権力』（魚住昭著、講談社、二〇〇四年）▽『老兵は死なず』（野中広務著、文春文庫、二〇〇五年）

記者をなぜ殺したのか

（2018.6）

一九八七年一月二十四日午後八時過ぎ、東京・築地の朝日新聞東京本社の人工庭園の植え込みにうずくまっていた男が、二階広告局の明るい窓に向けて散弾銃の引き金を二回引いた。「パシャッ」という音に、社員が「おや？」とテラスに出た。周囲をうかがうが何事もない。男は姿を消した。

「われわれは日本国内外にうごめく反日分子を処刑するために結成された実行部隊である。一月二十四日の朝日新聞社への行動はその一歩である」とワープロで打った犯行声明文を、男は共同通信社と時事通信社宛てに投函した。「日本民族独立義勇軍　別動／赤報隊　一同」と記されていた。

これが赤報隊事件の始まりである。しかし新聞もテレビも報じなかった。二日後に時事通信に届いた手紙で警察が調べたが何も発見できず、共同通信では手紙は捨てられたらしい。報道がなければ事件はない。男は苛立ち、再度の銃撃が必須だと考えたに違いない。

同年五月三日、憲法記念日。兵庫県西宮市の朝日新聞阪神支局。午後八時十五分ごろ、二階の編集室のソファで休日出番の記者三人がくつろいでいた。そこに音もなく、目出し帽の男が入ってきた。物も言わず、犬飼兵衛（当時四十二歳）に散弾銃を放った。散弾粒は右手、左腕、腹部を突き破った。男は二、三歩出て振り向きざま、至近距離で小尻知博（当時二十九歳）の脇腹へ二発目を撃った。ソファ後ろに隠れた高山顕治（当時二十五歳）に一瞬銃口を向けた男は反転して立ち去った。

小尻の体内には散弾粒四百個が入ったプラスチック製カップワッズがのめり込み、胃の後ろで飛び散った。手術の甲斐なく失血死。犬飼は右手小指が吹き飛び、ぶら下がった薬指は切除された。体に八十粒の散弾粒が食い込み、心臓の二ミリ手前に達していた。

「すべての朝日社員に死刑を言いわたす」という「赤報隊」の犯行声明文が六日、共同通信と時事通信に届いた。一回目の声明文も同封されていたが、再捜索も無駄に終わった。朝日新聞社と警視庁が東京本社銃撃の事実を確認したのは十月になってからである。まるで「一月二十四日」が無視されたかのような紙面に、男は怒りすら覚えたのかも知れない。

九月二十四日、朝日新聞名古屋本社の寮が銃撃された。翌八八年三月十一日、静岡支局駐車場に時限ピース缶爆弾（不発）が仕掛けられた。さらに赤報隊の攻撃は朝日以外にも広がり、関連事件は計八件になった。警察庁は「広域重要指定116号事件」に指定した。

朝日新聞は特命取材班をつくった。デスクから「記事は書くな。犯人を見つけろ」という異例の指示を受けた中に樋田毅がいた。一貫して関わり、二〇〇三年に公訴時効が過ぎても追及を続ける。

樋田は一九五二年生まれ、早稲田を出て七八年に朝日に入った。志望動機を聞かれて、「社会正義の実現のために」と答えたとある。高知支局、阪神支局を経て大阪本社社会部。府警捜査一課担当から府庁担当のとき事件は起きた。

事件発生で新聞記者のまずやることは、刑事と同じく現場周辺の地取りである。樋田らはしらみつぶしに、民家、事務所にラブホテルまで聞き込んで回った。

声明文から見て、赤報隊は「右翼」であろう。しかし本当に右翼の信条から書かれたものなのか、それとも右翼を装っているのかの判断は難しい。右翼には新右翼、伝統右翼、任侠右翼、論壇右翼、草の根右翼（ネット右翼）の六派がある。樋田は三十年間に三百人の活動家と会った。容易に会えたわけはなかった。朝日への敵意と反感は根強く、何度試みても取材拒否された例には枚挙にいとまがない。

それでも信頼関係を構築しなければ情報も得られない。樋田は「仲間が殺された無念をはらしたい。この私の思いに右も左もない。協力してほしい」と真情をぶつけた。新右翼の青年と六本木のディスコで朝まで踊ったこともあれば、酒杯を交わすうち「あんたが気に入った。キスをしよう」と言われてキスを受けたこともあった。

朝日は事件の被害者であり、取材者である。捜査に協力はするが、取材源を守る義務がある。悩みは尽きなかった。「書き残すべきことを、すべて書く」として書かれたこの本には、樋田の知った朝日社内の不適切な事実も出てくる。

一つは首脳部の右翼への融和的姿勢だ。九二年に週刊朝日の「ブラック・アングル」（山藤章二）が野村秋介の選挙運動を揶揄して抗議を受けた。社長の中江利忠は「野村に会ってもいい」と言い、右翼に縁戚のある幹部に折衝させ、お詫びの場に出た。そこで野村が拳銃自殺した。物分かりのよさがかえって仇をなしたのである。かつての中央公論社「嶋中事件」に似た「組織のトップが右翼に会うことの危うさ」を樋田は指摘する。

二つは、「反朝日」の新興宗教教団との、裏での癒着である。緊張関係のあったその教団への疑いは濃く、重要な取材対象だった。ところが教団と通じる編集委員がいて、しかも金銭授受があったらしい。さらに広報担当役員と編集局幹部が密かに教団と「手打ち」の宴会をしていた。愕然とする。

三つは、東京社会部の警視庁キャップが警視庁の求めに応じて取材報告書のコピーを渡していたことだ。コピーは他社の記者にまで出回り、週刊誌に引用されてしまった。樋田は茫然、絶句した。

伝統右翼なら逃げまい。犯行後出頭して主張したいことを述べるはずである。新右翼は「捕まらずにやる」のが主義なのか。デスクの指示を受けて三十年、ひたすら追ったが、ついに「犯人」を見つけることは叶わなかった。樋田は退社し、ここに『記者襲撃』を書いた。これは記者人生をかけた執念と無念の取材報告である。

赤報隊よ、ただの殺人集団でなく、君らが思想犯なら名乗り出て語れ、と樋田は呼び掛ける。「なぜ阪神支局を襲ったのか。なぜ小尻記者を射殺したのか、なぜ途中から朝日以外に攻撃対象を変えたのか、そもそも、何のために一連の事件を起こしたのか」。

●『記者襲撃――赤報隊事件30年目の真実』（樋田毅著、岩波書店、二〇一八年）

アベノウスラワライ

（2018.7）

日本の政治を薄ら笑いが覆っている。国会中継となるとテレビを消す。首相と副総理兼財務相の薄ら笑いを見たくないのである。

野党議員の質問中、必ずやこの二人は薄ら笑いを浮かべる。馬鹿笑いなら赦せるが、「相手をばかにしたように、声も出さずに、かすかに笑う」（『新明解国語辞典』）のである。非力な野党を小ばかにし、質疑をおろそかにしているからだ。

何を聞かれても、紋切り型で否認一点張り。およそ虚偽の疑いに満ちた答弁もけしからぬが、あの薄ら笑いはもっとけしからぬ。どうして新聞は咎めないのか。じれったく感じていたところ、毎日新聞の伊藤智永がコラム「時の在りか」で批判したのを目にした。

「モリ・カケ疑惑」で一年半。「うんざりだ」と言い出す輩が出てきた。読売新聞などは社説で「繰り返しの議論に辟易してしまう」と述べたほど嫌気を隠さない。与党新聞なら「言い逃れと開き直り」を繰り返すのはやめて「真摯な説明」をせよと首相をたしなめて然るべしと考えるがそうでない。

伊藤は「安倍晋三首相と麻生太郎副総理兼財務相の、場にそぐわないニヤニヤ顔の発する負のオーラ」を「うんざり感」の素因に挙げる。薄ら笑いを「余裕の笑顔」と形容した報道機関があったらしい。これを「人間洞察が甘すぎる。せめて『ごまかし笑い』と表現すべきだろう。ちょっと想像すれば、本当に余裕があるなら、まともな大人はこういう時に意味もなく笑いはしない」と断じたのは正しい。安倍も麻生も「まともな大人ではない」と見れば、薄ら笑いは焦慮の裏返しだと知れる。

嘘で固めた政権である。「嘘つき」と言われた安倍が「証拠を示せ」と居直ったのには恐れ入った。公的文書の記録と首相の弁明に齟齬がある。ゆえに「行政の長」たる首相は説明をしなければならない。「責任はある」と言うだけで、あとは薄ら笑うばかりの安倍にうんざりしないほうがおかしい。

アベノミクス、財政再建、少子化対策、北朝鮮拉致、日露領土交渉、働き方改革、憲法改正とめくらましのように旗を掲げては掛け声ばかりで成果なしが安倍政治の実態である。つまり「政権運営自体が大がかりなウソ」なのである。モリ・カケなど「この程度のウソは朝飯前とほくそ笑んでいるのか」というのが伊藤の見立てだ。

新聞や雑誌のコラムの醍醐味は、政治現象や社会現象に抱くもやもや感を痛快にえぐってくれる見立てに遭遇することである。「我が意を得た」という表現があるが、一読、膝を打って共感できた文章を読んだ日は、何となく終日楽しい。

コラム記者は斉唱に参加しないのが鉄則だ。批評の極意は他人と同じことは言わないことにある。コラム作法の骨法を訊かれて「異心円を描く」と明かしたのは、むかし毎日新聞で夕刊の「近事片々」を書いていた吉野正弘である。

吉野は、北方領土返還を求める日本の主張がソ連共産党書記長から牽制を受けたとき、こう書いた。

「『東京では再び報復主義の声が上がり、領土問題が持ち出されている』とはどういうことですか、チェルネンコさん。私のものを返して下さいと言うのを、社会主義理論では報復主義と呼ぶのですか」

マスコミ界の多数派がまだ「反米親ソ」だったころのことだ。

「コラムニスト」の第一人者を自任した山本夏彦は、凡百の新聞コラムを厳しく評した。ほとんどを「あれは耳からはいったものを口から吐く消耗品。誰にでも言える言葉だ」とこき下ろしたが、吉野の記事は例外で「よく書けるな、圧力に抗するだけで大変だろう」と称賛を惜しまなかった。

吉野によると、規範を大宅壮一の言動に学び、若いころから「拳拳服膺《けんけんふくよう》してきた」という。

大宅は戦後日本のオピニオン・リーダーであった。戦前社会主義者として出発しながら、なしくずしに「転向」せざるを得なかった戦中体験を経て、マルクス主義など様々の思想に距離を置く「無思想人」を宣言。無思想とは無個性、無人格にあらず、無思想で生き抜くには、むしろ強い個性と人格が必要で、でないと強そうな「思想」にひきずりこまれるとした。

評論、ルポ、紀行、人物記、内幕ものと膨大な著作（全集三十巻）を成し、主宰する「東京マスコミ塾」からは草柳大蔵、大隈秀夫、村上兵衛、植田康夫といった人材を輩出し、「在野の帝王」として君臨した。何か事があると、新聞はこぞって大宅に「談話」を求めた。「賛成の立場で言うのかい、それとも反対の立場？」と確かめておいてから話し出したとの逸話が残る。朝日新聞にも産経新聞にも合わせることが出来たのである。

「現役五十年」のお祝いのとき、「大宅組」の一人が「五十年もズレずに、渦潮を乗り切ってこられた秘訣は何ですか」と問うた。

「同心円の円心にあぐらをかいていちゃダメだよ。気がつきゃ、円は先へ動いているんだ。楕円の蕊を求めて、絶えず自分の位置を動かせていることだナ」と答え、またこうも述べた。

「ある問題を論じる場合、みんなと同じ論点を中心に据えて論旨を展開したのでは、いたずらに同心円を重ねるのみでマスコミの注目は引けない。中心をずらして円を描け。そうすれば小さくとも円のありかははっきりし、ひいては図形全体も様々な異心円の重なりとして活性化してくる」

テレビの出現で「一億総白痴化」を予言し、ゴルフ場を「緑の待合」と名づけた大宅壮一に「政治家のタイプ」と題した時評がある。

「カリスマ型」「相続型」「ブローカー型」「官僚型」など分類し、安倍の大叔父で「政界団十郎」といわれた佐藤栄作は「俳優型」とされた。大衆にはおそろしく不人気で「栄ちゃんと呼ばれたい」なぞと薄気味の悪いことを口にした首相だったが、「テレビから受ける印象によって、人気が左右される」という時代が来ていたのである。

いま大宅ありせば、「薄ら笑い型」を追加して、安倍と麻生を入れるに違いない。

●『大宅壮一・一巻選集　無思想の思想』（大宅壮一著、文藝春秋、一九七二年）▽『編集兼発行人』（山本夏彦著、中公文庫、一九八〇年）

子どもは親を選べない

（2019.3）

何ともやるせない。

年明けに千葉県野田市で起きた十歳女児虐待事件である。両親から折檻されて死んだ子が、学校のアンケート用紙に書きつけた「先生、どうにかできませんか」という文字が目の中を回る。

去年もあった。東京都目黒区で虐待を受けた女児が、あたら五歳の命を落とした。鉛筆で「もうおねがい　ゆるして　ゆるしてください　おねがいします」と綴っていたノートが残っていた。

「心愛」と「結愛」と、名前に「愛」という字をもらった娘たちであった。必死の願いを誰にも受け止めてもらえなかった。永遠の沈黙後、学校や教育委員会や文部科学省や児童相談所や警察や政治家が責任の押し付け合いをしている。何もかも後の祭りだ。

心愛さんはこう書いていた。

「お父さんにぼう力を受けています。夜中に起こされたり、起きているときにけられたりたたかれたりされています。先生、どうにかできませんか」

結愛ちゃんはこう書いていた。

「もうパパとママにいわれなくてもしっかりとじぶんからきょうよりもっともっとあしたはできるようにするから　もうおねがい　ゆるして　ゆるしてください　おねがいします」

結愛ちゃんはひと月以上も十分な食事を与えられず、低栄養状態から来た敗血症で死んだ。心愛さんは殴られ、蹴られ、冷水をかけられ、床に叩きつけられ、眠いのに夜中に起立させられて浴室で死んだ。「誰もが自分の人生を持っている。あたかも一個の作品のように所有している」と言った人がいたが、親に苛まれながら切断された「人生」とは一体何だったのか。大きくなったら何になりたかったのだろう。一個の作品のように仕上げることは出来なかった。親の存在こそが子の厄難であった。

時と場所を問わず、親による子ども虐待は枚挙に遑《いとま》がない。

ドストエフスキーは虐待に異常な関心を持っていて、『カラマーゾフ兄弟』に無辜の幼児の苦しみを伝える新聞記事を集めて神を告発するイワンを登場させている。

知識階級の両親から、「このほうが効き目がある」と節くれだった木の枝でさんざん痛めつけられた七歳の娘のこと。夜中に粗相したからと、零下何十度の便所に閉じ込められ、うんこを顔になすりつけられた五歳の女児のこと。これらを列挙しつつ、イワンは弟のアリョーシャに向かって言う。

「まだ自分がどんな目にあわされているかよく理解することもできない小さな子供が、凍るような寒さの暗い便所のなかで、その小さな手で悲しみに張り裂ける小さな胸を叩いたり、血の出るような、わるげのない、無邪気な涙を流しながら、『神ちゃま』どうぞお助けくださいと祈ったりしているんだぜ。（中略）こんなばかげたことがなんのために必要で、なんのために創りだされたものか」

広岡知彦という人がいた。「親から愛情をもらえない子は、他人からもらえばいいのです」と言い、一九九一年に東京で「子どもの虐待防止センター」を開いた。

四一年の生まれ。東京大学理学部在学中に福祉に関心を抱き、無料奉仕で「少年非行」と関わる。助手になって研究生活に入る一方、家庭崩壊で傷ついた子たちと「家族」になり寝食を共にした。

四十四歳のとき、東大助手を辞めた。科学者の道を捨てるに際し、「学校には、頭のいい人はたくさんいる。しかし社会に必要な分野で、人材は乏しいんだ。ぼくがやるべき仕事は、そういう分野にある」と言った。「やらないで後悔するくらいなら、ぼくはやる方を選ぶ」というのが信条だった。

体中に傷があり、ひどい火傷をした三歳男児がいた。継父がお灸で火傷を負わせた。静かにしろと言っても動き回り、遊び回ったのだという。ただそれだけのことなのに、「言うことを聞かないので、しつけのためにやった」と継父は正当化する。母親も同調した。「子どもが何をしたというのだろう」と広岡は訝《いぶか》るのである。

言うことをきかせるために暴力をふるう▽感情にまかせて言葉で子どもの心を傷つける▽期待を勝手に押し付け、無理強いする▽成育に必要な世話や愛情を与えない▽性的欲求の対象にする――虐待とは、大人の問題なのだ。

広岡によれば、叩いたり殴ったりする行為は教育的ではない。理屈がつけば暴力をふるってもよいと教えているようなもので、暴力に遭った子は、言い分が通らないと暴力に訴える。虐待された子は、虐待する親になりがちだ。連鎖を断ち切るには、まず大人が暴力を封じなければならない。「愛の鞭」とか「しつけ」といった親の言い訳を、彼は認めなかった。

「隔離」の必要不可欠なことを強く唱えた。虐待された子どもを親から引き離さなければいけない。なぜなら、虐待とは家族病理の問題であり、病理状態の中へ子どもを戻すと、また虐待が起こるのは必至だからである。

「子どもの虐待防止センター」代表として四年。突如病を得た広岡は九五年、五十四歳を一期として逝った。思い残すことは多かったはずだが、しかし死を覚悟したとき「ぼくはもう、やることはやった」と言ったという。その清々しい一生は友人知人によって編まれた文集『静かなたたかい』にたどれる。こんな言葉がある。

「日本では親権が強すぎて、被害者である子どもを守ることは容易ではない。私達は、虐待を受けた子どもを守ることに、毅然としなければならない」

子どもは親を選べないのである。だが広岡の「遺言」は生かされなかった。「先生、どうにかできませんか」と呻いた女児の周囲に、広岡の奮闘を知る者がいたら、どうにかしてやれたかも知れない。少なくとも「ぼう力お父さん」のもとへ返されることはなかったであろう。無知は罪悪である。

拉致も北方領土も福島アンダーコントロールも「全力」の安倍政権が、虐待防止にも「全力を挙げる」と明言したそうだが、事件は続発して尽きることがない。

●世界文學大系36B『ドストエフスキー カラマーゾフ兄弟』（筑摩書房、小沼文彦訳、一九六〇年）▽『静かなたたかい——広岡知彦と「憩いの家」の三〇年』（財団法人青少年と共に歩む会編集・発行、朝日新聞社発売、九七年）

天皇制を続けますか

（2019.6）

元号発表、退位劇に即位劇とメディアの暑苦しい燥ぎようには参ったが、稀に初夏の風が吹くような記事がないではなかった。

こどもの日の「天声人語」が、むかしTBSラジオで人気の「全国こども電話相談室」で「天皇陛下は就職しているんですか。それとも無職？」という質問があったと書いていた。「山びこ学校」の無着成恭や「天皇に着物を！　市民連合」（天着連）の永六輔、「老人党」のなだいなだといった錚々たる「先生」がいたはずだが、何と回答したかは触れてなかった。

むかしまだボタ山が残っていた筑豊で聞いた話を思い出す。炭鉱が潰れて町に無職者があふれた。生活保護費の出る日には、役場にずらりと受給者が行列をつくる。係員が「お前ら、少しは働かんね。努力せにゃいかんばい」とお説教を垂れた。「なんば言いよっとか。天皇陛下も生活保護者やろもん。おれたちがもろうて、なに悪かとか？」と声が飛び、「そうや」「そうや」の連呼。どっと笑いが起きた、というのだった。

係員は説明を省いたのかも知れない。天皇の仕事は憲法に定めがある。首相と最高裁長官の任命。それに①国会の召集②国務大臣の認証③栄典の授与④外国大公使の接受など十を数える国事行為。このほか国民的行事への出席、国内巡幸、外国訪問、園遊会の主催などは公的行為といわれる。

「世界の王様は西洋骨牌《トランプ》の四人だけになる」という予言を信じるわたしとしては、窒息せんばかりのお祭り騒ぎのなか朝日新聞文化欄に見つけた小さなコラムに息を吐いた。後藤正文というミュージシャンが、様々な差別撤廃を目指す人間の歩みと天皇制とは相容れないことを突いていた。

「生まれながらに特別な役割を持つ人の存在を認めることとは、生まれながらに卑しい人の存在を認めることと同じだからだ。／天皇制を守りながら、制度がはらむ差別的な性質を乗り越えてゆこうという意思を、多くの国民や社会からは感じない」

こういう重要な指摘が外部筆者からしかなされないのが今の新聞だ。テレビには望まないが、新聞が折角の折から天皇制の存在理由や必要性に触れようとしないとは解せない。こんなざまでは言論機関などと自称しないほうがいい。

積読、乱読の日々である。積んでいた伊藤智永著『「平成の天皇」論』の序文に「天皇制は必要なのか、ただ在るのか。私たちは平成の天皇からの問いかけに答えなければならない」とあるのに惹かれて読み始めた。著者は毎日新聞記者。この三年間、天皇制について考えてきたことの集成だという。

あれは三年前、二〇一六年の八月八日午後三時。天皇がテレビで「退位したい」と言い出した。

「私も八十を越え、体力の面などから様々な制約を覚えることもあり、ここ数年、天皇としての自らの歩みを振り返るとともに、この先の自分の在り方や務めにつき、思いを致すようになりました」

〈象徴天皇とは何か、現代日本において天皇はどのようにして象徴たり得るのか、そのために果たすべき務めとは何か、どのようにしてそれは可能か、自分はどう考えてきたか、何を実践してきたか、あるべき象徴制はどうしたら続けていけるか、そのためになぜ摂政では駄目なのか、生前退位しかないのか〉を説いたのである。

先の戦に敗れて天皇制は廃止されておかしくなかった。生き延びたのは、「天皇『家』を残したい昭和天皇の執念と東西冷戦をにらんだ占領統治の目的が合致して、象徴制という空をつかむような『妥協』が成立した」からである。

「象徴」の血肉化は昭和天皇に委ねられた。しかし「現人神」であった昭和天皇は、「戦前」を引きずっていた。米誌の記者に「陛下の戦前と戦後の役割を比較してください」と聞かれ、「基本的になんの変化もなかった」と答えている。戦後三十年の日本人記者との会見では、戦争責任について「そういう言葉のアヤについては分からない」、原爆投下は「やむを得ないことと思う」と応じたのであった。

これでは天皇制は立ち行かないと、平成の天皇は思ったに違いない。少年期から自らを「民主憲法の子」と認識してきた。規範とすべき象徴天皇像は過去にない。ないものは創らねばならぬ。「象徴とは何か」をひたすら考え、実践したのが天皇であり、そしてそばに必ずや美智子皇后がいた。

「まず国民の安寧と幸せを祈ることを大切に考えてきましたが、同時に事にあたっては、時として人々の傍らに立ち、その声に耳を傾け、思いに寄り添うことも大切なことと考えて来ました」

沖縄に行き、広島、長崎を訪れ、津々浦々を巡った。海外の旧戦地へ慰霊の旅をした。災害があるたびに被災地を見舞った。「天皇はただ『ある』のではない、象徴に『なる』のである」という思想を実践したのだ。それは「平成流」と称され、世論の支持を受けた。

だが命は衰える。その時は譲位すべきだとの考えを在位二十二年の夏の宮内庁参与会議で明言した。しかし、大方の反応は「摂政を置けばいい」だった。「摂政では務まらない」という本意を聞く耳が政府にはなかった。「ただ祈っていればいい」と公言する有識者もいた。天皇は国民に問うほかなかったのである。

天皇対首相のバトルが勃発した。憲法擁護の天皇と改憲にはやる安倍晋三とでは、憲法観も歴史認識も違う。安倍は「平成流」に冷ややかで、本音は伊藤が暴露した情景に明らかだ。執務室に来た人の前で片膝をつき、「こんな格好までしてねえ」とニヤッとしてみせたという。被災者に接する天皇と皇后の姿を茶化したのである。

全身全霊で戦没者を慰霊し、沖縄と植民地支配と侵略への謝罪を遂行した天皇像は、平成の天皇と皇后が創り上げたものだ。この型はどうでしたか、このまま続けますか、それともこの際やめますかという問いかけをしたのである。

さて、日本及び日本人にとって象徴天皇制とは何か。必要なのかどうか。こんどは国民の側が答えなければならない。

●『「平成の天皇」論』（伊藤智永著、講談社現代新書、二〇一九年）

政治家が貧困な国で

（2019.11）

十年一昔という。思えば二〇〇九年の九月であった。うんざりしていた自民党から民主党へ政権が代わって、何か変化の兆しが見えたのも、今は昔の話である。

民主党が掲げた「コンクリートから人へ」というスローガンは斬新だった。この秋、釜石の復興スタジアムにラグビー・ワールドカップの試合を見に行った経済評論家藻谷浩介が、毎日新聞に「結局は『コンクリートよりも人』が、人間社会の継続を支える基盤なのだ」という感慨を寄せていた。

藻谷によると、スタジアムには三陸海岸に過剰投資で造成された防潮堤よりも意義がある。海岸の構造物は塩害で必ず腐食する。何十年に一度の津波襲来以前に残骸となるかも知れない。更新には莫大な金がかかる。しかも打ち込まれた基礎部分は山からの栄養分を含む地下水の還流をせき止めるから、地元の魚介養殖業への打撃は必至だ。だがスタジアムは、これを合宿や大会に活用すれば子供らがラグビー文化を受け継いでいくのに有用だというのである。

魅力的なスローガンとは裏腹に、稚拙な政権はやたら官僚組織を敵視したり、お粗末な政治とカネ問題が露呈したりして馬脚を現し、そこへ大震災と原発の炉心溶融が来た。潰れるまで三年とかからず、やがて民主党は消滅した。

この三年足らずを「あれは悪夢だった」と、首相に返り咲いた安倍晋三がしきりに揶揄してやまない。品性に欠けるところなしとしないが、どだいないのだから仕方ない。「品性の悪い人だけはごめんだわ。品行はなおせても、品性はなおらないもの」と、小津安二郎『小早川家の秋』で再婚話を断る原節子が言うけれど、なおらないものはなおらないのである。

夏の参院選のとき、安倍は応援演説で立憲民主党の代表枝野幸男に対して何度も「民主党の枝野さん」と言い間違えた。抗議を受けると、「同じ党名で頑張って」などとからかった。この件に朝日新聞の社外筆者による「経済気象台」が「一国の総理がライバル政党の名前をもの忘れのゆえに間違えてしまうのか？」と首をかしげ、「わざと間違え、相手を嘲笑する下劣な手段であろう」と断じていた。「リーダーたちの劣化」を嘆く文章だったが、そのとおりと思う。

さしずめ「劣化したリーダー」の筆頭として想起されるのは、十年前に颯爽と登場した鳩山由紀夫であろう。たった九カ月であっけなく倒れた。大金持ちのぼんぼんでママから政治資金をもらっていたなどというみっともない話も出たが、内閣崩壊の原因は沖縄の米軍普天間基地の移設問題であったとは、今では知れたことだ。

鳩山は「基地を県外または国外へ移す」と明言し、実行を図る。二〇一〇年四月六日、首相公邸に外務省、防衛省、内閣官房の幹部を呼び、「徳之島移設案」を伝えた。「外に漏れないように」と念を押したらしいが、この極秘会合が翌日の朝日新聞夕刊に報じられる。意図的な漏洩であった。これを機に鳩山は辞任に追い込まれる。政権交代にあれほど小躍りしていた朝日新聞が鳩山の足を引っ張ったとは皮肉だった。

「戦後初めて本格的な政権交代をなしとげた首相が、だれが見ても危険な外国軍基地をたったひとつ、県外または国外に動かそうとしたら、大騒ぎになって失脚してしまった」という退陣劇に「なぜだ」と、怒った男がいた。

矢部宏治。一九六〇年生まれ。慶應義塾大学から博報堂に入るが二年で辞め、「小さな出版社をつくって、美術や歴史など、自分の好きなジャンルの本ばかりつくってきた、そういうきわめて個人主義的な人間です。ほとんど選挙も行ったことがありません」。そんな「ノンポリ」が、メロスさながら激怒して走り出したのだった。

矢部は写真家の須田慎太郎とともに沖縄へ向かい、二十八を数える米軍基地に接近して撮影。「観光ガイド」の体裁に仕立てて『本土の人間は知らないが、沖縄の人はみんな知っていること』を出した。この画期的な写真集を作りながら、①米軍機がアメリカ人住宅地以外はどんなに低空でも自由に飛べる②米軍が関与した事件事故の現場から日本側は排除される、という現実を見る。そして日本はアメリカの属国だと思い知るのである。

矢部は走り続け、『日本はなぜ、「基地」と「原発」を止められないのか』▽『日本はなぜ、「戦争ができる国」になったのか』▽『知ってはいけない　隠された日本支配の構造』▽『知ってはいけない2　日本の主権はこうして失われた』など、矢継ぎ早に世に問うた。

なぜ鳩山は失脚したのかと言えば、それは「日本人自身は米軍基地の問題にいっさい関与できない。たとえ首相であっても、指一本ふれることはできない」からなのだ。それは戦後日本の真実であり、日米安保体制というものの実態であった。「日本の本当の権力の所在が、オモテの政権とはまったく関係のない『どこか別の場所』にある」。ただしそのことは国民の目から隠されていた。一握りの政治家と官僚だけの知るところだったのである。

アメリカで公開された公文書を閲読し、新原昭治、古関彰一、春名幹男、我部政明、本間浩、前泊博盛、末浪靖司、吉田敏浩、明田川融、吉岡吉典、笹本征男といった先行研究者の著述を参考に、矢部は「戦後日本のタブー」を解明する。専門家の業績を大衆に分かり易く伝えるのはジャーナリストの重要な仕事の一つである。

分かったことは、この国の憲法はあってなきがごときものに等しいということだ。どこの弱小国だろうと、自力で作った憲法が法体系の最上位にあるが、日本の憲法は占領期に米軍によって書かれ、しかも五九年の砂川裁判最高裁判決によって日米安保条約をめぐる取り決めについては判断できない。つまり治外法権状態なのだ。

諸悪の起源は、「独立」と引き換えに米軍から事実上の占領継続を強いられ、時の政治家がそれに屈したことにあった。今も昔も政治家に恵まれない国であると嘆息しつつ、腰を据えて戦後史を調べ直す必要を思った。

●『本土の人間は知らないが、沖縄の人はみんな知っていること——沖縄・米軍基地観光ガイド』（監修・前泊博盛、文・矢部宏治、写真・須田慎太郎、書籍情報社、二〇一一年）

虚言あふれる時代に

（2020.2）

　活字離れがいわれる。出版不況で本が売れない。新聞も売れない。一方でツイートだのソーシャルメディアだの片言がはびこる。ひたすら酒と本と新聞で明け暮れているわたしなどは、もはや時代から弾き出されそうである。

「本を読もう。／もっと本を読もう。／もっともっと本を読もう。」とうたった詩人の長田弘が七十五歳でこの世を去って五年になる。稀代の読書家はこんな時勢に見切りをつけたのかも知れない。

　元日、ぼんやりテレビを見ていたら、塩野七生が学習院高等科で授業をしている。八十二歳の講師が何を言うのだろうと思った。

「これから日本も世界もどうなるか分からない。あなたたち、免疫をつけなさい」といきなり切り出し、「免疫をつけるためには、本を読むことよ。本を読んで、教養をつける。それ以外にありません」と断言した。どう？　といった目で媼が見渡す階段教室には、いかにも良家の子女然とした生徒の真剣な顔つきが並んでいる。

　授業に一時間付き合った。「ローマ」を舞台の長大な物語を書いた歴史小説家は、「見苦しいことはするな」と教示するとともに、畢竟「自分で本を読め」ということを伝えようとしていた。

芸能人の馬鹿騒ぎばかりの新春番組のなか、「Eテレ」の存在は有難い。

「本を読むのは他人の頭で考えることだ。読書は自分で考えることの代りでしかない」と皮肉なことを言ったのはショーペンハウエルだったが、本を読まずとも自分の頭で考えることのできる天才は宙でも睨んでいればいいのである。

中島敦の詩に「遍歴」がある。

「ある時はヘーゲルが如萬有をわが體系に統べんともせし／ある時はアミエルが如つつましく息をひそめて生きんと思ひし」と書き出して、ジイド、ヘルデルリン、フィリップ、ラムボー、陶淵明からニーチェ、ゲーテまで五十四行を連ねた作家は、最後の行を「遍歴りていづくにか行くわが魂ぞはやも三十に近しといふを」と結ぶ。

これが「李陵」や「山月記」といった傑作を書き残し、哀れ三十三歳で命を終えた人の読書体験であった。「ある時は阮籍がごと白眼に人を睨みて琴を弾ぜむ」「ある時はヴィヨンの如く殺め盗み寂しく立ちて風に吹かれなむ」

「若いときにちゃんとしたものを読んでおけ」といった意味のことを小林秀雄も言っている。小林は親友中原中也の愛人を奪うという凄絶な恋愛事件をくぐり、そのあと、「女は俺の成熟する場所だった。書物に傍点をほどこしてはこの世を理解して行こうとした俺の小癪な夢を一挙に破ってくれた」という有名な文句を吐く。しかしこれは読書無用というよりも恋愛体験を経た感慨を述べたかったのである。晩年、学生を相手に再三、読むべきものを読むことが大事だと語りかけている。

読書が大事ということは、しかし政治家には通用しそうにない。

アメリカ大統領のトランプが本を読まないとは、ボブ・ウッドワードの『恐怖の男』を読んだ際に察しがついた。とにかく書類が嫌いで諜報機関の情報すら読もうとしない。無類の蔵書家で「戦う修道士」と呼ばれる国防長官のマティスに「大統領はまるで〝小学五、六年生〟のようにふるまい、理解力もその程度しかない」と評されたとあった。愛想をつかしたマティスは任期途中で政権を去る。

ニューヨーク・タイムズの学芸記者だったミチコ・カクタニが著した『真実の終わり』（原題は「真実の死」）は、「一日当たり約五・九回の嘘」をつくトランプが始めた「真実と理性に対する攻撃」により、イェイツのいう「世界は秩序を失って／混沌たる状態に陥っている」ありさまをアメリカ建国の父たちからアーレントまで浩瀚な文献を縦横に引用して描く。広がるのは反知性主義の風景だ。

トランプは内政にも外交にも無知だったが、是正しようともせずホワイトハウスに入った。入ってからも書類は読まない。読まないがテレビは見る。一日八時間も見る。「彼にへつらう朝の番組」が大好きだ。そして「一日二回、『自分を賛美するツイート、自分にへつらうテレビインタビュー、自分への称賛に満ちたニュース報道、時々ただ強そうにテレビに映し出される自分の写真』を含む、おだてるような映像でいっぱいのファイルを受信している」という。

ナルシシズムで虚言癖のある大統領は、反啓蒙主義を基本姿勢とし、政策もその実行も「理性主義、寛容、経験主義の価値観を拒絶」する。意思決定方法は、気まぐれで衝動的。「知識でなく、本能、思いつき、世の中の仕組みについての（しばしば妄想的な）先入観」に基づくのだが、しかしトランプは決して孤立していない。

トランプは言葉を無茶苦茶に駆使する。「支離滅裂さ（ねじれた構文、発言の撤回、不誠実な言葉、二枚舌、煽動的な大言壮語）は彼が創りあげ、生き甲斐とするカオスの象徴」と言う著者は、そういう言語使用法を問題にする。

「政治的混沌は言語の崩壊と関連している」とオーウェルが述べたように、「嘘の連続や、不信と不和を広める道具としての言語の使用」で世界は混乱状況にある。これはナチスや毛沢東の共産党による「人々のコミュニケーション方法だけでなく、考え方を支配する取り組みの一環として、日常の言語を乗っ取」る方法と同じだ。

「彼のインタビュー、テレプロンプターなしの演説、ツイートは、侮辱、絶叫、自慢、余談、無理な推論、留保、説教、当てこすりの驚くべきごた混ぜ」と著者は言い、「トランプの嘘、現実を再定義する試み、規範や規則や伝統への違反、ヘイトスピーチの主流化、報道機関、司法府、選挙制度に対する攻撃」に「ビッグブラザーがあらゆる物語を支配し現在と過去を定義しようと試みる、オーウェルの描いた全体主義国家」を重ね、抵抗の不可欠を迫るのである。

嘘つきの政治家なら近しい。「フクシマはアンダーコントロール」と言った我らが宰相は、あることもないで通す。大統領とも親しい。本を読むとはあまり聞かないが、テレビが大好きだそうである。

●『真実の終わり』（ミチコ・カクタニ著、岡崎玲子訳、集英社、二〇一九年）

嘘は政治家の始まり

（2020.7）

政治家が嘘をついても誰も驚かない。政治家とはいんちきくさいものと観念している。権力欲がつよいだけで、その仕事は泥水稼業だ。一票のお願いにペコペコする乞食のくせに、当選するとふんぞり返る。およそ国民から好意を持たれ、尊敬をかちえるといった代物がいたためしはない。

東京都知事選を控えた五月末、評伝作家石井妙子の『女帝 小池百合子』が出た。「女帝の嘘八百」が詳細に書かれてある。コロナ騒ぎで、小池都知事を連日テレビで見た。一見さわやかな弁舌だが、どうも信じられないのである。

読みながら、松本清張の『ゼロの焦点』と水上勉の『飢餓海峡』が想起された。知られたくない過去を秘めている人がいる。嘘を抱えて生きるのは辛いだろうが、暴かれるのはもっと辛かろう。それで事件が発生するのだが、女帝に付き纏う虚言疑惑もただならない。

最大の疑念は「カイロ大学を首席で卒業」という学歴である。一九七一年、十九歳のときカイロに留学、カイロ・アメリカン大学でアラビア語を学び、翌七二年にカイロ大学文学部社会学科に入学、七六年卒業。「四年で卒業した日本人は初めて」というのが小池の「売り」であり、最初の自著『振り袖、ピラミッドを登る』（八二年）にもそのように明記してある。

アラビア語の日常会話すら話せないのに、難解な文語習得が必修の大学課程を四年で終えるなど「奇跡」とされた。「カイロ大卒という経歴を差し引いて、今の彼女は存在し得ない」として、著者は現地へ行き、「ゲイシャガール」と陰で呼ばれた行跡をたどった。そしてカイロ在留五年間の二年間を同居した人の明快な証言を得て、学歴は詐称だと結論するのだ。

タレントならどうでもいいことだが、政治家となれば学歴を詐称すれば致命的となる。選挙公報の虚偽記載は公職選挙法違反だ。詐称した国会議員は失職している。

学歴問題は都議会でも再三質された。小池はかつてテレビや週刊誌で「卒業証書」を見せている。改めて提示すればことは済む。それを頑なに拒み続けたまま都知事選再出馬をなかなか表明しないのは怪しい。学歴問題のゆえだとの噂が飛んだ。

告示直前にやっと表明したが、その前に在日エジプト大使館が小池の卒業を認めるカイロ大の声明を出したのだという。それをお墨付きとして、当人は学歴問題にけりをつけたつもりらしい。

エジプトは「コネと金がすべてだと言われる」と石井は述べている。「日本はエジプトにとって最大のＯＤＡ（政府開発援助）出資国であった。その日本の国会議員という立場がどのような意味を持つのか」「小池は絶対に隠し通さなければならない秘密を抱えていた。だが、国会議員になったことでその秘密は暴かれにくくなった」。

小池は九二年、テレビのキャスターから日本新党に参加して政界に出た。以後、新進党、自由党、保守党、自民党と渡り歩く。細川護熙、小沢一郎、小泉純一郎と時の実力者に擦り寄り、「ジジ殺し」とか「権力と寝る女」とか言われた。ところが離反するや、別れた亭主をあしざまにけなす元女房のように、細川のことも小沢のことも猛烈にこき下ろした。政治家としての行状はとても褒められたものでない。

行状1 阪神・淡路大震災で被災した芦屋の女性が窮状を訴えに来た。小池は指にマニキュアを塗りながら応じた。一度も顔を上げることなく、全部の指に塗り終えるとこう告げた。「塗り終わったから帰ってくれます？」。

行状2 「五名生存、八名死亡」という酷い知らせを受けた拉致被害者家族の中央になぜか小池がいた。記者会見が終わり、部屋を出た小池が慌ただしく戻ってきた。「私のバッグ。私のバッグがないのよっ」。見つけて叫んだ。「あった、私のバッグ。拉致されたかと思った」。

行状3 水俣病訴訟で最高裁が原告側勝訴支持の画期的判決をした。だが小池環境相は会見をしない。怒る原告団の前に現れた小池は、ただ官僚の作文を棒読みし、五分で会見を打ち切った。

行状4 アスベスト被害者に要請されて小池環境相はやっと面会した。「崖から飛び降りる覚悟でやる」と口にしたが、調査すらしなかった。後日「あなた、崖から飛び降りると言ったでしょ」となじられて、「言ってませんよー」。

行状5 女性初の防衛相になったとき、記者に取り巻かれて言った。「明日、何を着て行こうかと思って悩んでいます」。さらに事務次官に「イケメンの自衛官を十五人集めて頂戴」と命じ、彼らに囲まれる姿を撮影させると、ＰＲ写真としてマスコミに公開した。

行状6 「ジャンヌ・ダルクになる」と言って都知事選に出た小池は、「築地は守る、豊洲を活かす」と明言。「築地女将さん会」の会員はそれを信じて応援した。当選後一度だけ築地に来たという。「ジャンヌ・ダルクになってください」との声に、小池は笑って返した。「火あぶりになるからイヤ」。

信義なし、国家観なし、政治信条なし、専門知識なし。ただ注目を浴びたいだけの不実で空疎な政治家像が浮かんでくる。

オリンピックでもコロナでもその言動には一貫性がなく、パフォーマンスばかりだった。「崖から飛び降りる」はご愛用の科白で、郵政選挙の選挙区鞍替えのときも、四年前の都知事選に出たときも、そう絶叫したものだ。「彼女は一度だけ、高い崖から飛び降りている。カイロ大学を卒業したと語った、その時である」と、著者は述べている。

石井妙子はこれまで伝説の銀座マダムを描いた『おそめ』や『原節子の真実』で、男社会にあって自分を通して生きた女性への共感から、その評伝を著してきた。案ずるに今度は書きたくなかったのではないか。欺瞞の女の半生に共感のしようなどなかったろう。

しかし、「歴史に対する責任」から小池百合子の「秘密」を明かすことにしたカイロの同居者の覚悟に応えるためと、小池疑惑の解明をからきし怠ってきたマスコミへの憤怒に駆られて、著者は三年半の歳月をかけて取材、執筆したのであった。

●『女帝 小池百合子』(石井妙子著、文藝春秋、二〇二〇年)

在任長ければ恥多し

一九四五年二月、日本の運命を決すべくヤルタ会談に臨んだルーズヴェルト米大統領は、アルヴァレス病（脳小動脈の小破裂）を発症していた。チャーチル英首相の目には「彼にはもう、自分の権力に見合うだけの体力がない」と映った。そのチャーチルは狭心症を抱え、在任中に脳卒中を起こした。意識朦朧となってしまい、主治医から辞任を忠告される。

政治家と病気を主題にした『現代史を支配する病人たち』の巻頭には、「人類の歴史における病気の役割、すなわち、この歴史を作っている偉人たちの病気の知られざる重大な役割について、論文を書くべきなのだ。クレオパトラの鼻については語られる。しかしリシュリューの痔についての話は聞かない」と、アンリ・ド・モンテルランの言葉が記されている。

いずれ「安倍晋三と潰瘍性大腸炎」の表題で論文を書く政治学者が出て来るかも知れない。「国難突破」などと豪語していた総大将がコロナ国難の最中に旗を巻いたのだから世話はない。首相の持病で内閣は再度頓挫した。歴史は繰り返す。一度目は悲劇として、二度目は喜劇として と言うけれど、これが喜劇か悲劇かは、それこそ歴史が判断するであろう。

歴史の判断は後世に任せるとして、戯れに折句判断を試みた。

（2020.10）

ア　あれもこれもと
ベ　べらべら言って
シ　しんじつ果たした約束は
ン　ん？　一つとて見当たらず
ゾ　俗にいや法螺吹き
ウ　嘘つきつづけ
ナ　長かっただけの
イ　一強政権
カ　形となった成果なく
ク　雲を霞と消えにけり
オ　オリンピック、拉致、領土
ワ　わらわら起こって当然の
ル　ルサンチマンの恨み節

——とは言え、世論調査で辞任表明後の内閣支持率は上昇、さらに後継の「安倍なき安倍内閣」は高い支持率だそうである。

しかし憲法改正、拉致被害者奪還、北方領土回復の大目標は無論のこと、アベノミクス、待機児童ゼロ、女性活躍、地方創生、一億総活躍、働き方改革、人づくり革命、全世代型社会保障、戦後外交の総決算と、掲げた看板のことごとくが中途半端に終わった憾みは拭えない。あげくコロナでの失政。

記者会見で安倍はやり残した課題について、「痛恨」「断腸」と、ばかの一つ覚えのように繰り返したが、例によって他人事のような顔つきであった。そう言えば、父安倍晋太郎の番記者だった野上忠興による『安倍晋三　沈黙の仮面』の中にこんな話が出てくる。

成蹊小学校では夏休みの宿題に日記を課した。婆やが最終日、「宿題みんな済んだね？」と聞くと、晋三は「うん、済んだ」と寝てしまう。ノートは真っ白だ。だが平気な顔で登校して行く。先生は許してくれない。一週間後に提出せよと言われた。婆やが懸命に左手で白いノートを埋めたとある。

ぼんぼんの性根は六十過ぎても直らない。学校の宿題は婆やが代行。やり残しの仕事は誰か他人がやってくれるだろう。およそ責任感覚というものがないのだ。「政治において、最も重要なことは結果を出すことだ。私はこの七年八カ月、結果を出すために全身全霊を傾けてきた」と胸を張るが、結果はすべて未解決であった。「全身全霊」という言葉が空しい。

要するに在任記録をつくっただけだった。命長ければ恥多しである。なかんずく恥じ入るべきは、あれだけ期待を煽りながら、何の成果もなかった拉致と北方領土だ。

圧力をかける一方で交渉を呼びかけた矛盾の策で北朝鮮には相手にされず、拉致問題はどだい話にならなかった。プーチンとは二十七回も会ったが、領土問題は膠着したまま進展は見られなかった。

八月半ばに出た『安倍 vs. プーチン――日ロ交渉はなぜ行き詰まったのか？』を読むと、安倍が失敗した理由と経緯がよく分かる。著者の駒木明義は六六年生まれ。朝日新聞で政治部からモスクワ特派員を二度務め、いま論説委員。『プーチンの実像――孤高の「皇帝」の知られざる真実』の共著書もある。

四五年八月、ソ連は中立条約を破って対日参戦したが、その見返りとして半年前のヤルタ会談で、南サハリンの「返還」と千島列島の「引き渡し」を約束されていた。ソ連軍がとつぜん侵攻して日本領だった千島列島を占領、そのことが領土問題の発端となった。

安倍は、二〇一二年に首相に返り咲くや「北方領土問題を解決して日ロ平和条約を締結する」を重点課題に挙げ、米国の制止を振り切って先を急いだ。

ところがロシアの姿勢を見定めることができない。独り善がりの思い込みのまま、ただ親しげに面談を重ねた。

「領土問題を解決することで平和条約を締結する」と日本は主張し、ロシアの主張は「第二次世界大戦の結果、北方四島が正式にロシア領になったことを確定させるのが平和条約の役割」であった。つまりは平行線で、いくら「ウラジーミル」と呼び掛けても、プーチンの態度は変わらなかった。

そこで安倍は要求を「二島」に下げる。だが国際情勢の変動でロシアは方針を「ゼロ」に転換していた。なのに、安倍外交は「プーチンの真意を見誤って展望のない交渉にのめり込み、実質のない合意を成果として国内向けに宣伝し、政府の長年の主張を何の説明もなく一方的に後退させた」と駒木は言い、「稚拙」と嗤って憚らない。

プーチンと何を話し合ったのであろうか。会談のあと安倍は「新しいアプローチ」だの「真摯な決意」だの「自らの手で解決するという強い意志」だのと言ったが、プーチンが同じ言葉を口にしたことは一度もなかった。社交の場と違って外交交渉において、空虚な言葉遊びに何の意味もない。

　モリカケ疑惑もサクラ疑惑も、隠蔽と改竄と廃棄で「あった」を「なかった」と誤魔化した安倍政権だが、拉致と領土については、成果が「ない」のを「ある」とすることはついにできなかった。

●『現代史を支配する病人たち』（P・アコス、P・レンシュニック共著、須加葉子訳、ちくま文庫、一九九二年）▽『安倍晋三　沈黙の仮面――その血脈と生い立ちの秘密』（野上忠興著、小学館、二〇一五年）▽『安倍 vs. プーチン――日ロ交渉はなぜ行き詰まったのか？』（駒木明義著、筑摩選書、二〇二〇年）

桜の樹の下は嘘の山

（2021.1）

暮れにテレビ朝日のドラマ「七人の秘書」を見ていたら、脱法行為を暴かれた大官が「私は何にも知らない。秘書がやったことだ」と叫ぶシーンがあって、つい前首相の安倍晋三を思い浮かべた。「桜を見る会」で「ない」と言っていたホテルの領収書が出て来たが、安倍もこの科白を口にするだろう。ちなみにこのテレビ局の会長は安倍との会食族の一人と聞いた。

不祥事を抱えた政治家や高級官僚が「秘書が、秘書が」と秘書のせいにする光景をリクルート事件でさんざん見た。「妻が、妻が」というのもいた。責任転嫁して恥じないのは、お偉方の定法である。

梶井基次郎は「桜の樹の下には屍体が埋まっている」と言ったが、新宿御苑の桜の樹の下には安倍の真っ赤な嘘が埋まっていた。何かと「お友だち」を優遇し、「モリ・カケ・サクラ」疑惑を追及されながらことごとく言い逃れたが、要するに嘘つきだったのである。

毎年四月に開かれる首相主催の「桜を見る会」の予算膨張が目に余る。安倍政権になって招待者が異常に増大し、その中には安倍の選挙区後援会の会員が多数含まれている。これは公私混同ではないかと、二〇一九年十一月八日、共産党の参議院議員田村智子が予算委員会で安倍に質した。わたしなどはそれで驚いたのだが、発端は遡って十月十三日付の『しんぶん赤旗日曜版』の特報だったと『赤旗スクープは、こうして生まれた！――「桜を見る会」疑惑』で知った。赤旗記者が調査報道で桜の樹の下を掘り返したのだ。

九月二十四日早暁、赤旗日曜版のデスクは習性でスマホを操作した。ツイッターに「桜を見る会」「血税大盤振る舞い」とあるのが目に入り、「おや？」と思った。検索すると、ブログやフェイスブックにも「桜を見る会」の記述や写真がぞろぞろ出て来る。閣僚や自民党議員の後援会員が目立つ。「おかしい」と感じた。桜を見る会は、後援会へのサービスや宣伝に一役買っているのではないか。

新聞記者が「おかしい」と思えばそれがすぐニュースとは限らないが、「おかしい」と思わなければ何事も始まらない。一九八八年のリクルート事件は、未公開株を譲渡された川崎市助役が巨利を得ていた件を捜査当局が捨てたことを、朝日新聞横浜支局のデスクが「おかしい」と指摘したのが発端だった。調査報道で事件は拡大、ついには時の竹下政権が倒れた。

調査報道の方法も変わった。今はインターネットや報道、公文書といった公開情報によってかなりの基礎資料を手に入れることができる。「オープンソース・インテリジェンス」（オシント）と呼ばれるが、『赤旗』はオシントを駆使して収集した情報を分析し、桜の樹の下で行われていたことに迫る。

各界で功績、功労があった人を招待するとされる会に、自民党の招待枠があり、安倍後援会の参加者が毎年多い。ホテルでの前夜祭まである。その支出は政治資金収支報告書には記載されていないなど、いろいろ分かってきた。あとは関係者に直接取材しなければならない。それが新聞作法の常道なのは今も昔も同じである。記者たちは安倍の選挙区へ向かった。

ネット投稿者から割り出した参加者を訪ねる。安倍のポスターが貼ってある家を一軒一軒回る。足で稼ぐしかない。そして判明したのは、後援会の関係者なら親戚や友人まで一緒に、それも何度でも参加できたということだった。公的行事は私物化されていたのだ。

安倍事務所は毎年、桜を見る会を目玉にした後援会旅行をしていた▼事務所から案内があり、参加を申し込むと内閣府から招待状が届く▼会の前日に事務所の手配で上京、夜は前夜祭。旅費と会費五千円は自己負担▼当日御苑に入る際、手荷物検査はない……。

第一報が出た。一般紙が政党機関紙を追わねばならないことは滅多にない。ただし八五年の日航機事故のとき、前線本部にいたわたしには『赤旗』にやられた苦い記憶がある。奇跡の生存者が四人いた。その一人が墜落後瀕死の父親と会話を交わし、生存者は他にもいたと語ったという記事を『赤旗』に抜かれたのだった。なぜ『赤旗』だったのかには理由があったのだが抜かれは抜かれであった。

追うべきことは追わなければならない。前回書いたことだが、イージス・アショアをめぐる秋田魁新報の特報を、出所を明記して追った毎日新聞は立派だった。しかしサクラで『赤旗』を後追いする一般紙はなかった。後に「私たちに足りなかったのは何か」と毎日の記者は書き、「公的行事の『私物化』とまで思いが至らなかった」と朝日の記者は悔やむが、ひとえに感覚の鈍麻と言うほかない。

国会での一連のサクラ質疑は、ネットで見ることができる。安倍は例によって薄ら笑いを浮かべ、まともな答弁をしない。「関与していない」を連発し、「前夜祭は個人契約で後援会の支出はない」と繰り返している。これにネット上で反発が巻き起こった。つられて一般紙がサクラを報じ始める。問題化するなか、それでも内閣記者会の一部を除く各社のキャップは安倍と中国料理店で懇談していたとある。「朝日の良心」といわれた森恭三は「新聞記者に最も必要なのは問題意識だ」と言ったが、現役には微塵もないとみえる。

安倍の妻昭恵枠があるとか、悪徳商法業者が招待されていたとか、招待者名簿がシュレッダーにかけられたとか、疑惑は広がったが、安倍は逃げに逃げた。しかも法を捻じ曲げる禁じ手で検察人事に手をつけようとした。それが頓挫して、持病の再発を理由に突如辞任したのだが、禁じ手が通っていれば辞めなかったのではないか。安倍の思いどおりに人事がなっていたら領収書は出て来なかったろう。

「『桜を見る会』疑惑の対応に失敗した」と自民党幹部が言ったという。疑惑を暴いたのは『赤旗』の調査報道であった。記者たちの労を多とする。「赤旗にあって大手メディアにないものは『追及する意思』ではないのか」といわれている。懇談ばかりして、記事にしない新聞がバカにされるのは仕方ないかも知れない。

●『赤旗スクープは、こうして生まれた！――「桜を見る会」疑惑』（しんぶん赤旗日曜版編集部著、新日本出版社、二〇二〇年）

「角栄潰し」の下手人

（2021.2）

「金権」田中角栄とロッキード事件と言えば、世に名高い立花隆の『田中角栄研究全記録』と『ロッキード裁判傍聴記』全四巻がある。堀田力の『壁を破って進め』がある。コーチャンの『ロッキード売り込み作戦』がある。東京新聞特別報道部編『裁かれる首相の犯罪』全十六集がある。毎日新聞社編『総理の犯罪』がある。朝日新聞東京本社社会部著『ロッキード事件　疑獄と人間』がある。日本が震撼した事件を知るための手立てはごまんとある。

全日空の大型旅客機トライスター導入を丸紅に頼まれた時の首相が「よしゃ、よしゃ」と応じ、五億円の賄賂を受け取ったのがばれて逮捕され一件落着となった。時は流れる。事件は次々に起きる。今さらロッキードか、と言う向きもあろうが、この本を手に取ってページを開かれよ。

立花隆の傍聴記から二行が引かれてある。いわく「ロッキード事件は裁判によって明るみに出される部分より、関係者の沈黙によって永遠に闇の中に葬られた部分のほうがはるかに巨大なのである」。

著者の春名幹男は一九四六年生まれ、共同通信記者として滞米十二年、日米関係とインテリジェンスを専門とする。その「巨大な闇」の解明に挑んで十五年をかけ、事件表面化から四十五年目に書き上げた。巻を措く能わずの出来で、事件の奥深さが知れる。

なぜ田中が、田中だけが標的にされたのか。この事件には様々な陰謀説がまことしやかにつきまとった。①関係文書が誤配されて偶然に発覚した②ニクソンが田中を嵌めた③三木首相が政敵田中を追い詰めた④田中の「アラブ寄り資源外交」が米国の虎の尾を踏んだ⑤キッシンジャーの策謀ではないか——これら諸説を春名は一つ一つ念入りに点検する。

定説から疑うのが、その手法である。事件の発覚は「米東部時間一九七六年二月四日」となっているが、春名はまずこの「始まり」を訂正する。この日の米上院外交委員会多国籍企業小委員会で初めてロッキードによる日本工作が出たとされているのだが、実は半年前に上院銀行委員会で出ていた。このことを日本の新聞特派員は全員が知らなかった。

四日の公聴会で児玉誉士夫の名前が出たことが五日付の朝日新聞にのみ短行載っている。「いくつかの本が朝日の速報を『特ダネ』と記している」のだが、春名はこれも正さずにはおかない。特派員の経験から、記事は早出の記者が外国通信社のテレプリンターをチェックして「YOSHIO KODAMA」に気づき、「大慌てで、現場ではなく、総局内で書いた原稿」に過ぎず、「ロイター電の翻訳は特ダネとは言えない」と指摘するのである。

些末なことに見えるが、神は細部に宿るという言葉がある。「巨大な闇」に立ち向かうには、些細なことを吟味するという精神を保持しなければならない。春名はすでに了解済みとされているような事件の断片を自分で確認しながら、①から③の陰謀説を「事実無根」「あり得ない」と裁断していく。

人口に膾炙したのは④である。源泉は幾多の陰謀説を並べた田原総一朗の論文に遡るが、春名はその「情報源」を俎上に載せ、いずれも確認不可能な伝聞と断定。「うわさ程度の話も含め、真贋を吟味せず、証拠のない陰謀説を連ねている」と切り捨てて顧みない。ちなみに田原は「田中無罪説」を唱えているが、春名はこれも「論理の飛躍」と一蹴している。

立花隆も田原論文を「ガセネタ」と断じた。立花も春名も「虎の尾説」には引っ掛からない。事件に立ち向かう姿勢が、ただ臆測を膨らませた「面白い読み物」で興味を煽ればいいという手合いとはどだい違うのである。読者は著作者の真贋を見極めなければならない。④にも根拠がなかった。

「なぜ田中が葬られたのか」が主題だ。残るのは⑤である。田中はキッシンジャーの怒りの対象になっていたらしい。例えれば、田中がやられた「凶器」は、コーチャン手書きの人脈図に明記された「Tanaka」だった。それは米国から東京地検に引き渡された資料の中にあり、事件捜査が可能となった。他国の収賄高官の名前は出さないと米国は言っていたのに、なぜ田中を例外としたのか。誰が実行し、動機は何だったのか。

二〇〇五年秋、春名は米国の友人から「驚くべき文書」の存在を聞かされる。「キッシンジャー会談録」である。キッシンジャーは「ジャップは」と口を極めて日本人を罵っていた。田中外交に怒り狂っているのだ。これが「筆者をロッキード事件取材に駆り立てた」と書いている。秘密公電を含む日米の関係文献をネット上まで渉猟し、秘められた意味を数年がかりで探り、会える関係者にはインタビューして事件の真相に迫った。

表裏があり、相手によって態度を変え、自尊心が高く、陰険で、上昇志向と自己顕示欲に満ち、猜疑心が強い。のみならず、盗聴、だまし討ち、裏切りをしてまで「邪魔者を押しのける」のがキッシンジャーであった。そんな男に田中は蛇蝎のごとく嫌われた。理由がある。日中国交正常化をやり、親アラブに転換した田中外交に怒り、激しい憎悪感を抱き、それはさらに復讐心と化したのだった。

事件発覚時の国務長官としてキッシンジャーは日本へのロッキード資料引き渡しに関与する。巧みな手口で田中だけが捜査対象になるような文書を忍び込ませた。思惑どおりに事は進む。スパイ小説を読む趣だ。田中も日本政府も、キッシンジャーの動機あっての仕業だったとは最後まで気づかない。

かくて田中の政治生命は絶たれたが、児玉から先の闇は未解明に終わった。続いて露呈したダグラス・グラマン事件で、日米安保体制に巣食って軍用機輸入に絡んだ「おぞましい」利権構造が浮かんだ。CIA協力者児玉につながる中曽根康弘や「超大物」岸信介の暗躍は確かだった。しかし連中は逃げ切った。CIAに関わる情報は米国から得られなかったのだ。

「巨悪」は断罪されていない、と春名は言う。「歴史のかなたに葬ってしまっていいのか」。
●『ロッキード疑獄——角栄ヲ葬ムリ巨悪ヲ逃ス』(春名幹男著、KADOKAWA刊、二〇二〇年)

事実を見ない大統領

（2021.4）

皮肉屋で聞こえた山本夏彦の持論に「事実があるから報道があるのではない。報道があるから事実があるのである」というのがある。

一九六九年の宇宙船アポロの月到達を中国人民は知らない。中国の新聞はアメリカの成功を伝えなかったからである。また、七四年に北朝鮮が板門店の地下に掘っていたトンネルを韓国が発見して大騒ぎになったことを、日本人は知らなかった。新聞がほとんど記事にしなかったからだ。さらに、と幾つもの「論じてさえいれば、必ず証拠は証拠でなくなる」例を挙げて、「論より証拠というが、証拠より論である」と断じた。「都合の悪い事実というものは、そもそもこの世に存在しないのである」。

報道を「フェイク」と決めつけ、選挙敗北の結果に駄々っ子のごとく抗い続けたアメリカの前大統領がやっと舞台から去ったが、事実を疎かにすることで人後に落ちない男だった。詳細はボブ・ウッドワードによる『FEAR　恐怖の男』と、それに続く『RAGE　怒り』の二作で知れる。二〇一七年の政権発足から二〇年の選挙前までのホワイトハウスの内幕が手に取るように語られている。

トランプより先に退場した「ゴルフ友だち」安倍晋三の在任七年八カ月の真相を暴く本は残念

ながら手に出来ない。「私は何代の総理を見て来た」とか「何十年間官邸をウオッチして来た」などと自慢げに述べる政治ジャーナリストはこの国にもいるが、見ただけらしい。今じゃテレビ情報番組のお追従コメンテーターか首相宴席の御伽衆なのだから世話はない。

そこへいくと今年七十八歳になるウッドワードは、歴代大統領四十五人のうちニクソンからトランプまでの九人を俎上に載せて、統治者としての能力と成果を裁断してきた。彼が今もなおワシントン・ポストで現職の「編集局次長」であることに、アメリカの新聞の面白さを覚える。

「アメリカは、感情的になりやすく、気まぐれで予想のつかない指導者の言動にひきずりまわされている」と記された『FEAR』にトランプはえらく不満であった。「事実に反する〝いんちき〟〝お笑い種〟だ」とこきおろし、「民主党の秘密諜報員」呼ばわりした。ウッドワードは共和党員だとニクソンを追及した『大統領の陰謀』に書かれていたが、トランプは本を読まないから知るまい。

前作で会見申し込みを断わったのを反省したのかも知れない。『RAGE』では、一九年十二月五日以降、都合十七回のインタビューが行われた。トランプから自宅にかかってきた電話も一再にとどまらない。問答は直に質す機会となった。だがトランプは情報源としては信頼に足るものでなかった。「煮え切らない返事をしてはぐらかし、〝解決できるのは私だけだ〟と断言しているにもかかわらず、国の指導者という役割を避けることもままあった」のだった。

ウッドワードの主題は一貫して「大統領の仕事とは何か」である。トランプは「国の安全を守り、繁栄を守ることだ」と語るが、漠然としていて、方向性がはっきりしない。つまり国家戦略が明確でないのだ。今後の計画を聞くと「うまくやるだけ」と言う。説明を求めると「国を運営していると、意外なことばかりなんだ。すべてのドアの向こうにダイナマイトがある」と述べたのが著者には意外だった。紛れもなくそれは「大統領が負っている危険、プレッシャー、責任をもっとも強く自覚している言葉」に聞こえたからである。

任期後半、二つのダイナマイトに襲われる。コロナウイルスのパンデミックと北朝鮮問題の行き詰まりである。一六年の大統領選でロシアと共謀した疑惑や、ウクライナ首脳に政敵バイデンへの捜査を依頼した疑惑といった「弾劾」含みの火の粉を振り払いながら、トランプはダイナマイトの処理に追われた。しかしいずれも事実を軽視するという癖を露呈して対処を誤る。コロナ感染は止めどなく広がり、会談を三回重ね、二十七通もの「ラブレター」を交わしながら金正恩は核を放棄しなかった。

それでも「ウイルスは私の過失ではない」「金と私はいい関係」と言い張った。自画自賛はトランプの十八番である。見たいようにしか見ない。自分の信じる事実しか存在しない。例えばNATOや韓国との関係がいかに重要かということを側近がいくら説明しても、頭から受け入れない。「どいつもこいつも馬鹿だし、どの国もアメリカを騙してぼったくっている」とわめき、NATOは時代遅れだ、在韓米軍の駐留費は無駄だと言い募って止まらない。

三顧の礼を受けて任に就いた重要閣僚が、二年もしないうちに次々とツイッターで不意打ちに解任される。意見相違の調整中、陰口が伝わったらしい。国務長官は「あの男は知能が低い」と言い、国防長官は「まるで〝小学五、六年生〟のふるまいだ」と言い、大統領首席補佐官は「彼は正気ではない」と言ったという。

ホワイトハウスはつねに無秩序だった。娘のイバンカと娘婿のクシュナーが、曖昧な資格であれやこれやと口を挟む。首席戦略官バノンが娘を「たかがスタッフふぜいのくせに！」と怒鳴りつけたら、「大統領令嬢よ」と言い返された。傲慢な娘婿は業務に半端な手出しをしてやまない。大統領と軋轢を生じてバノンも解任された。

「ダイナマイトはトランプ自身だった」と、著者は結論する。

「肥大した個性。組織化の失敗。規律の欠如。自分が選んだ人間や専門家を信頼しないこと。アメリカの社会制度の多くをひそかに傷つけるか、あるいは傷つけようとしたこと。人々を落ち着かせて心を癒やす声になるのに失敗したこと。失敗を認めようとしないこと。下調べをきちんとやらないこと。オリーブの枝（和解の提案）を差しのべたり、他人の意見を念入りに聞いたり、計画立案ができなかったこと」

ウッドワードは大統領選挙投票の直前にこの本を出す。そして「トランプはこの重職には不適格だ」と確言したのであった。

●『ＦＥＡＲ 恐怖の男――トランプ政権の真実』（ボブ・ウッドワード著、伏見威蕃訳、日本経済新聞出版社、二〇一八年）▽『ＲＡＧＥ 怒り』（同著、同訳、日経ＢＰ・日本経済新聞出版本部、二〇二〇年）

アベノヒトリズモウ

(2022.2)

同じように一国の首相を辞めても、それからが政治家によって異なるのは面白い。それまでどう生きて来たか、持って生まれた性分、くぐった体験、読書歴、作り上げた思想、判断力——畢《ひっ》竟《きょう》その人の人生観が決めるのであろう。

ドイツの首相を十六年務めて政界を引退したメルケルは「どんな政治的ポストにもつかない」と言明したそうである。「どこかの国の元首相が国会議員に居座って影響力を行使しようとするのとは違い、本当に爽やかな幕引きである」と、暮れの朝日新聞のコラム「経済気象台」で読んだ。さらにまた「首相として一本筋の通った考え方を貫いたこと」を称賛していた。

講演録『わたしの信仰』に「問題は政治や経済以上に精神的な価値観にかかっている」とあるのを引き、メルケルは「政治や経済の論理よりも、人として欠いてはならない価値観を大切にし、最も弱い立場にある人々や次の世代に寄り添った」と述べ、「内外の批判をものともせず、中東からの難民の受け入れを断行した姿」にこの言葉を重ねて見ている。

そして彼女がドイツを「欧州一番の隆々たる国」に成長させたことを評価し、日本を顧みて言う。「歴代首相は成長メインに政策を掲げるが、肝心の人の心を打つ理念に乏しい。日本の将来はどうなるのかを思い描けない。これはやはり二世議員の限界なのか。少なくとも、メルケルさんのように旧東ドイツで大変な苦労をし、民の苦労を自分事として共有できる人とは根本的に異なる」

親の地盤を継いだ秘書上がりとはどだい違うということだが、どこかの国の、言葉数だけは多かったが何の約束も果たさなかった元首相を思い浮かべざるを得ない。

一昨年、コロナ禍で国中大変な最中、一期目と同じく体調不良を理由にとつぜん政権を投げ出した安倍晋三だが、すぐに回復したらしい。夜の会合に出たり、派閥の会長に就任したり、総裁選ではお気に入りを推したりと蠢《うごめ》いていたが、『文藝春秋』の二月号で「独占インタビュー」に応じている。

ちなみに、この号には首相岸田文雄の売り物「新しい資本主義」の「緊急寄稿」も載っている。現元首相を二枚看板にした作法とは、かつて「金脈批判」で現職首相田中角栄を窮地に追い込んだ同じ雑誌とはとても思えない。あからさまな権力者への擦り寄りぶりは、一体どうしたことだろう。

インタビューというのは、聞き手と答える人とのやり取りに妙味があり、「聞きづらいこと」を聞いてどう応ずるかが見所である。しかし安倍の言いたいことが続くばかりのさながら独り相撲で、これはただの宣伝ビラでしかない。

「首脳会談計千七十五回、訪問先延べ百七十六の国・地域」という外遊を誇り、長期在任を誇り、金融政策を誇り、選挙の連戦連勝を誇り、安定した支持率を誇り、忠実だった部下を誇りと自画自賛の限りだ。「マスコミとの闘い」も自慢の種で、批判的だったとする朝日、毎日、東京、共同、ＴＢＳ、テレビ朝日の名を挙げて、「それでも総理大臣になった」と胸を張り、ついでに若手には「マスコミに媚びを売ったり、迎合したりするのはやめろ」と言っていると、弁舌は止まることを知らない。

こういう一方的な自慢話の垂れ流しをただ拝聴して掲載するのを「媚びを売り、迎合している」と言うのである。立花隆がふと思い起こされる。文藝春秋の記者時代があり、フリーランスとしてはあの痛烈な「角栄批判」に火をつけた男が存命で、こんな御用雑誌を手に取ったら何と言うか。

モリ・カケ・サクラからコロナ失政まで、厭がることは何も聞いてない。せめて安倍が「私はロシアのプーチン大統領との首脳会談だけを数えても、二十七回にもなる」と誇らしげに語ったとき、なぜ「そんなに何回も会談をして、結局領土問題はどうなったのか」と聞き返さなかったのであろうか。

「地球儀俯瞰外交」と称して安部は人工衛星のように地球をぐるぐる回ったが、二大目標に掲げた拉致問題も北方領土問題も零点であった。本人も残念に思っているに違いない。それを質すのが聞き手の義務である。「雑誌ジャーナリズムのレポーターは、レポーター（報道者）であると同時に、クリティク（批評者）でもあらねばならない」と立花は言ったが、ここに批評精神など微塵もない。

拉致問題は北朝鮮に全く相手にされなかった。それに比べてロシアは、とにかくプーチンが会ってくれたのだし、安倍は「ウラジーミル」と呼びかけるほど親しそうだったし、どうにかなるのではないかとの期待を国民に抱かせた。いや、誰よりも期待が強かったのは当人だったかも知れない。「すぐにも解決」という楽観論を安倍政権は振りまき続けたのだった。

だがそれは一方的な思い込みに過ぎなかったことが、駒木明義の『安倍 vs. プーチン』を読むと分かる。この本は安倍が退陣表明した一昨年夏に出た。朝日新聞のモスクワ特派員から論説委員として長く日露関係を取材してきた記者による「実態報告」である。

占領されている北方領土を返してくれというのが日本歴代政府の主張であった。沖縄返還を実現した大叔父の佐藤栄作に倣って、自分も「レガシー（政治的遺産）を残したい」と野心を燃やしても不思議でない。

安倍は米国の制止を振り切ってプーチンに接近した。会談のたびに「二人の手で必ず終止符を打つという意志を共有した」と強調。最後には要求を「四島」から「二島」に切り下げた。しかしプーチンからそんな「意志」が示されたことは一度もなかった。「プーチンの真意を見誤って展望のない交渉にのめり込み、実質のない合意を成果として国内向けに宣伝し、政府の長年の主張を何の説明もなく一方的に後退させた」のである。

前のめりの安倍はあえなく転んだ。プーチンは「あっという間に私たちで解決できると考えるのはナイーヴだろう」と言った。「世間知らず」と訳すのが適切らしい。しょせん三代目の独り相撲だったということだ。

●雑誌『文藝春秋』二月特別号（文藝春秋、二〇二二年）▽『安倍 vs. プーチン――日ロ交渉はなぜ行き詰まったのか？』（駒木明義著、筑摩書房、二〇二〇年）

死刑廃止論者となる

（2022.11）

唐突ながら宗旨替えをした。

死刑制度支持から死刑廃止論者に転向したのである。「目には目を」で、人を殺したら死を以て贖うべきだと長年思っていた。死刑廃止運動に熱心だったという高名な弁護士が暴漢に妻を殺されて死刑支持に転じたと聞いて、さもありなんとその心中を察した。

二〇〇一年、大阪府池田市の小学校で児童二十一人が殺傷され、教諭二人が傷害を負うという事件が突発した。現行犯逮捕された男は起訴され、死刑判決が下り、〇四年九月、死刑が執行された。

そのころ新聞で持たされていた小さなコラムにこう書いた。

〈「人を殺したからといって」とドストエフスキーは『白痴』の主人公に言わせる。「その人を殺すのは、そのもとの罪に比べて比較にならないほど大きな刑罰です」／作家自ら政治犯として死刑判決を受け、処刑直前減刑となった。／しかし蕾《つぼみ》をむしるように児童八人を殺し、贖罪の言葉のなかった死刑囚の処刑は当然と考える〉

お前は死刑論者かと非難の手紙が何通も来たが、人を殺し、反省の片言もない人間を擁護する気持にはなれなかった。記者仲間で「もしお前の娘が凌辱されて殺害されたら、犯人を赦せるか」と話柄にしたことがある。「死刑でなければこの手で殺す」で一致した。

熊本日日新聞の高峰武を知り、免田事件のことを教えられ、考えが変わってきたのである。彼が編者の一人である『検証・免田事件［資料集］』（本書三一四頁参照）を読んでいたら、免田栄が「冤罪というものは避けられない」と何度も断言している。最高裁で死刑が確定しても「身に覚えのないことだから実感はなかった」そうだ。ところが同房者の死刑執行があって、看守から「お前もああなるんだぞ」と言われたとたん、「急に死刑の恐怖に襲われて気が狂ったようになった」とある。

「人間の復活」のために請求を繰り返した再審が決定したとき、看守が次々と独房にきて「よかったな。お前を殺さんでよかった」と言ってくれた。そのとき免田は思ったという。「人が人を裁くということは、やることとやない。裁く方も裁かれる方も死刑という問題を考える必要があるんだ」

免田が最高裁に上告した一九五一年、山口県熊毛郡麻郷村《おごうそんや》八海《かい》で老夫婦惨殺事件が起きた。その罪を着せられた四人の中の一人阿藤周平から「無実の罪で死刑の宣告を受けて、上告し、広島拘置所に在監している当年二十八歳の一青年でございます」という長い手紙が、弁護士正木ひろしに届いたのは五三年十一月のことであった。

「冤罪を主張するもののなかに、実は冤罪でない真犯人がいることは想像にかたくない」と知る正木は、一、二審の判決謄本を二度、三度と読んで、四人の冤罪を確信する。そして『裁判官』を著した。「裁判の名によって、国民がウソと暴力で、命を奪われていいものだろうか。それはまさに、この世の地獄である」と裁判の間違いを真っ向から批判したこの本はベストセラーとなり、「八海事件」は世に広く知られるようになる。

これを手に取ったプロデューサーの山田典吾が映画化を思い立つ。「現代ぷろだくしょん」の創設者で、『村八分』や『蟹工船』を製作し、『はだしのゲン』『裸の大将放浪記　山下清物語』『白い町ヒロシマ』の監督を務めた人である。

山田は監督を今井正と定め、芥川龍之介の『藪の中』を黒澤明の映画『羅生門』にした橋本忍に脚本を頼む。三人は現地に入って関係者に会い、公判記録と警察調書を読んだ。橋本は「これは『疑わしきは罰せず』なんてことじゃとても書けない。はっきりと、絶対に無罪という線で行きたい」と言い、三人は「万が一、被告が有罪だったら二度と映画はつくらない」との決心をしたという。

ところが「係属中の裁判を題材にした映画は好ましくない」とする最高裁から直接、間接の圧力がかかった。それをはね返して作った『真昼の暗黒』は大手五社の配給網から外される。それでも主役が「おっかさん、まだ最高裁がある！　最高裁があるんだ！」と叫ぶラストシーンはとりわけ評判を呼び、自主上映会場は大入りとなった。

しかし「冤罪がはれて無罪になった例は、きわめてとぼしい。冤罪か冤罪でないかは、最後に裁判官が判断する」と正木が述べたとおり裁判は二転三転する。阿藤らの無罪判決獲得はそれから十二年も経った六八年のことになる。最後は裁判官によるのである。

冤罪の第一原因は警察捜査のずさんさだ。死刑囚の間では「一人の警察官がした事件処理は、最高裁判決に類する」と語り継がれている。捜査員の予断と思い込みででっち上げられたのは免田事件も八海事件も同じであった。警察の過ちを是正できない検察官がいて、しかも裁判官に洞察力がなければ、もう救いはない。

最後の頼みは裁判官だ。聞き書き『「無罪」を見抜く』でまことに率直に語っている木谷明によると、裁判官には三つの型がある。

一つは、捜査官はウソをつかないが、被告人はウソをつくと頭から考える「迷信型」。これが三割。二つ目は、被告人のためによくよく考え、「疑わしきは」の原則に忠実な「熟慮断行型」。これは一割弱しかいない。三つ目が六割強で「優柔不断・右顧左眄型」。警察・検察や上級審の評判を気にして結局は検事の言う通りにしてしまう。

木谷は、在職三十七年間に三十件以上の無罪判決をしたという「伝説の裁判官」である。被告人の言い分を徹底的に聴くという姿勢を持し、木谷でなければ見逃したであろう事実を明るみに出して検事の主張を退けること度々であった。「裁判所は捜査官の捜査を厳しく批判するべきだ」として、検察側が証拠隠しをすることをとくに咎めて全開示を求めた。

人間のする裁判には必ず間違いがある。間違いをゼロにすることはできない。間違って死刑にしたら取り返しがつかない。だから制度を廃止するよりない。「最終的に死刑が生き残るのは中国と北朝鮮と日本だけだろう」と木谷は言う。「それでもいいのか」と。

●『裁判官』(正木ひろし著、光文社カッパブックス、一九五五年)▽『脚本家・橋本忍の世界』(村井淳志著、集英社新書、二〇〇五年)▽『「無罪」を見抜く――裁判官・木谷明の生き方』(木谷明著、山田隆司・嘉多山宗編、岩波現代文庫、二〇二〇年)=単行本は二〇一三年刊

Ⅳ 戦争の章

アメリカを赦せるか

（2016.7）


一つの作文の評判がいい。

五月二十七日、広島でのオバマ米国大統領による演説である。新聞はこぞって「核なき世界へ」だの「核廃絶へ決意」だのと大見出しをつけ、その全文に一頁を使い、英文と和訳とを対比して掲載するという扱いであった。

「71年前、晴天の朝、空から死が降ってきて世界が変わりました。閃光と炎の壁がこの街を破壊し、人類が自分自身を破壊する手段を手に入れたことを示しました」

毎日新聞によると、この出だしを、「すごい」と絶賛したのは、「言うだけ首相」に終わった鳩山由紀夫のスピーチライターで元内閣官房副長官だった松井孝治である。

「普通だったら、犠牲者への哀悼を表するところから入るじゃないですか。それを原爆投下シーンから入ったんですから。そうくるのか、と感心しました」

と誉めるのだが、わたしなどはまずここでつまずく。

死は空から降って来たのではない。降らせたやつがいたのである。世界は自然に変わったのではない。人為的に変えられたのである。そしてオバマは「この街を破壊した」国の今の大統領という立場で、ここ広島の地に立っているのであって、このようにまるで他人事のように語られては、頭を抱えて逃げ出したくなるのである。

経営者向けのスピーチライターという蔭山洋介も「冒頭、米軍が日本に原爆を落としたとせず、空から死が降ってきたとすることで、これから話す共通前提は人類なんだとしたかったのでしょう」と、まことにもって好意あふれる解釈を施して持ち上げていた。

受け取り方は人それぞれというほかはない。ついでながら、山形から折々に所信をブログ発信している旧同僚の長岡昇も、「心のこもった優れた演説で、歴史への深い洞察と未来への希望を感じさせる」と手放しの称賛ぶりであった。

わたしは生来、了見が狭いので怨みを一般論に解消し得ない。お互い女の子を持つ親同士、かつて意見の一致を見たことがある。もし娘が強姦されて殺されたら、当然犯人の処刑を要求する。それが叶わないときは自ら手を下す。殺人を禁じる国家が死刑を執行するのは矛盾しているとか、罪を憎んで人を憎まず、人間には改悛の可能性があるのだから赦してやって立ち直りの機会を与えるべきだという物分りのいい言説のあることは承知しているが、いざ自分はそれに従うつもりはない。

七十一年前の八月六日と九日に広島と長崎でアメリカが無辜の民を皆殺しにしたことを、戦争論一般で片付けることはできない。

広島に来る大統領に謝罪を求めないことは良いことだと言わんばかりの道ならしが試みられた。朝日新聞はローマ在住の塩野七生まで引っ張り出して、「日本が原爆投下への謝罪を求めない、としたことの意味は大きい」との御託宣を賜り、なぜなら「品位の高さを強く印象づけることになる」と言わせていたが、無惨に殺された者の無念さは生者には分かるまい。死者に口がきければ、「あの日、原爆を落としたことをどう思うか」と大統領に質したに違いない。

しかし謝罪を求めても米国が謝罪するはずはない。残虐な大量殺戮を謝る仕儀となると、アメリカという国の建国にまつわる自己欺瞞を認めることになるからだ。そう断定するのは、「唯幻論」と称する精神分析の手法で人間と歴史を論断して見せた岸田秀である。

岸田によれば、アメリカ人の先祖は、汚れたヨーロッパから新大陸に「新しい正義の国を建設する」という神の使命を託されてやって来た。そこで実行したことは、先住民であった「インディアン」を虐殺しながら西へ進むということだった。「虐殺は正義のため」と自己正当化し、「やむを得ないことだった」と自己欺瞞しなければ、アメリカ人の主体性は支えられない。否定したら「建国の精神」は雲散霧消してしまうからである。

オバマは演説でこう述べた。

「私の国の物語は（独立宣言の）簡単な言葉で始まります。『すべての人類は平等に創造され、創造主によって奪うことのできない権利を与えられている。それは生命、自由、幸福追求の権利である』。しかしその理想を実現することは、米国内や米国民の間であっても、決して簡単ではありません」

だがこの物語の発端は、岸田に言わせると、壮大な虚構なのだ。

「独立宣言に表明されている自由、平等、民主の共同幻想の背後には、アメリカ大陸の『発見』当時に北米に一〇〇万はいたと推定される原住民が二〇万を下回るに至った大量虐殺の経験があった。アメリカの共同幻想はこの経験の抑圧と正当化に支えられている」

幼児期、酷い父親に虐待されて育った女人が、実は父親に愛されているのだと信じ込もうとし、それが愛情だと自己欺瞞して大人になったあと、残酷な男に繰り返しひっかかる人生を送るように、アメリカは次々と他民族を虐殺しながら、しかしそれが「正義」だと主張する国家になった。ベトナムへ、アフガニスタンへ、イラクへ、アメリカの行動様式は不変だ。

米国は日本を黒船で脅して開国させた。遅れた国を国際社会に導き入れてやったのだから「子分」のつもりだった。真珠湾では驚いたが、今度は二度と刃向かえないように叩きのめしておいて、戦後再び「属国」としたのだった。

日本が息も絶え絶えとは米国も知っていた。だのに原爆を投下したのはなぜだったのか。「戦争を早く終わらせるため」とか「多くの米兵や日本人の生命を救った」と正当化したがるのは、そうでもしなければ広島、長崎の惨禍を正視できないからである。

オバマは演説がうまい。スピーチライターが優秀らしい。七年前のプラハ演説はノーベル平和賞を受けたが、遺憾なことに「言っただけ」であった。政治家の言葉は実らなければただの作文である。

大統領は原爆資料館をたった十分間のぞいただけだったという。せめて半日はかけて見て回り、そのあとで演説をするべきだったと思うのである。

●『日本がアメリカを赦す日』（岸田秀著、毎日新聞社、二〇〇一年）▽『ものぐさ精神分析』（同、中公文庫、一九八二年）

五十六の嗚咽を聴け

（2017.2）

ヒラリーへ、トランプへ、オバマへ、プーチンへと、こけつまろびつ座敷犬のように駆け回る我らが宰相の外交の真髄は、「地球を俯瞰する外交」だそうだが、座敷犬に俯瞰などできるのか。年明け、さっそく東南アジアから豪州歴訪に出かけて行ったが、外遊ごとにあちらこちらへ、ただ金をばらまいているだけのように見受けられる。

『フォーブス』という何かにつけて序列づけが好きな雑誌がある。その「世界で最も影響力のある人物」ランキングによれば、一位にプーチン、二位はトランプ、三位がメルケルで四位は習近平。安倍は三十七位で、日本人ではトヨタ自動車の豊田章男が二十九位と安倍より上にいる。悦に入っているのは当人ばかりのようである。金のみでは国家も個人も尊敬されない。

旧臘安倍はハワイの真珠湾に赴いた。「慰霊」という言葉を頻発して、「謝罪」ではないとしきりに強調したが、やはりあれは、一九四一年十二月、日本が奇襲をかけて対米戦争を始めたことを、七十五年後になって頭を下げに行ったのだと誰もが思っている。評論家の山崎正和が朝日新聞に聞かれて「真珠湾訪問は、日本国外務省が一言も言わなくても、米国側は謝罪と受け取ります」と述べているとおりである。

米国に対して「悪かった」と、真珠湾攻撃を命令した聯合艦隊司令長官山本五十六は、終生苦にし続けたという。宣戦布告後の攻撃開始にこだわっていたのに、対米最後通告の長い暗号電報を在ワシントン大使館がもたもた翻訳し、のろのろタイプに打って、ハル国務長官にやっと手交したときには、その五十五分前にハワイ奇襲が始まっていたのである。山崎正和によれば、「やってはいけない戦争だった。始まりからまずかった。開戦の通告前に攻撃するなど国家的な恥辱」であった。

山本五十六自身が元来、アメリカと戦争をやってはいけないと思っていた。少佐でハーヴァード大学留学、大佐のときに大使館付き武官と、山本は二度在米勤務をしている。「デトロイトの自動車工業とテキサスの油田を見ただけでも、日本の国力で、アメリカ相手の戦争も、建艦競争も、やり抜けるものではない」と、すこぶる冷静沈着にして客観的かつ合理的な判断を下し、それは揺らぐことがなかった。

常に国際的視野で日本の現状を見るという習慣を身につけていたと、山本の劇的な生涯を詳細に調べた阿川弘之は書いている。

山本は一九三六年、海軍次官に任じた。祝意を受けて「軍人が政務に移されて何がめでたいか」と本人は不満げだったが、以後四代の内閣で軍政家としての力量を傾ける。精力の大半は、陸軍がごり押しする日独伊三国同盟に反対し抜くことに費やされた。大臣に米内光政を戴き、下に軍務局長井上成美がいたときは「海軍左派トリオ」と称され、不動の趣があったという。

頻繁に右翼が脅してきた。深い付き合いの芸者がいて、私生活をあげつらう向きもあり、山本は暗殺されることも覚悟した。毎朝新しい下帯をして出勤し、遺書を書いている。「述志」と題している。

「一死君国に報ずるは素より武人の本懐のみ。豈戦場と銃後とを問はむや。／勇戦奮闘戦場の華と散らんは易し。／誰か至誠一貫俗論を排し斃れて已むの難きを知らむ。……」

三九年、山本が「海の護の長」に出て行ったあとの海軍省は、陸軍に迎合するようになり、あれよあれよという間に三国同盟が成立する。

「われわれの三国同盟反対は、あたかもナイヤガラ瀑布の一、二町上手で、流れに逆らって船を漕いでいたようなもので、無駄な努力であった」と米内が言っている。

山本はしかし「努力」を続けた。必死になって対米開戦を阻止しようとした。弱腰の海軍大臣を叱咤し、戦争準備へと動く局面の転換のために、信頼する米内を軍令部総長に担ぎ出すよう画策した。だが畢竟甲斐なく終わったとき、山本は劈頭ハワイを叩くという構想を抱き、部隊を猛訓練するのである。

真珠湾作戦は余りに博打的だと、海軍部内にも反対の声が強かった。山本はそれを抑え、「異論もあろうが、私が長官であるかぎりハワイ奇襲作戦は必ずやる」と各級指揮官に言明した。四一年十月のことだ。

優柔不断な首相近衛文麿に訊かれて「やれと言われれば、一年や一年半は存分に暴れて御覧に入れます。しかしその先のことは、全く保証出来ません」と答えた。そのとき「対米戦争はやれません。やれば負けます、それで資格が無いと言われるなら、私は辞めます」となぜ言わなかったのかと井上は嘆く。少なくとも中央に復帰していたら、状況は変わっていたかも知れなかった。

この七年前、山本は海軍を辞めようとした。海軍軍縮会議予備交渉の首席代表でロンドンにいたとき、同期の盟友堀悌吉が突如予備役に編入された。山本らと対立する艦隊派の策謀だった。

「おれも辞める」と言い出した。「貴様が今辞めたら一体海軍はどうなるんだ」と堀は諫めた。

堀は、大分県杵築中学校から海軍兵学校三十二期。首席で卒業した「創立以来の秀才」は、「戦争は悪であり凶」と断じる不戦主義者であった。堀が陥れられたと知ったとき、山本は「大馬鹿人事だ。巡洋艦戦隊の一隊と一人の堀悌吉と、どっちが大切なんだ」と嘆息したという。

二人と志を同じくした古賀峯一は三十四期。山本戦死の後を襲うが、嵐のなかパラオからダバオへ移動中、搭乗機が行方不明になって殉職するという不運に遭遇した。

堀は敗戦から七年後、後世のためにと二人からの私信をまとめ、「五峯録」と名づけた。ただし両人の文言が刺激的すぎるとして二部だけ作り公刊を憚った。長らく幻の書であったが、これはいま『大分県先哲叢書　堀悌吉資料集』で読める。

国策に触れることで、山本が本心を吐露したのは、堀に対してだけであった。一通、一通が悲痛である。「ハワイをやる」と部下に明言したころ、こう書き送っている。

「個人としての意見と正確に正反対の決意を固め其の方向に一途邁進の外なき現在の立場は誠に変なもの也。これも命といふものか」

背負いきれぬほどの矛盾を背負い込んで、断念の死を死んだ男の嗚咽を聴く思いがする。

●『大分県先哲叢書　堀悌吉資料集　第一巻』（大分県立先哲史料館編、大分県教育委員会刊、二〇〇六年）▽『新版山本五十六』（阿川弘之著、新潮社、一九六九年）

夜霧のカサブランカ

（2017.8）

「カサブランカ」を観ませんかとの誘いを受けて出掛けた。上映会場が読売新聞東京本社内のホールとある。天下の政府御用新聞社の牙城を覗く興味もあった。

久方振りに会ったハンフリー・ボガートもイングリッド・バーグマンも、相変わらず魅力的で、共演がこれ一本きりだったとは、映画評論家の山田宏一が言っていたが、不思議なことである。

ナチス・ドイツがそこまで迫って来ているパリで、二人は恋に落ちた。彼が彼女に杯を上げる。

「君の瞳に乾杯！」

ちなみにボガートはこのセリフを四回、口にする。

一緒に脱出する約束で待ち合わせた駅に彼女は来ない。土砂降りの雨のなか、ぎりぎりまで待って列車に乗った彼は、マルセイユを経て仏領モロッコのカサブランカに来て、今は酒場兼賭博場を営む。独身者で、女とはつねに一夜かぎりと決めているようだ。

「ゆうべどこにいたの？」

「そんな昔のことは覚えちゃいない」

「今夜会ってくれる？」

「そんな先のことはわからない」

どことなくニヒルで、他人との関わりを避けたがり、それでいて助けを求められれば、さりげなく力を貸すのにやぶさかでない。アメリカへ行くため金が要るという若い夫婦のために、ルーレットでわざと勝たせてやったりする。

そんなボガートの店に、パリの恋人バーグマンが現れる。抵抗運動の闘士で夫のポール・ヘンリードが連れだ。夫が収容所で死んだと聞いて絶望したとき、ボガートと出会い、再び生きようと思った彼女だったが、ボガートと一緒にパリ脱出直前、夫の生存を知ったという。でも今もあなたを愛していると聞かされる。「時の過ぎゆくままに」が流れる。

原作がワーナー社に持ち込まれたのは、日本が真珠湾を奇襲した日の翌日だった。二週間後に製作が決まり、一九四二年五月に撮影が始まった。当初、主役はのちの大統領ロナルド・レーガンだったというから、これは代わって正解だった。バーグマンは脚本がくるくる変わるのに不満なうえ、ボガートとは馴染めなかったらしい。「わたしは自分がヘンリードとボガートのどちらを愛しているのかわからなくて、しつこく質問した」と、半自伝『マイ・ストーリー』で告白している。「わたしの顔はしばしば完全な空白だった」。

「カサブランカ」には名セリフがあふれていて、比類なきセリフ集『お楽しみはこれからだ』全七巻を著した和田誠は、その最初の巻に三度も取り上げている。

「十年前、君は何をしてた？」

「歯にブリッジをしていたわ。あなたは？」

「職をさがしてた」

——歯にブリッジというのが印象的であった。何げない会話だが、それでおおよその年齢がわかるし、バーグマンの美しい顔にもつながってくる、と和田誠はこの和訳を賞賛してやまない。そして「英和対訳シナリオでは、たしか『歯列矯正をしていたわ』というふうに直訳になっていた。ところがTVのアテレコでは『親知らずが痛かったわ』なんぞと言うのだ」と怒っている。

映画界の戦争協力は日米共通で、小津安二郎も陸軍に徴用されてシンガポールまで行かされた。幸い戦意高揚映画など作らずにすんだし、英軍の置き土産の米国映画を観ることができた。「市民ケーン」を「素人なのに怖い」と評価し、「レベッカ」を「印象に残った」などと言ったが、「カサブランカ」の感想はない。多分なかったのだろう。観たら何と言ったかと思う。

この映画を観るたびにジーンと来るのは、酒場で歌合戦のシーンだ。ナチの将校がドイツ軍の軍歌「ラインの守り」を歌い出す。楽団も客も苦りきる。と、ヘンリードが出て行って指揮を執り、フランス国歌「ラ・マルセイエーズ」を歌い始める。客は一斉に立ち上がり、歌声が二重に重なるが、押されてドイツ側の歌声がだんだん小さくなっていって、やむ。まるで歴史の行方を予言するようで、見物の戦意は高揚したに違いない。

ドイツ占領地からカサブランカに集まった人たちは、旅券が手に入れば「自由の国」へ飛び立てる。ボガートは二人分の旅券を隠し持っている。バーグマン夫婦には旅券がない。俠気を出してボガートは二人を脱出させるのだが、これにクロード・レインズが演じる警察署長のルイが絡んでくる。レインズはフランス人だが、ある時はナチに協力するように見せ、ある時はボガートに便宜を図り、腹の底が知れない。その真意は最後の空港の場面で表れる。「ヴィシー」というラベルをちらと見て、ミネラルウォーターの瓶をごみ箱に投げ捨てるのだ。ヴィシーにはナチの傀儡ペタン政権があった。

ラストシーンもなかなか決まらなかった。バーグマンに自分と一緒に行くと思わせて空港まで来たボガートは、土壇場で「ご亭主と行け。それが世界のためだ」と、夫妻を飛行機に向かわせる。離陸を妨害しようとするナチの将校を射殺するのだが、脚本で後ろから撃つとなっていたのを、アメリカの検閲当局は「正々堂々と前から撃て」と変えさせたという。駆けつけた警察官に、署長はボガートをかばって命令する。「犯人はそのへんにいるはずだ。捜せ」。

深い霧のなか、ボガートとレインズが肩を並べて去って行く。「ルイ」と、ボガートが呼びかける。

「これが友情の始まりだな」

――原語では「ビューティフル・フレンドシップ」となっていて、これを文字通り美しい友情と解釈した方がいいのか、皮肉に「くされ縁」とするのが当っているのかは、ぼくにはわからない、と和田誠は言うが、「美しいくされ縁」というのもあるかも知れない。

「カサブランカ」は四二年十一月、連合軍のモロッコ上陸直後に公開された。マンハッタンに三色旗が翻った。この年六月、日本はミッドウェー海戦で惨敗を喫したが、政府と軍は事実を隠蔽し、新聞は大本営発表だけを書き続けた。

御用新聞の政権協力記事は目も当てられないが、戦争協力のために作られたとはいえ、この映画は今日なお見るに値する。このことに驚きを禁じ得ない。

●『お楽しみはこれからだ』（和田誠著、文藝春秋、一九七五年）▽『イングリッド・バーグマン　マイ・ストーリー』（イングリッド・バーグマン、アラン・バージェス共著、永井淳訳、新潮社、一九八二年）

戦争はある日突然に

（2018.1）

杞ノ国の住人となって年を越したような気分である。『列子』にいう。「杞ノ国ニ、人ノ天地ノ崩墜シテ、身寄スル所亡キヲ憂ヘ、寝食ヲ廃スル者有リ」。これが「杞憂」なる言葉の由来で、取越し苦労はよせ、考えなくてもいいことを考えるのはばからしいというのだが、北朝鮮とアメリカとの際限なき応酬や米軍と韓国軍による大規模な合同軍事演習を見聞すると、これではいつ戦争が始まってもおかしくないとの怯えを禁じ得ない。

北朝鮮がミサイル実験をやるたびに、「圧力、圧力」と一つ覚えを繰り返す我らが宰相の顔をテレビで見るたびに、この男は戦争を欲しているのではないかと思えてならない。トランプが大統領に当選するや、まだ就任前なのにニューヨークへ飛んで行って「おめでとう」を言った「シンゾー」（と大統領に呼ばれるそうな）は、さながら座敷犬のごときであったが、こんどアメリカが「宣戦布告」でもしたら、「御意」とばかりちぎれるほど尾を振ることだろう。

そうだとしても、先の総選挙で有権者は安倍晋三を政権担当者として選んだのであり、それが「民意」であったのだから致し方ない。そうなればこうなるものと知りながら、ついそうなったと分かるのは事が起きてからであるとは歴史の証明するところだ。

一九四一年十二月七日、朝日新聞東京本社整理部員の伊澤紀《ただす》は朝刊の当番で夕方出社した。整理部というのは政治部や社会部など出稿部からの原稿を取捨選択、ニュース価値を判断し、見出しをつけて紙面に割り付ける部門である。整理記者は幅広い常識と冷静な判断力に加え、突発事件に備えて反射神経も持ち合わせていないと務まらない。「人員整理」を連想させるからと「編集センター」などと改称した社もあるが、わたしみたいな天保爺には「整理部」でないと恰好がつかない気がする。

閑話休題。日米開戦前夜のことだ。この日は日曜日で、官庁も休みだし、編集局内は閑散としていた。伊澤紀は第一面の担当だったが、トップに値する原稿がないのに困惑する。すでに活字に組まれている取り置き記事にもろくなものがない。懸案の日米交渉も特派員からは簡単な「本日はお休み」電報しか来ていない。というわけで、翌朝、NHKラジオが「帝国陸海軍は本八日未明、西太平洋に於いて、米英軍と戦闘状態に入れり」と繰り返すのを耳にしながら朝日の読者は、いたって「暢気極まる新聞」を広げる仕儀となった。

最終版を降版して未明に帰宅した伊澤紀は、午前九時に起きて社へ向かった。うららかな、暖かく静かな午前だったという。社のエレベーターで「やあ、いよいよ始まったね」と同僚に挨拶され、「ああ」と相槌を打ったが何のことだか分からない。編集局に入ると、騒然としてただならぬ気配だ。給仕にそっと聞いた。「戦争が始まりました」と囁くから驚いた。「同時に私は足がガタガタと震え出した。まさかと思っていたことが突如として生起してしまったので私はすっかり気が動転して、震えはいっこうに収まらなかった」と回想している。知らぬが仏で紙面を作っていた自分の阿呆さ加減に屈辱感すら覚えたに違いない。

この伊澤紀とは戦後ラジオの「ヤン坊ニン坊トン坊」やテレビの「ブーフーウー」を作り、日本の喜劇作家の第一人者となった飯沢匡である。元来多才な人で、絵心もあったが、警視総監や台湾総督に任じた父伊澤多喜男の意向で新聞社を受けたら合格した。「内務官僚の大御所」と称された父親は息子を政治記者にしたかったらしい。だが父のもとに出入りする政治記者の「アーバニティ（都会性）の欠如」が嫌でたまらず、仙台通信局からは学芸部に上がり、それから整理部に移った。

飯沢匡は戦中に文学座のために「北京の幽霊」や「鳥獣合戦」を書いたが、これは新聞が官報と化した余波であった。紙面は狭くなり、御用記事に満ち、どの新聞も同じ記事で特徴や個性はなくなった。「だから整理部も機械的となり、殆ど頭脳を使う必要はなくなったので、私の体力、精力に余裕が出来た」からだと言っている。

朝日新聞社を「インテリの集合体」と思っていたのが大間違いで、「東條の昨日の演説の草稿はおれが書いたんだ」などとほざく政治記者にげんなりしていたら、「自由主義者を一掃しろ」と号令をかける重役まで現れた。そのあおりで飯沢匡は出版局へ転となった。新聞社で出版は編集の風下にある。「左遷された」のだが、しかしこれが幸いするのである。

飯沢匡の本分は、敗戦後『アサヒグラフ』を舞台に遺憾なく発揮される。デスクになるや「グラフ社説」「時事寸評」「文体模写」「当世尻とり唄」「玉石集」といった仕掛けを作り、思う存分に時代を風刺した。誌面は大変好評で、一号ごとに話題を呼んだ。あの井上ひさしが後年『アサヒグラフ』を調べ「アイデアはやり尽くされている」と嘆息したほどである。

編集長就任は一九五一年。かねて企てを秘めていた。アメリカは原爆の惨禍を隠蔽し、写真の廃棄を命令した。しかしそれに反して密かに保存された広島と長崎のフィルムがある。いずれ公開すべきだと考えていたのだ。五二年、日本が独立を回復するや、飯沢匡は上司に相談することなく、編集部内にあった反対を押し切って決行する。原爆特集で全頁を埋めた八月六日号を発行したのだった。紙不足の当時四回増刷し、七十万部を完売。「アサヒグラフを世界に送れ」という運動まで起きた。AP通信が打電した。

飯沢匡は「雑誌作りの名人」といわれるが、一九五四年、四十四歳で「月給よりアルバイト料の方が上回るようでは申し訳ない」と言って退社した。新聞社に見切りをつけたのだろう。かつて整理記者として開戦も知らずに「暢気極まる紙面」を作ったという痛恨は生涯消えなかったと思われる。

杞人は「天地の崩墜はない」といわれて安心したというが、今日「圧力政治家」の激語に我が憂えは散じそうにないのを遺憾とする。

●『権力と笑のはざ間で』(飯沢匡著、青土社、一九八七年)

いっさい夢にござ候

（2018.8）

笑うに笑えぬ漫画のごとき安倍政権である。西日本豪雨とオウムの死刑囚七人の処刑が重なったとき、首相ら自民党議員ざっと五十人が居酒屋ごっこをしていたそうだ。執行命令に署名した法相も写真に納まっていて、「よく笑顔で写れるものだ。どういう神経か」との投書が新聞にあった。

弛緩した内閣とはいえ、脆弱な国土が「何十年に一度の豪雨」に襲われ、何万という避難者が出ている最中、防衛相も入って「ああ、こりゃ、こりゃ」とは恐れ入る。為政者としての責任感が感じられない。総辞職ものだろう。

当事者意識というものがない。質問されてもまともな答弁をしない。国会質疑でも記者会見でも質問の趣旨に関係のないことをべらべらと喋り、時間切れで退席というのが安倍の常套だ。自分が当事者とはどだい思っていないのだ。

財務省で組織ぐるみの公文書改竄を引き起こした森友問題で、「行政府の長としての責任」を感じるとは答えたが、「当事者としての責任」を問われて、「自分が改竄をしたわけでも、改竄を指示したわけでもない」と言い募った。部下がしたことは部下の責任で、「行政府の長」の知るところではないというわけだ。「俺が直接やったことじゃないのだから、責任はない」と言い抜けて平気なのである。

論点をずらすのも得意だ。「森友問題に私と妻が関わっていたら首相も議員も辞める」と大見えを切ったが、その後「贈収賄に関わっていたら、という意味だ」と変えた。法律にさえ触れなければよしと言いたげである。法的責任のみならず、政治家には政治的、道義的責任があるという自覚がない。

上に立つ者は、組織で起きた混乱や不正、その他もろもろの不祥事の責任を負うためにいるのである。それはただ「責任を感じている」と口先で囀《さえず》るだけでは済まない。いつの時代も責任逃れを図る輩は絶えず、先の戦に敗れたときの軍人にも卑怯者は多くいた。しかし命と引き換えに決然と「責任」を取っていった人もいた。

一九四六年四月三日未明、フィリピンはマニラ郊外で、「バターン死の行進」の責任を問われて銃殺刑に処された元陸軍中将本間雅晴のことを思う。太平洋戦争開戦でフィリピン攻略に当たった第十四軍の司令官であった。投降した米比兵の移送中に多数の死者が出た。本間は実状を知らなかった。命令を下したわけではない。報告も受けてはいなかった。直接関知しなかったことであったが、部下の所業の責任を負ったのである。

角田房子の著した伝記によれば、巨躯にして秀才だった。陸軍士官学校を「恩賜の銀時計」で出て、陸軍大学校を「恩賜の軍刀」で出た。卒業成績がついて回る軍官僚組織にあって、英国留学、陸大教官、インド駐在武官、参謀本部欧米班長、秩父宮お付武官、駐英大使館付武官と進み、その国際知識、判断力、語学力は「余人をもって替え難し」と評価された。

世界史の流れを睨み、勉強を怠ることはなかった。英国赴任の際、香港、シンガポール、ペナンと英国旗の翻る光景を見て、大英帝国の繁栄ぶりに感心する妻富士子に「いつまでもこんなことが許されるはずがない。これらの国は近い将来、必ず独立して自国の旗を立てるようになる」と予言した。

歩兵第一連隊長、第三十二旅団長から参謀本部第二部長を経て中将に昇進、第二十七師団長に親補され、大陸へ出陣した。「五十歳の初陣」である。「何しろ上品な経歴だから」と陰で言う将校もいたが、武漢攻略戦で師団長としての指揮統率に疎漏はなく、部隊は果敢に奮戦した。ただし副官に「味方の死体を見ると心が痛む。作戦を敢行しようという時も、たくさんの犠牲者が出るかと思うと決断が鈍る」と内心を見せることがあった。「軍人以外の職業を選んだ方がよかった」と言われる所以である。

かねて中国との和平を説き、日独伊三国同盟に反対し、対米英戦争など以ての外というのが持論であった。その点、海軍の山本五十六と軌を一にしたが、結局は開戦の先陣を担わされたのまで同じになった。現役時代も予備役編入後も密かに和平工作に従った形跡があるが、中身は闇に埋もれている。

台湾軍司令官に転じ、それから本間は第十四軍を率いてフィリピン攻略に向かう。二十万分の一の地図しかないという不備のなか、米比軍の多くがバターン半島に立て籠もってしまい、その対応に時日を要した。軍司令官のあずかり知らぬうちに、「死の行進」が出来《しゅったい》する。炎天下、十万近い俘虜と難民を収容所まで「六十ないし百二十キロ」の距離を歩かせ、残虐行為もあって約二万人を死なせたというのが本間への訴因であった。

フィリピンからマッカーサーを追い落とした本間は「凱旋将軍」である。天皇に軍状奏上をして労いの言葉を受けた。だが待命から予備役、つまりクビになる。好戦的だった同期の東條英機とそりが合わなかったためといわれる。

敗戦後、本間は初めて「バターン」という罪科を知った。裁判前に陸軍が天皇裁可を経て、本間を「礼遇停止」処分にした。富士子は憤然と下村定陸相への抗議に及んだ。「なぜ罰せられるのですか。本間はフィリピンから帰った時、天皇陛下から『朕ソノ忠勇ヲ嘉賞ス』という勅語を賜っております。あの時はおほめになったのに、日本が戦争に負けたからといって、急に処罰とはどういうことでございますか」。先手を打って処罰しておけば、立場が有利になるはずという釈明に「アメリカは日本の陸軍さえ本間の罪を認めている、と言うでしょう」と反論、そのとおりになった。軍事裁判は、日本の天皇が被告を処罰していることを有罪の裏付けとした。

「私の罪は指揮官として部下の行為に対する責任である」として本間は死を覚悟する。旧友への遺書に「今となりては、一切夢に御座候」と書いた。痩せさらばえていたが、「さあ、来い！」と言って刑場に立った。

上に立つ者らしく当事者としての責任を引き受けて銃弾を受けたのである。遺体はフィリピンの土となった。

●『いっさい夢にござ候――本間雅晴中将伝』（角田房子著、中公文庫、二〇一五年改版）

昭和天皇の戦争責任

（2018.10）

「八月ジャーナリズム」という用語がある。毎年夏が来るたびに、新聞や放送が戦争ものを取り上げるが、それを揶揄して言う。

先の戦とはアジア太平洋戦争を指すのは日本人には当然のことながら、われわれが「戦後」の感傷にふけっていた間に、朝鮮、ベトナム、アフガン、イラクと戦争続きのアメリカ人に、戦前とか戦後とか口にしたら、どの戦争のことかと聞き返されるだろう。

『永続敗戦論』の白井聡が毎日新聞の「メディア時評」に「平成最後の『八月報道』には、何か焦燥感のようなものがにじみ出ていた。来年の夏には『あの戦争』は『前の前の時代の戦争』となる」と書いていて、何のことかと訝った。そうか、来年は年号が変わるのだと気づくのにしばし要した。気鋭の現代史家も元号で時代区分をして怪しまないとみえる。

元号は明治以降、一代一元になった。「臣民は陛下の赤子」であった戦前はともかく、「国民が主権者」の今日、元号で時代を画するのには抵抗がある。明治天皇が大元帥であった日清、日露を「明治の戦争」と呼び、昭和天皇が陸海軍を統帥した対中、対米英蘭の戦を「昭和の戦争」と称しても、「あの戦争」を来年の夏に「前の前の時代の戦争」と呼ぶ心算は、わたしにはない。

元号と言えば、高井有一の『時の潮』を想起する。「今日、昭和が終つた」と書き出されていた。テレビで緊張した表情の内閣官房長官が、新しい元号は〈平成〉と大書した紙を掲げるのを見て、主人公は「この元号は使ふまい」と思うのだった。元号へのこだわりの有無は世代の違いであるか。

「八月報道が、いまだに新事実（知られていなかった悲惨な出来事）を掘り起こし続けていること」に白井は驚き、そうして「理由の一つは、あの戦争で記憶すべき事実を国家的プロジェクトとして収集する試みがこれまで何ら行われてこなかったという事実にあるだろう」と指摘するのは正しい。

政治が正面から事実と向き合わないという不誠実は、フクシマ処理やモリ・カケ醜聞を抱えて、うそを重ね、ひたすら隠蔽工作に終始して恥じない安倍政権にも顕著である。在任期間でやがて桂太郎を抜きそうだというが、かくも長き間、不正直で無責任な政府が憲政史上あったであろうか。

この夏、戦争関連記事の白眉は、晩年の昭和天皇が「戦争責任のことを言われてつらい」と愚痴っていたと記す侍従だった小林忍の日記の存在を伝える共同通信の特ダネであった。一九八七年四月六日、八十五歳の天皇は「仕事を楽にして細く長く生きても仕方がない。辛いことをみたりきいたりすることが多くなるばかり。近親者の不幸にあい、戦争責任のことをいわれる」とこぼしたというのだ。

そのころ、天皇の負担を軽くすることが俎上に載っていた。戦争責任のことを、いつ、誰からいわれたのかは不明である。ただし前年の三月、衆議院で共産党議員正森成二と時の首相中曽根康弘との間に「無謀な戦争を始めて、日本を転覆寸前まで行かしたのは誰か」をめぐる激しい論争があったというから、あるいはそのことを気にし続けていたのかも知れない。八九年一月八日、天皇死去の翌日、「国民的作家」司馬遼太郎は産経新聞に、「空《くう》に徹しぬいた偉大さ」と題する誄《るい》を寄稿し、「明治憲法上の天皇は『空の場』にいて、政治・行政の責任は、輔弼《ほひつ》する首相以下国務大臣、および参謀総長（陸軍）、軍令部長（海軍）などにあった」として、天皇がいかに憲法に忠実であったかを称えた。

だがこれは半分誤りであって、政治学者丸山眞男の『回顧談』を引けば、国務については無答責であるが、「統帥は一般国務とははっきり区別されて、天皇は軍隊を親率する。したがって参謀総長および軍令部総長は天皇を補佐するけれども、大臣の輔弼とは法律的性質が全く違って、その責に任ずということはない」のである。

それは憲法作成者の伊藤博文や山縣有朋らの一致した考えであった、と丸山は述べる。「憲法にはもちろん出てこない。つまり天皇は『陸海軍ヲ統帥』し『戦ヲ宣シ和ヲ講』ずとあるだけで、それについて誰それの輔弼を要すということは全くありません。統帥については、直接天皇に絶対の権限がある。したがって天皇に責任が及ぶことは当たり前なのです」。

天皇への戦争責任追及は敗戦直後から起きた。国際世論は厳しく、外国人記者団は首相の東久邇宮稔彦に「民主主義国の一部では天皇も犯罪者の一部と見ているが所見如何」「天皇が知ることなくして戦争を始める事ができるのか」といった容赦ない質問を浴びせた。国内でも東大総長南原繁や最高裁長官三淵忠彦が天皇の責任に言及した。弟である高松宮宣仁や三笠宮崇仁からも「退位論」が出た。最後の内大臣木戸幸一も「皇祖皇宗に対し、また国民に対し、責任をおとり遊ばされ、御退位なさるるが至当なり」と進言した。

しかし天皇は退位せず、「責任」を公にすることは生涯なかった。そも「終戦の詔書」に「国民に詫びる言葉」などなかった。ただ一度だけ、「戦争責任」に触れたことがあった。七五年の訪米の際に記者会見で聞かれて、「それは言葉のアヤ」と答えたのである。これに詩人茨木のり子は憤怒する。

「戦争責任を問われて／その人は言った／そういう言葉のアヤについて／文学方面はあまり研究していないので／お答えできかねます　思わず笑いが込みあげて／どす黒い笑い吐血のように／噴きあげては　止り　また噴きあげる　三歳の童子だって笑い出すだろう／文学研究果さねばあばばばばとも言えないとしたら／四つの島／笑《えら》ぎに笑《えら》ぎて　どよもすか／三十年に一つのとてつもないブラック・ユーモア」（「四海波静」）

「自分の感受性くらい／自分で守れ／ばかものよ」とうたった詩人が存命で、「言葉のアヤ」が晩年の天皇を苦しませたらしいと知れば、何と言うだろうかと考えてみたくなるのである。

●『時の潮』（高井有一著、講談社、二〇〇二年）▽『風塵抄』（司馬遼太郎著、中央公論社、一九九一年）▽『丸山眞男回顧談』上巻（松沢弘陽・植手通有編、岩波書店、二〇〇六年）▽『自分の感受性くらい』（茨木のり子著、花神社、一九七七年）

エンド・オブ・ウォー

（2018.11）

時は流れ、人は入れ替わっていくから、清水幾太郎と言っても今や知る人も少ないかも知れない。往年の売れっ子評論家で、論文を量産した。六〇年安保のころは「反体制」の旗振りの一人で颯爽としていたが、やがて右旋回した。そのせいかどうか知らないが、いつか消息を聞かなくなった。

忘れられた清水を持ち上げたのは山本夏彦である。政治的言動についてではなく、その文章論を賞賛したのであった。清水の『論文の書き方』と『私の文章作法』を高く評価し、自ら主宰する雑誌『室内』の編集部に採用した新入社員には『作法』を買って与えた。文章自修のためである。

「著者は、文章が書けるようになりたければ、他人の文のまねをするに限る。写せといっている」

というのが文章作法の第一条である。山本も実践した。もっとも久世光彦に言わせれば、「山本翁はしょっちゅう同じことばかり書いていた」のだから、「自分の文のまね」をしていたことになる。

第二条は「ある種の言葉が好きで、ある種の言葉のきらいな人は、文章が書けるようになる見込みがある。そして原点、出あい、かかわりあい、ふまえて、虚像と実像以下を著者は大きらいな言葉としてあげている」とのくだりだ。

列挙されている字句は山本自身も大きらいで、決して使わない言葉なのである。しかし「原点」その他の言葉が現代文に蔓延することいや増す有様で、両文章家の遺訓は大方生かされなかった。

御両所に比すべくもなく、吹けば飛ぶよな駄文を草するに過ぎないわたしごときにも、こだわる幾つかの言葉がある。例えば、玉砕は使わない。転進は使わない。終戦も使わない。引用の場合はこの限りではないが、自分が書くときはこういう表現はしない。

撤退を転進、全滅を玉砕、敗戦を終戦と言い換えたのは、大日本帝国の欺瞞であった。戦後は「終戦記念日」が続いている。これを見ても国家の誤魔化し体質は不変であると言わざるを得ない。

だが自分も使わず、他人にも使うべきでないと強いてきた「終戦」という言葉への見方を、やや変えたのは四年前のことである。それは品川正治著『戦後歴程』を読んだからだ。著者は日本火災海上保険の社長、会長や経済同友会専務理事、終身幹事を歴任。陸軍兵士として大陸を転戦し、敗戦で武装解除されて俘虜となった。復員したのは一九四六年五月である。復員船の中で新憲法草案全文が載ったよれよれの古新聞を読み、第九条の「戦争放棄」に船内全員が涙を流したという体験をした。以来「護憲」の立場を生涯維持することになる。

俘虜収容所で、敗戦か終戦かが問題になった。「日本政府が『敗戦』を『終戦』と呼んでいるのは潔くない。これからの日本人の生き方は、『敗戦』をはっきりと認めて、国力が充実した暁にはこの恥をそそぐのでなければならない」と一部の将校が主張した。「現在のような腐った日本には帰りたくない」と言うのであった。これに対し品川は所内誌に所論を書いた。

「私は敢えて『終戦』で結構だと言いたい。この戦争が終わったという意味で『終戦』というのではない、日本は二度と戦争はしない、未来永劫、戦争をしない、二度と他国に兵を出さない、という決意の表明として『終戦』と呼ぼう、少なくとも私は『終戦』の決意を一生抱いて生きて行こうと固く心に決めた」

品川の決意とその後の行動に何も言うことはないのである。だが「終戦」という言葉には「出生の秘話」があった。そのことをわたしは遅ればせながら、吉見直人著『終戦史』で知った。奥付を見ると二〇一三年七月出版だ。品川はその八月に他界したから、たぶんこの本を開かなかったであろう。

もし読んだとしても彼の考えは変わらなかったかも知れないが、『終戦史』に外務省政務局長だった安東義良の回顧が引かれている。それによれば「終戦」という言葉はポツダム宣言の前文にある「エンド・オブ・ウォー」にヒントを得てひねり出したものだというのである。「降伏」を嫌悪する陸海軍軍人への対処策なのだった。

「降伏だ、降伏だといった日にはね、反対に傾くことは明瞭であるから『エンド・オブ・ウォー』をね、一つとことんまで押していこうじゃないかということで、『終戦』『終戦』と言い出したんですよ」

「言葉の遊戯ではあるけれども、降伏というかわりに終戦という字を使ってね。あれは僕が考えた。終戦終戦で押し通した」

「降伏といえば、まあとにかく、軍もえらく刺激してしまうし、日本国民でも相当反響があるから。字から来る感じというものをある程度まで、ぼかそうという気持ちが実はあってね。それはもう終戦という字で押し通した」

「事実ごまかそうと思ったんだ。ごまかすというと語弊があるけれども、言葉の伝える印象をね、心理的印象を和らげようというところからね、そういう風に考えたわけだ」

――この安東の直話は一九六七年、読売新聞の『昭和史の天皇』のためになされたものだという。敗戦を終戦と言い換えたのは、軍を納得させるための修辞だったと言いたげだ。それにしても、ポツダム宣言からの英文和訳で戦後が始まったとは象徴的である。

吉見は六五年生まれのフリーランス・ジャーナリスト。九〇年代からNHKの戦争ドキュメンタリー制作に関わってきた。「なぜ戦争を早く終わらせることができなかったのか」を追究してやまない。安東の話に率直なものを認める反面、「『終戦』という、どこか他人事の響きを求めていたのは、無責任で他力本願だった当時の彼ら全体であって、なおかつ、その曖昧な言葉によって、この国が犯した決定的な失敗、その過程と末路に直面することを避けてきた、我々自身だったのではないか」と問うている。そのとおりだ。

●『戦後歴程――平和憲法を持つ国の経済人として』(品川正治著、岩波書店、二〇一三年刊)▽『終戦史――なぜ決断できなかったのか』(吉見直人著、NHK出版、同)

ねじれた国に生きて

（2019.7）

『おしん』を見ている。一九六一年に始まったNHK朝の連続テレビ小説が、今年百作を数える記念とかで再放送中だ。八三年四月から一年続いた。視聴率が最高六二・九%、平均で五二・六%という金字塔ドラマであった。

しかし初出のころは社会部の「花の遊軍」で、取材と称してもっぱら「遊」に重心をかけた夜回りをしていたから朝は夢の中だった。その後の再放送も知らない。今回はじっくり見ている。要するに時間だけはあるのである。

出羽の国山形は最上川上流の、大根めしに象徴される極貧小作農の娘が、戦前から戦後を愚直に生き抜き、年商何億というスーパー・マーケットの創業者になる一代記である。少女時代の小林綾子が十代で田中裕子に代わり東京へ出て髪結いとして自活、結婚相手に出会う。この先はまだ長い。

アジアから中東各国でも評判で、「オシンドローム」と言われたというが、新聞の元同僚でニューデリーの特派員をした男の話が傑作だ。インドは例の階級制だから、仕事の中身に従って担当が違う。助手、コック、運転手、洗濯係、床掃除係、庭師、門番（朝、夕）、生ごみ収集係と総勢九人にかしずかれた元御主人様は「いやあ、あのころは王侯貴族だった」と、はるか遠くを見る目をしたものだ。

折しも『おしん』が放映中だった。皆がおしん贔屓だったのは、身分差別や貧困に直面するおしんの苦闘を他人事とは思えなかったのだろう。それにしても日本人の主食は大根なのかと驚いたに違いない。「ヤマガタは私のふるさとだ」と口にしたとたん、奉公人が気の毒そうな目で御主人様を見やり、「オウ」と言ったそうである。

「ボスノオクニハ、アンナニモマズシイノデアリマスカ」

元同僚は山形東高校から東大の元秀才ながら愚直なやつだったが、やはり山形出身で同じコースの愚直者に文芸評論家の加藤典洋がいた。その訃を五月に聞いた。七十一歳。白血病を病んでいたらしい。

加藤とは四半世紀前、新聞の書評委員会で同席した。穏やかそうな風貌に似合わず、分かりやすいとは言い難い文章に執拗さがにじんでいて、あれは東北人的な粘り気だろうと勝手に思っていた。

八五年、三十七歳の年に『アメリカの影』で登場して以来、加藤の主題は「アメリカなしにやっていけない日本」であった。

「戦後の日本にとって『アメリカ』というのは、大きい存在なのではないか。ぼく達が考えているよりずっと深くアメリカの影はぼく達の生存に浸透しているのではないか、そしてぼく達を『空気』のように覆っている『弱さ』はこの、アメリカへの屈従の深さなのではないか」

江藤淳から大岡昇平までを論じて戦前から戦後への「ねじれ」を問題にする加藤の視点は、占領下を日本と日本人がどう体験したかに向けられた。その後『敗戦後論』『戦後的思考』を経て、晩年の『戦後入門』から遺著となった『9条入門』まで「対米従属」という主題を巡って書き続けた。戦後七十四年になっても外国の軍隊が駐留している国とは何か。いまだに独立しているとは言えない。「ここまで自分の住む国がとんでもない状態になったことは記憶にない」

対米従属を脱却できないのは、戦に敗れ、戦後の始まりに歪みがあったからだ。そのために日本人は戦争の死者への弔い方を見失い、自国の戦死者を弔えず、侵略した他国への謝罪もできないでいる。「日本の三百万の死者を悼むことを先に置いて、その哀悼を通じてアジアの二千万の死者の哀悼、死者への謝罪にいたる道は可能か」と問いかけた『敗戦後論』には、「きみは悪から善をつくるべきだ／それ以外に方法がないのだから」という米国詩人の言葉が冒頭に置かれていた。

晩年の考察は戦後の「国のかたち」の構造的な分析から、「国民の声をきかない、憲法も無視する強権的な」安倍政権がなぜ出来たのかにまで及び、「武力による威嚇」によって生まれた「汚れ」を持つ平和憲法の第九条に焦点を合わせて、戦後日本を貫く矛盾と欺瞞をしつこく明らかにしている。

戦前、戦中、戦後を考えるとき、誰しも思いは昭和天皇に至らざるを得ない。戦に敗れたにも関わらず生き延びた天皇及び天皇制という制度と憲法九条に規定された敗戦国からの交戦権剥奪とはワンセットだからである。マッカーサーとダレスを巧みに天秤にかけて対米外交に介入した天皇を「異様なほどのリアリスト」にして「狡猾な政治家」と見る加藤は、しかし敗戦直後に作られながら未発表で二〇〇三年に発見された「幻の詔書」に「深く天下に慚愧します」とあるのを読んで天皇を見直す。

「その最高責任者としての罪が『免れえない』ことが万人の目に明らかななか、祖先への責任上、どのようにして天皇制度の堅持をはかろうかと、側近にも勧められてあがいたあげく、アメリカ政府とGHQによってただ一人免罪され、どんな道義的弁解もありえないまま、その見返りとして占領軍に『利用』されるため、みずからの責任についてのいかなる発言も、退位も禁じられた天皇の心中がどのようなものだったか」

思えば天皇こそ「つなぎ目」の代表選手であった。「われわれは、そうした天皇の人間としての苦悩に、どれほどどうとかったことか」「私の中にもそれ相応の感慨が生まれ、みずからの迂闊さに思いあたるのです」と告白している。

二昔前、注文でたわむれに書いたとみられる「私の死亡記事」にこうある。「戦後日本の大衆化社会から生まれた著作家の一人であることを終生自認し、それ以前の選良型知識人との間に依怙地なほど一線を引こうとした」

いかにも依怙地に「ねじれた戦後」にこだわり続けた著作活動であった。無理解もあって、左右から批判を浴び、孤立を強いられた闘いだったといわれるが、「その視点は憲法改正の議論が出る現在までまったく古びていない」と認める後進がいた。以て瞑すべしである。

●『アメリカの影』(加藤典洋著、講談社学術文庫、一九九五年)▽『敗戦後論』(同、講談社、一九九七年)▽『戦後入門』(同、ちくま新書、二〇一五年)▽『9条入門』(同、創元社、二〇一九年)

師弟物語のあれこれ

「ドクトル」と呼ぶ友人が医者の教育に関わっている。「成績はよくても何か足りないのが多い。どうすればいいのか、うまい手がない」と言うから、「韓ドラの『ホジュン』でも見せたらいい」と薦めたら、「『ホジュン』とは何だい?」と訝しがる。韓国ドラマなど見ないらしい。

時は十六世紀中葉、李氏朝鮮の時代、出自のせいで非行に走ったホジュンという若者がいた。事件を起こして逃れた先で一人の村医者に出会う。師事して医術を学び、やがて都へ出て王の侍医にまで上るという韓ドラ十八番の出世譚で、テレビ東京で再放送中だが、これがまた無類の師弟物語なのだ。

師匠は名利に惑わされず、貧富に関わらず、患者本位に徹した医者で、惜しみなくホジュンに医術を教える。合格すれば出世の道が開ける科挙を、師匠の息子と受けに行く途中、村人に急患の診療を懇請されて、ホジュンは往診に赴く。ために試験に間に合わない。息子は患者を見捨てて試験場へ向かい、科挙に受かる。そのことを知って師匠は倅を勘当して、言い渡す。「お前は永久にホジュンに敵わないであろう」。

不治の病に罹った師匠は、当時は禁じられていた人体解剖を私に施せ、と遺書を残して自裁する。弟子に自分の身体を与えたのである。泣きながら解剖をした弟子は人体の構造を初めて知る。

(2019.8)

そして再度科挙を受けて首席合格。弟子は師匠の教えを忠実に守り、真に医療を必要とする人たちのために、「心医」への道を憚らず行く。

診察室でただパソコン画面を睨んで患者の顔を一度も見ないような医師ばかりの今日、医者の心構えを伝えるには、「白い巨塔」より「ホジュン」のほうが恰好だろう。「どうだ？」と言ったら「うーん」とうなっていたが、ドクトルがその後どうしたかは知らない。

師の死に号泣するホジュンは哀れを誘う。しかし逆縁で弟子に死なれた師匠はもっと哀れである。最も信頼する弟子の顔淵に先立たれた孔子は慟哭し、我を失う。

「顔淵死す。子曰く、噫。天、予を喪せり。天、予を喪せり」

吉川幸次郎によれば、孔子の天への信頼はここに崩れてしまった。さらに愛すべき弟子の子路横死の報に、「吾が道窮まれり」と嘆じた孔子はもう持たない。二年後、七十三歳で身罷るのであった。

頼みの弟子を亡くして学統の継承を断念した孔子の嘆きを思うとき、ふと美濃部達吉のことを考えた。きっかけは五月以来、加藤典洋のものを何冊か広げてきて、遺著となった『9条入門』を読んでいたら、憲法学者として師弟関係にある美濃部と宮澤俊義のことが語られていたからである。

美濃部達吉（一八七三〜一九四八）は戦前の憲法学を代表する。東京帝国大学法学部教授で、天皇機関説を唱え、天皇主権の明治憲法を合理的に解釈した。しかし国体明徴運動が起き、天皇機関説が槍玉に挙げられて軍部や右翼と正面から対決した。著書は発禁とされ、不敬罪で取り調べを受ける。三六年には右翼に銃撃され重傷を負ったけれど断然屈することはなかった。

朝日の記者だった門田勲の回顧録に、銃撃の前年、刺客に襲われたときの様子が出てくる。「椅子に棒みたいにまっすぐ腰かけた博士が、あの大きな鼻をピタリとわたしに狙いをつけ、『新聞が卑怯だと思います』と厳然としていった」――門田も同感でそのとおりに原稿にした。しかし肝心のところはデスクに削られたそうである。

美濃部の一徹さは敗戦後も変わらなかった。憲法というものは決めたら従わなければならない。改正する場合、降伏の結果としての現状を基礎とするのか、将来の独立国たることを基礎とするのかでは異なる。現状を基礎とするのなら帝国憲法第一条を「帝国は連合国の指揮を受けて天皇これを統治す」とせよと主張した。

戦争放棄についても容易に双手を挙げなかった。「軍備の永久撤廃は重大だが、平和日本のために歓迎する。しかし列国の安全保障なしでは、日本は自己の生命を維持できない。連合国と了解が成立しているのか懸念に堪えない」と牽制し、枢密院でただ一人、憲法改正草案に反対したのだった。

宮澤俊義(一八九九～一九七六)は美濃部の一番弟子と目され、東京帝大法学部教授として憲法学第一講座を担当。自らも天皇機関説を唱えていたのに、師に弾圧が迫ると沈黙に転じ、やがて神権論を持ち出して保身を図った。戦後になって「いまから考えると、われながらふしぎであり、また恥ずかしいとおもうが、戦争中、ことにその末期には、ものを考える力が非常によわくなっていたような気がする」と言い繕っている。

機を見るに敏な宮澤は戦後も転びつづける。敗戦直後は師に倣って改憲反対論の立場を取るが、すぐに転じて政府の改正案委員会の事務局長格に任じた。ところがＧＨＱが政府を見限って新憲法草案を作成したと知るや、いち早く東大に憲法研究委員会を作って委員長に就任、にわかに「永久非武装論」を囀り出すのであった。

日本の民主化はポツダム宣言によって「日本国民の自由に表明される意志」で遂行されなければならない。GHQの憲法案で民主化するとはどだいおかしいのであって、この矛盾を突かれたら政府もGHQも困る。このとき宮澤は「八月革命説」をひねり出す。

八月十四日のポツダム宣言受諾で日本の主権は天皇から国民に移った。つまり革命が起こったのだ。法的にはこう言える。だから新憲法は国民主権の憲法として成立した、と正当化してみせたのである。

加藤典洋によると、現実の主権は天皇からマッカーサーへ移動したのに、「八月革命説」はこれを「隠蔽する理論」として働いた。弟子は師匠とは正反対であった。時局に迎合し続けることで「憲法学のチャンピオン」になっていったのである。

美濃部達吉は宮澤俊義の変節漢ぶりをどう思っていたのだろう。新聞記者が訪ねて行って、弟子の行蔵について感想を問うたら、背筋をまっすぐにして座り、さて、何と答えるであろうか。

●『9条入門』（加藤典洋著、創元社、二〇一九年）▽『論語』（吉川幸次郎著、朝日新聞社、一九六四年）▽『新聞記者』（門田勲著、筑摩書房、一九六三年）

（2021.8）

戦争とは何だったか

今や見る影もないが、最高百五十三万部という『週刊朝日』の黄金時代を作ったのが扇谷正造である。『文藝春秋』の池島信平、『暮しの手帖』の花森安治と並んで雑誌界の三羽烏と謳われた。新人を鍛え上げることすこぶる苛烈で「鬼軍曹」に擬せられたけれど、ご本人の兵隊の位はやっと一等兵であった。一兵卒で体験した軍隊は、従軍記者として見たのとは大違いなのに気づいたとある。

旧制二高から東大国史科を出て朝日新聞入社。青森、仙台から東京本社の社会部に上がった一九三七年に対中戦争が始まる。翌年の漢口攻略戦と太平洋戦争に拡大した四一年の比島攻略戦の二回、従軍を命じられて前線へ赴く。まだ二十代で意気盛んだった。帰社後、「扇谷従軍特派員」の記事に惹かれたらしい女性から婉曲に交際を申し込まれたりしている。

戦局悪化する四四年、徴兵検査丙種合格で三十歳を越えた扇谷にも赤紙が来た。入営先は歩兵第四聯隊（仙台）。「私は人並に勇ましく、だけど奉公袋には三年分のシャープのシンとシャープペンシルをいれて、応召した」。補充兵はすぐ中国の前線に送られた。

「陸軍一等兵としての二年間の生活は、余りみじめで思い出したくもない」と告白している。「ただヤミの中にうごめく虫ケラのような生活の中でも、時折、口惜し涙にくれたことを覚えている」と言い、「ああ、この南京袋のような軍服をぬぎ捨てて、若し、背廣に着かえたら、ああ、師團長も、大隊長も……」と思ったが詮無い。「もとより、はかなき嘆きであった。私は黙々として飯を焚き、水を汲み、銃の手入をし、時時屈辱的なビンタを食わされた」。

炊事当番だった。班長に「ご苦労さんだね」と声かけられて「ハア」などとうっかり相槌を打ってはいけない。「貴様、態度が大きいぞ」とビンタが来る。班長の顔色を始終見ていなければならない。「兵隊は凜々《りり》しいなどと、昔よく新聞記事に書いたものだが、冗談ではない。兵隊ぐらい人の目の色をうかがっている人種はない」。

「扇谷旋風」といわれるほどエネルギッシュで、学芸部長や論説委員を歴任、ジャーナリズム論や人生論、処世術の類いを多数著した。七十六歳のとき「人生でいろいろあった中で、いちばん強く心に刻みつけられているのは、戦場生活の二年間である」と述べ、「戦場は神様と悪魔だけが覗く所だ。人間の覗く場所ではない」という大岡昇平の言葉を引いている。

扇谷は大陸へ行かされたが、第四聯隊主力は第二師団に属してすでに南方にあった。四二年、ガダルカナル島奪還に投入されたが失敗。飢餓に苛まれながら撤退し、四三年にフィリピンで再建が図られた。このとき二十二歳の古山高麗雄が補充兵として仙台を発つ。第二師団はこの後、マレー半島からビルマへと転進するから、扇谷と古山が出会うことはない。

「五十にして天命を知る」という。復員後は出版編集者として口を糊していた古山は、兵隊時代のことをやっと小説にして、四十九歳のとき芥川賞を取った。それから八十一歳の最期まで書き続けて「戦争小説家」と呼ばれる。「戦争の語り部などにはなりたくない」と言っていたが、戦争を書き残すことは古山の天命であった。

朝鮮の新義州生まれ、父は開業医で裕福に育つ。中学校では首席ながら素行不良。二高を受験したが「軍事教練嫌い」を揚言して二度不合格。「自由」を標榜する三高（京都）に入るが、「軍国日本を憎悪しながらエリート校にいるのは矛盾」として一年で退学した。

東京に出て無為徒食。「小説を書く」と称して家の仕送りに頼る放蕩生活に耽っていたところに召集令状が来る。本籍地の関係で指定された第四聯隊に入営。「軍隊に入ると、とたんに私は誇りなどといったものは、見失ってしまった」。

植民地生まれゆえ東北弁を話さない。農家の屈強な青年の中で、いかにも筋骨薄弱。懸垂は一回も上がらず、一俵（六十キロ）背負って走る訓練では担ぐことも出来なかった。聯隊歌は覚えない。幹部候補生試験には白紙答案で落第。銃にあった鼻毛ほどのゴミを見咎められ、中腰で捧げ銃をやらされる。腕が下がると殴られた。

行き先は南方と知り、マレー語教本を買った。「日本人が日本人であるというだけの理由で、南方の民族より優れているような気になってはいけない、他人はともかく自分は、いわゆる現地人と日本人と、まったく変わらぬ心でつきあおうと自分に言い聞かせた」。そして「自分が殺されかねないとき以外は、人を殺さない」と決める。戦地で「匪賊討伐作戦」に駆り出され、機関銃で逃げた者を撃て、と命令が出た。志願して重機に取りつき、的を外して撃ったら、上官に尻を蹴られた。「この、でこすけ」。射手交代となった。

タコツボを掘らせてもだめ、行軍にも常に落伍する、マラリアには罹患。ダメ一等兵のまま敗戦で「ポツダム上等兵」となる。戦後の抑留中に兵長、伍長から軍曹と「出世」した。俘虜収容所の通訳のとき、病人の同胞を診ようとせぬ仏人軍医をビンタしたことで戦犯容疑者とされた。

裁判で顔を叩いたことを認めて有罪。一切を自分の責任とし、他へ転嫁しなかったので将校連中に感謝された。

古山が書いたのは自分の見た戦争だった。対向ビンタ、鶯の谷渡り、蝉、自転車、靴の裏舐め等々、内務班の私刑のことから慰安所のことまで、兵隊が送った日常というものがよく分かる。もう死にたいと思って壕から脚を出したが敵弾は当たらない。朝鮮人の慰安婦が笑って言った。「運たよ。慰安婦なるのも運た。兵隊さん、弾に当たるのも運た。みんな運た」。

先の大戦で幾千万人が死んだ。「その死を、幸運にも生き残った私たちは、どのように考えなければならないのだろうか?」と、古山は問う。「戦争とは何であったか? 国とは何か?」。そして「私は答えられない」と自答するのだ。

扇谷も古山も逝って久しい。戦争を知る人が殆どいなくなってきた今年の夏である。

●『鉛筆ぐらし』(扇谷正造著、暮しの手帖社、一九五一年)▽『夕陽のペンマン』(同、騒人社、一九八九年)▽『二十三の戦争短編小説』(古山高麗雄著、文藝春秋、二〇〇一年)▽『断作戦』『龍陵会戦』『フーコンの戦記』の三部作=いずれも(同、文春文庫、二〇〇三年)

皇帝はストーカーだ

（2022.4）


コロナウイルスで日常の行動が制限されて足かけ三年になる。こんな晩年が来るとは思いもしなかったが、こんどは戦争だ。

毎朝、新聞を広げて、ロシアがウクライナをどのくらい侵略したかを地図上で確かめ、それから地方版を繰って、わが町の感染者がきのうは何人だったかを見る。そして、こんなことになるとはね、と独りごちるのだ。「独りごちる」とは、ロシアの小説を読んでいて初めて知った表現だった。

近所にウクライナ人の奥さんが住んでいた。ふくよかな体つきをふわりとした衣に包み、若いころは美人だったろうと思わせた。犬を連れて歩く彼女がターニャさんと知り、「ロシア？」と聞いたら、「ノー、ウクライナ」と断固として言った。「ロシア、ダイキライ。ダカラ、キタ、ニホンニ」。

ウクライナに駐在していた日本人技術者と知り合って結ばれたのだという。美術学校を出たとかで油絵を描いていた。地元の芸術展に出したら「ニューセンシタ」と大喜びだった。「キレイ」な着物の図柄に惹かれ、手に入れた古い和服をほどきワンピースに仕立てて着ていた。「ニホン、ダイスキ」とよく口にしていた。

夫の転勤で九州の博多へ引っ越して行ったが、いま故国の惨状を連日テレビで見て、一体どんな気持ちでいることかと思う。

ロシア軍の侵攻を伝える新聞記事の書き出しが「朝起きたら戦争が始まっていた」であるのに驚いた。半世紀以上も前に書かれた山本夏彦の「春秋に義戦なし」と題した文章そっくりなのだ。「ある朝めざめたら、昨日の友は今日の敵だった。大国は小国を包囲した。戦車は国境を越えた。宰相官邸は占領された。領袖たちは拉致された。戦車は放送局に迫りつつある。／『これが最後の放送になるでしょう。皆さんさようなら――』／何度私はこの声を聞いたことだろう」

山本は、ソ連が武力行使に及んだ一九五六年のハンガリー動乱や六八年の「プラハの春」鎮圧を念頭にこう書いたに違いない。冷戦が終わり、ソ連が崩壊し、世紀が移って、しかし同じことが繰り返される。「こんな目に遭うなんて」と、心を残して国を脱出するウクライナの人が茫然とつぶやいていたが、前世紀のハンガリーやチェコスロヴァキアの人々と同様の難儀に曝《さら》されているのである。

むかし読みかじった旧約聖書の一節が、ふとよみがえった。

「かつてあったことは、これからもあり／かつて起こったことは、これからも起こる。／太陽の下、新しいものは何ひとつない。／見よ、これこそ新しい、と言ってみても／それもまた、永遠の昔からあり／この時代の前にもあった」

「伝道之書」ともされる「コヘレトの言葉」は紀元前四世紀から三世紀のころ記されたものだそうだが、同じころの中国に生きた孟子は、孔子が筆削を加えたとされる歴史書『春秋』について「春秋に義戦なし」と述べた。大義ある戦争なぞない。戦争に勝敗はあるが、正邪はないとの意味だ。

兵力の圧倒的な差でウクライナに勝ち目はない。持ちこたえているが援軍は現れまい。ロシアは傭兵まで投入しそうだ。やがて蹂躙《じゅうりん》されるだろう。二つの大戦をくぐり、キューバ危機の教訓があり、核戦争の危険はダモクレスの剣に例えられるというのに、プーチンは核の使用をちらつかせた。畢竟《ひっきょう》人類に進歩はなかったのか。

プーチンは自らをスターリンに擬して、ソ連復活を企図していると思っていたら、歴史家ニーアル・ファーガソンによれば、彼の理想はピョートル一世らしい。一七〇九年、「ポルタヴァの戦い」でウクライナとスウェーデン連合軍に大勝し、初代のロシア皇帝《ツァーリ》に就いたピョートル大帝である。思想史家の藤原辰史が毎日新聞二月二十四日付にそう書いていた。

藤原はこういう見立てを「個人還元主義」と見て批判的だ。一九三八年、英仏伊はヒトラーの要求に合わせてチェコスロヴァキアのズデーデン地方を差し出したが、「ヒトラーの資質や性格ばかりが話題になり、パワーポリティクスにのっとり、小国をいけにえにささげる大国意識が、ヒトラーをつけ上がらせた」と言うのだ。結局ドイツはチェコを併合した。やはりどうしても「プーチンとは何者か」に関心を向けざるを得ない。

ロシアは「非軍事化」を突きつけた。「兄弟国」ウクライナを併合する気ではないか。かつて韓国を併合した日本は、軍隊を解体させている。侵略者は同じことをする。無名の存在からあれよ、あれよという間に権力を握った「つけ上がったヒトラー」が、ウクライナを「非ナチ化する」とほざいているとはちゃんちゃらおかしい。

プーチンはスパイであった。ソ連で泣く子も黙る国家保安委員会（ＫＧＢ）の諜報員として東ドイツにいた。「幸せな五年間」の最後に、ベルリンの壁の崩壊を見た。帰国したらソ連が崩壊した。「体制転覆」体験は、トラウマになり、怨念になり、恐怖感になった。目立たず、陰気だが、実務能力に長け、エリツィンに忠誠一筋の「灰色の枢機卿」が、「驚くべき出世」を遂げた道程は『プーチンの実像』でたどれる。この本は「北方領土」が看板だった安倍政権が媚びるようにプーチンに接近したころの新聞連載が元で、彼を知る人たちの証言を集めている。

〈復縁を迫る男にしか見えぬウクライナめぐりプーチンの顔〉四方護――と新聞歌壇に見かけた。

好きだと告げても、あいつは嫌だと言う。しかし俺は諦めない。逃げても、追いかけてやる。どこまでも追い詰めて、思いを遂げずにはおかない。言うことを聞かねば、殺す。邪魔したら、あいつの家族や友達まで巻き添えにしてやる。それが俺の「愛」だ。

王様は裸だったが、プーチンはストーカーだ。ストーカーというのは、友が少なく、何事も自分に都合よく解釈するそうである。

ターニャさんには同じ名前の姪っ子がいて、新聞記者になったと聞いた。砲弾の下を無事に駆け回っているだろうか。

●『独言独語』（山本夏彦著、実業之日本社、一九七一年）▽『プーチンの実像――証言で暴く「皇帝」の素顔』（朝日新聞国際報道部＝駒木明義、吉田美智子、梅原季哉＝著、朝日新聞出版、二〇一五年）

メルケルとプーチン

（2022.5）

ウクライナ戦争、と言っても二〇一四年のときだが、事態を収めるべく「嘘つき」プーチンと渡り合ったのはドイツの首相メルケルであった。そのことが、評伝『メルケル』に出てくる。今年再び侵略に動いた独裁者に、西欧の首脳が入れ代わり立ち代わり働きかけたが無益だった様を見るにつけ、メルケルの不在が痛感される。

八年前のメルケルは、毎日のようにプーチンに連絡を取り、三十八回の会談を重ねた。「極悪非道でまったく正当化できない」と考える戦争を何とか終わらせるには、「被害妄想家」を現実に引き戻すしかないと心に決めていた。

二人の会話はいつもロシア語で始まる。東ドイツ育ちの彼女は十五歳のときロシア語弁論大会で優勝したほどで言葉ができた。それでも細かい点は母語に切り替える。プーチンは子供のころからのスパイ志願で、国家保安委員会（ＫＧＢ）に入り、ドレスデン駐在の工作員を五年務めたからドイツ語には堪能だ。彼女はわざと、二人称に他人行儀な Sie ではなく親しげでくだけた Du を使い、「あんたは国際法を公然と無視している」と言ったりした。

軍事侵攻という行動に出るや、プーチンは「山のような嘘」を撒き散らした。「ファシストによる非合法の暫定軍事政権が、キエフとクリミア在住ロシア人の脅威となっている」と述べ、

「クリミア在住ロシア人が介入を求めた」と言い募った。一九五六年のハンガリー革命制圧の時も、六八年の「プラハの春」鎮圧の時も、さかのぼれば四八年の西ベルリン封鎖の時も、正当化のためにいつも「クレムリン考案の作り話」が使われた。

明らかにクリミアの空港と議会をロシア軍が制圧しているというのに、プーチンは「あれはロシア軍ではない。誰でも我々の軍服を買える」と言い抜けた。「嘘を言い続ける男をいったいどうすればいいのかわからない」と嘆きつつ、彼女はしかし辛抱強く交渉した。

二つ違い、五四年生まれのメルケルと五二年生まれのプーチンは似ている。共産主義体制下に成育し、三十代半ばにベルリンの壁が壊され、ソ連が解体された。冷戦後に二人は政治の道に入るが、それぞれ目を掛けてくれる上司を得るという幸運で出世の階段を登った。言わばともに「壁の崩壊」から生まれた権力者であった。

しかしその世界観は全く相反している。メルケルが息苦しい東ドイツの消滅と自由の到来を喜び、民主主義の価値観を共有する共同体を目指すのに対し、プーチンは一身を捧げたソ連の瓦解に屈辱感を抱いた。彼が「安定」していたとする冷戦はベルリンの壁崩壊で「息抜き」しただけで、まだ終わってはいなかったのである。

私生活がまた対照的だった。メルケルは戦前に建てられた四階建ての賃貸マンションにつましく住み、週末を小さな別荘で過ごす。洗濯は夫、料理は妻と分担し、スーパーマーケットに自分で買い物に行く。プーチンは世界有数の大金持ちである。豪華な秘密の宮殿を所有。地下にアイスホッケー場があり、カジノがあり、ポールダンス用の部屋まである。この映像が反体制派で殺されかけたナワリヌイによりユーチューブに暴露され、見る者を驚かせた。

メルケルは首相就任以来、定期的にプーチンと話し合っていた。欧米から被害を蒙ってきたのだとあれこれ愚痴るのを、セラピストのように彼女は聞き続ける。吐き出させておいて言った。

「いい？　ウラジーミル、他の国は物事をそんなふうには見ていない。これはあなたにとって得策じゃない」

プーチンは西欧の首脳のなかでメルケル一人に敬意を表していたという。だがロシア国内でプーチンの銅像が作られ、顔の描かれた敷物や時計や皿が作られていると知ると、メルケルは彼への期待を断った。プーチンの手本はゴルバチョフではなく、スターリンなのだ。それでも、戦争をやめさせるために、「始めた男」との対話をやめるわけにはいかなかった。

二〇一四年九月、ベラルーシはミンスクの大統領公邸で、二人は「ウクライナの今後」を協議した。時には十五時間ぶっ通しで向かい合った。メルケルによると「あまりに長時間その部屋にいたので、供される食事が肉料理かジャムを添えたパンかによって今の時間がわかるようになった」というほどに根を詰めた会談だった。

とにもかくにも停戦合意が成ったのは「武力では解決できない」と考えるメルケルの努力の賜物だったと言える。プーチンは「国家の勢力圏」とか「歴史的怨念」を問題としたが、メルケルはそんなことよりもウクライナ人のことが問題であった。戦争より平和のほうがいい。人々のために平和を実現しなければならない。

「昨日キエフとモスクワで行われた我々の議論の結果がうまくいくかどうかはわかりません。しかし、試してみる価値はある。ウクライナの人々のために、我々にはそうする義務があります」

だが「嘘つき」プーチンは八年後に約束を反古にした。その退任を見計らうようにして軍を動かしたのを見ると、メルケルがいるうちは自制していたのかも知れない。停戦合意文書にはプーチンの署名があり、署名があれば彼の責任を問うことができると考えられるが、追及の最適任者は舞台にいない。

ロシアは変わるかも知れないというメルケルの望みは、二〇年六月にプーチンが「三六年まで任期を延長する」と公にしたことで消えた。あの手この手でプーチンは終身独裁者になったのだ。三十一年間在位したスターリンの記録を更新するつもりだろう。

米大統領バイデンによれば、現況は「ジェノサイド」である。「計画的な民族皆殺し」を意味するこの言葉を作ったポーランドの法律家レムキンは、ウクライナを「ソビエトによるジェノサイドの典型例」と呼んだ。嘗《かつ》てスターリンに強制された集団農場政策のせいで飢餓者が大量に出たからだ。ヒトラーには大戦中、ユダヤ人がいることで大量虐殺の標的にされた。悲惨な歴史を持つウクライナの不幸は終わりそうにない。

●『メルケル――世界一の宰相』(カティ・マートン著、倉田幸信・森嶋マリ訳、文藝春秋、二〇二一年)

独裁者は殺戮を好む

侵略されて二カ月半、とうとうマリウポリ（ウクライナ東部）が落ちた。製鉄所を囲んだロシア軍に、プーチンが「ハエ一匹通すな」と命じたと聞いてぞっとした。地下に避難した非戦闘員市民が沢山いるのである。仮初《かりそめ》の停戦でかろうじて脱出できた人はいたが、全員が出きらないうちに攻撃は再開されたという。

「われに盾突くやつは容赦しない」とは、専制独裁者の常道だ。

元亀二年九月十二日、織田信長は比叡山焼討ちを下知した。敵対する浅井・朝倉勢に延暦寺が通じていることを難じて警告を発し、傍観していろとの要求を無視黙殺されたゆえである。

「叡山を取り詰め、根本中堂、山王廿一社を初め奉り、霊仏・霊社・僧坊・経巻一宇も残さず、一時に雲霞の如く焼き払ひ、灰燼《かいじん》の地となすこそ哀れなれ」

裸足で逃げ惑う男女老若は片っ端から捕らえられた。

「其の隠れなき高僧・貴僧・有智の僧と申し、其の外、美女・小童、其の員《かず》をも知らず召し捕へ召し列らぬる。御前へ参り、悪僧の儀は是非に及ばず、是れは御扶《たす》けなされ候へと、声々に申し上げ候と雖も、中々御許容なく、一々に頸《くび》を打ち落され、目も当てられぬ有様なり」（『信長公記』）

（2022.6）

信長は「悪僧はやむを得ないが、私どもはお赦し下さい」と哀訴する女子供まで容赦なく殺害した。灰燼と化した「王城鎮護の霊場」に曝《さら》された死体は三千とも四千ともいわれる。「年来の御胸朦を散ぜられ訖《おわ》んぬ」とある。殺戮《さつりく》で鬱憤を晴らしたらしい。

のちに本能寺で明智光秀の謀反を知ったとき、信長は「是非に及ばず」と言ったが、後世の信長評価となると是非が分れる。

文芸評論家秋山駿の『信長』は、「日本歴史上、もっとも独創的な男」を東西古今の文献からの引用を駆使して描き出そうとした著作である。これに「叡山焼打ちは、千載の快挙だ」とする徳富蘇峰の『織田信長』が引かれている。

「信長でなからねばできぬ仕事だ。この一事は、ほとんど信長の全性格の発揮というてもよい」「旧時代の積弊を、一掃すべき場合には、これほどの果断は必要である。而して平気でこれを為し遂げ得べき者は、秀吉でもなく、家康でもない」と大変な賞賛ぶりだ。

著者自身、「天才」信長の崇拝者だから全編これ賛辞のなかに、一人異を唱える者がいる。下級侍や市井の男女をよく主人公にした藤沢周平である。実生活でも「普通」を心掛けた作家は、世の傑物好きとは一線を画して「信長ぎらい」を公言してはばからなかった。

理由を問われると「信長が行なった殺戮ひとつをあげれば足りる」と答えたという。秋山もこのことは「もっともな話だ。ごく人間的にはそう思わねばならぬものであろう」と認めぬわけにいかない。

ところがこの本で藤沢の件《くだり》はわずか数行で片付けられていて、もっと知りたいとなれば、全集に当たるか単行本未収録の文章を集めた文庫版『ふるさとへ廻る六部は』を開く必要がある。

軍団同士の戦闘のことは言わない。「叡山の焼討ち、投降した一向一揆《いっき》の男女二万を城に押しこめて柵《さく》で囲み、外に逃げ出せないようにした上で焼き殺した長島の虐殺《ぎゃくさつ》、有岡城の人質だった荒木一族の処分、とりわけ郎党、侍女など五百人余の奉公人を四軒の家に押しこめて焼き殺した虐殺」を挙げ、藤沢はそこに信長の嗜虐性を見る。「殺戮に対する彼の好みが働いていたように思えてならない」。

「こうした殺戮を、戦国という時代のせいにすることは出来ないだろう。ナチス・ドイツによるユダヤ人大虐殺、カンボジアにおける自国民大虐殺。殺す者は、時代を問わずいつでも殺すのである。しかも信長にしろ、ヒトラーにしろ、あるいはポル・ポトの政府にしろ、無力な者を殺す行為をささえる思想、あるいは使命感といったものを持っていたと思われるところが厄介なところである」。

藤沢が存命なら、今やこれにプーチンの名前を加えるのに躊躇しまい。「NATOに加盟しようとしたからだ」とか「ウクライナ政権はネオナチだからだ」とかを侵略の理由にしているが、こっちの言うことを聞かないからと、勝手に他国の領内に入りこみ、残忍、残虐、冷酷、酷薄、非情、冷淡、無慈悲、暴戻の限りを尽くしていいはずがない。「権力者にこういう出方をされては、庶民はたまったものではない」のである。

「わたしたちが、プーチンに何をしたというの?」とベンチでひとりごちて、とめどなく涙を流す媼《おうな》がテレビに映っていた。連日のようにロシア軍によるウクライナ市民虐殺のニュースが報じられる。病院砲撃、学校空爆、非戦闘員殺害、集団墓地……国連のロシア大使は「フェイクだ」としらを切るが、傀儡《かいらい》も辛かろうと思う。

藤沢の「信長ぎらい」は一九九二年九月号の『文藝春秋』に発表された。あたかも八九年のベルリンの壁崩壊と九一年のソ連崩壊で世界史的地殻変動が起き、日本ではバブルがはじけて長期低迷が始まったころである。いつもながらお偉方は頼りなく、それに苛立って「強い指導者」待望論を口にする連中が出て来た。そんな「信長ブーム」に、作家は一石を投じる気になったのだと思われる。

「いまの時代が世界的に既成の体制とか権威が崩壊したり弱体化したりして、先の見通しを得ることがきわめてむずかしくなったので、たとえば信長が持っていたすぐれた先見性、果敢な行動力といったものをもとめる空気があるのだという説を聞くと、さもあらんという気がする一方で、まてよという気分にならざるを得ない」

しかしいくら時代が閉塞状況であろうと、人物払底であろうと、無力な者を殺戮するような指導者は願い下げだと、藤沢は言うのだ。「安易にこわもての英雄をもとめたりすると、とんでもないババを引きあてる可能性がある」。

ハエを叩き潰せとばかりにウクライナで殺戮を続けるプーチンは、ユダヤ人絶滅を図ったヒトラーと同断だ。ロシアは、とんでもない十字架を背負って今世紀を行く羽目になった。

●『信長』（秋山駿著、新潮社、一九九六年）▽『ふるさとへ廻る六部は』（藤沢周平著、新潮文庫、一九九五年）

「邪は正には勝てぬ」

（2022.7）

プーチンはいつまで続ける気だろう。「戦場で勝つ」と明言するゼレンスキーが白旗を上げるとは思えない。前世紀の中国での日本、さらにベトナムでのアメリカを想起するまでもなく、ロシアにとってウクライナの泥沼化は不可避である。他国に押し入り蛮行を働くことの理非は明らかで、友なら「もうよせ」と止めてやるところだ。そう言や薄気味悪く「ウラジーミル」などと親しげに呼んでいた元首相はどうしているか知らん。

戦争を始めるのは簡単だが、やめるのは難しい。だいいち戦術目標がはっきりしない。当初キーウへ迫ろうとしたかに見えたが、兵を東部に集中、かと思えばキーウを再砲撃と定まらないのは、プーチンの揺れを思わせる。

戦端を開くとき、総司令官の心中が定まらず、曖昧なままでは士気に影響するだろう。日本が敗れた対米戦争の始まりがそうであった。真珠湾奇襲を立案した聯合艦隊司令長官山本五十六による攻撃部隊への命令には「但し書き」があった。そのことが阿川弘之の『山本五十六』に出て来る。

「但し、目下ワシントンで行われている日米交渉が成立した場合は、出動部隊に引揚を命ずるから、その命令を受けた時は、たとい攻撃隊の母艦発進後であっても直ちに反転、帰航してもらいたい」
するとまず、機動艦隊司令長官の南雲忠一が、「出て行ってから帰って来るんですか？　そりゃァ無理ですよ」と反対の声を上げた。「士気にも関するし、そんなことは、実際問題として出来ない」。二、三の指揮官が南雲に同調した。「それではまるで、出かかった小便をとめるようなものだ」。

このとき山本はにわかに顔色をあらためて、こう言ったという。「百年兵を養うは、何のためだと思っているか。もしこの命令を受けて、帰って来られないと思う指揮官があるなら、只今から出動を禁止する。即刻辞表を出せ」。

山本はアメリカと戦いたくはなかったのである。在米勤務を二度体験し、桁違いの物量を誇る国と事を構えるなど由々しきことであった。ハワイ作戦を立て、兵を猛訓練する一方で、親友堀悌吉への手紙には心中を吐露している。「個人としての意見と正確に正反対の決意を固め其の方向に一途邁進《まいしん》の外なき現在の立場は誠に変なもの也。之も命《めい》といふものか」。

開戦三か月前に密かに会見した首相の近衛文麿から「見通し」を聞かれ、「それは、是非私にやれと言われれば、一年や一年半は存分に暴れて御覧に入れます」と答えたが、言いたいことの力点はその先にあった。「しかしその先のことは、全く保証出来ません」。

お公家さんに山本の苦渋を汲み取る能力はない。「軍事に素人で、優柔不断の近衛公が、とにかく一年半は持つらしいと、曖昧な気持になるのは分り切っていた。海軍は対米戦争はやれません、やれば負けますと、なぜ言い切らなかったか。あの一言は山本さんの黒星です」と断固として容赦しないのは、井上成美であった。

この偏狭なまでに厳格だった最後の海軍大将は、自分を除く七十六人の海軍大将を一、二、三等に格付けした。「将としての識見の有無」が評価の基準で、米内光政は一等大将だが、敬愛しながらも山本は二等。近衛に「この戦争はやれません」と言って聯合艦隊司令長官を辞任していれば一等大将だったというのである。

山本は「勝ち戦のうちに和平に持って行かなきゃならない」と言い、政府が講和交渉に乗り出すことを望んだ。シンガポール陥落を好機と考えたが、その条件案は「領土拡張の気持が無いことを説いて、占領した所を全部返す」という思い切ったもので、緒戦の「赫赫《かくかく》たる戦果」に有頂天だった政府と陸軍は動かない。敗勢となるなか、山本は搭乗機を待ち伏せする敵機に攻撃され戦死を遂げる。

この伝でいけば、ロシアがこれまでに「占領」したウクライナの地から撤退すれば、終戦が成立するかも知れない。だが「強い指導者」然として、北方戦争でスウェーデンと争って領地拡大したピョートル大帝を引き合いに「いま領土を取り戻しているのだ」と胸を張るプーチンをテレビで見たが、占領地の返却というようなことを言い出すはずがない。

逆に「戦争終結のため、ウクライナは領土を割譲するべきだ」と応援するのはキッシンジャーだ。初対面で「情報機関で仕事をしていた」と自己紹介したプーチンに対して「きちんとした人間は誰でも情報機関から始めるものだ。私もそうだ」と応じた場面が『プーチンの実像』にあった。そう言われて元KGBは嬉しかったろう。クリミア併合のときもキッシンジャーは「紛争を招いた責任は欧米諸国にもある」と語っていた。プーチンにいつも好意的なのだ。

中江丑吉という人がいた。北京で中国古代政治思想を独学する傍ら、「目前の歴史を考えようともしないで、昔のことが分るか」というのが信条で、時代観察を怠らず、透徹した現代への批判と憂慮を友人知己に披瀝した。つとに満州事変を「世界戦争の前兆」、日華事変を「世界戦争の序曲」と説明、さらに日米開戦と敗戦を予言した。

一九四一年の夏に訪ねてきた学生に対し「邪は正には勝てぬ」と日独必敗を説いた。承服せぬと見るや「では君は、枢軸が勝って、ナチス・ドイツや日本のような体制が世界を蔽うに至ったら、人間のレーベン（生）は存在価値があると思うか。その下で生きたいと思うか」と反問して言葉を重ねた。

「人間の合理的思惟に堪えられないようなものが勝つことはありえない。そうだったら、歴史というものにはおよそ意味がない」「世界史は『ヒューマニティー』の方向に沿ってのみ進展する。『ヒューマニティー』を担っている者のみが世界史の真の担い手たりうる。これが世界史進展の法則だ」

中江は「遠からず、ドイツは必ず敗れる。ヒトラーは白日の下にバッタリ倒れる。日本は有史以来の艱難《かんなん》の底に沈み、天皇はシャッポになる」とも言った。

プーチンは「ヒューマニティー」を担っているか。

●『新版　山本五十六』（阿川弘之著、新潮社、一九六九年）▽『プーチンの実像——証言で暴く「皇帝」の素顔』（朝日新聞国際報道部著、朝日新聞出版、二〇一五年）▽『中江丑吉の肖像』（阪谷芳直著、勁草書房、一九九一年）

無条件降伏した国で

呑みに行くとか、桜を見るためというのならともかく、ただ歩くために歩くのは御免だ。そう言っていたくせに、コロナ禍になって今は歩くために歩いている。

ガラケイに切りのいい歩数が出ると「ラッキー」と示され、「7777」には「幸運の予感」と出る。それを見るために歩くと言ったら、「人の行動には必ず目的がある。そんなことはアドラーという心理学者が、つとに唱えている」と教えてくれた人があった。

ウクライナ戦争が終わりそうにない。プーチンは何を目的に始めたのだろう。領土拡大か、ゼレンスキー政権転覆か、ソ連帝国復活か。アドラーなら精神分析を施すかも知れないが、「皇帝」の本心が判然とせぬまま、ロシア軍の士気の低下や予備役一個大隊の全滅、さらに占領地からの撤退などの戦況が伝えられる。止めるに止められないのであろうか。

一発の銃声から第一次世界大戦が始まったように、簡単に始めても戦争を終わらせるのは大変だ。一九四一年から四五年の日米戦争を思えば想像がつく。半藤一利の『日本のいちばん長い日』には、目的を失った国がいかに七転八倒したかが描かれている。

八十一年前の十二月八日、海軍機動部隊が真珠湾を奇襲して戦争が始まった。「我々は白人の第一級者と戦う外、世界一流人の自覚に立てない宿命を持っている」と作家の伊藤整は日記に記した。一見して「赫赫《かくかく》たる戦果」に日本は舞い上がり、米国では怨みを込めた「リメンバー・パールハーバー」が合言葉になった。

昭和天皇の開戦詔書には「自存自衛のため」とあった。歴史学者吉田裕によると、中国大陸での既得権益を守ることと東南アジアでの勢力圏を米英に容認させることが目的だったが、自衛とアジア解放を掲げたのは「著しい分裂と混乱」であり、「統一された国家戦略が不在だった」とされる。

自存自衛について「この言葉はたびたび使われたが、定義が明確にされることはなかった」と言い、「曖昧で大仰なものだった」と断じるのはケネス・パイルである。『アメリカの世紀と日本』のなかで彼が援用する歴史家麻田貞雄に言わせれば、曖昧さゆえにこの戦争は「目的なき戦争になるべくしてなった」のであった。

パイルは三十代で、維新後の「西洋」流入に抗して自己確立に苦悩した明治の青年たちに焦点を当てて『欧化と国粋』を書き、米国の日本思想史研究に衝撃を与えたといわれる。半世紀後の著作『アメリカの世紀と日本』では日米関係史を概観し、ことに無条件降伏がもたらした「不自然な親密さ」(ジョージ・ケナン)の実態を解明している。

両国は世紀の変わり目に躍り出た新興国であった。米国人は「自分たちは例外という例外主義的自己像」を持ち、日本人は「自らの社会を唯一無二のもの」と考える。日露戦争後、太平洋を挟んで睨《にら》み合った。米国には人種偏見がある。日本は米国主導の世界秩序に組み込まれることを潔しとしない。

プロイセンのクラウゼヴィッツ『戦争論』の定義によると、「戦争は政治的交渉の継続にほかならない。しかし政治的継続とは異なる手段を交えた継続である」。だが「日本の指導層は」と、パイルは述べるのである。「戦争終結のための明確な戦略を持たないまま、開戦に踏み切った」「対米戦争が長引けば勝算が立たなくなることはわかっていたが、事態はきっと日本の有利に働くと信じ込んでいた――つまり欧州での戦争がアジアで追い風になるか、さもなければ戦闘で日本が決定的勝利を収め、妥協による和平に米国人を応じさせることが可能だと考えていたのだ」というからお気楽と言えばお気楽であった。

大統領ローズヴェルトは奇襲を受けて米議会で六分間の演説をしたが、草稿に「一二月七日――これは世界の歴史に残る日になるだろう」とあったのを書き直して「恥辱とともに残る日」とした。復讐と決意と結束を国民に呼びかける演説のあと、上下両院は反対一票で対日宣戦布告を可決した。

ローズヴェルトは終始日本に冷たく、関係悪化のなか極めて厳しい経済制裁を科し、容赦なく禁輸措置を取った。「日本の首に縄を掛け、締めつ緩めつしてやる」との腹だったといわれる。後年、禁輸政策の誤りが戦争勃発につながったと批判する歴史家は多い。

大統領は「あらゆる米国民が『究極の善のため、間近に迫る悪と戦う』聖なる戦争に加わらねばならない」と語った。パイルは「日本人も米国人も、明確で具体的な戦争目的ではなく、国家イデオロギー上の勝利のために戦った」と言うが、米国の目的は「新しい世界秩序」にあった。

一矢報いて講和に持ち込みたい日本に対し、大統領の念頭に「交渉による和平」はない。「無条件降伏を勝ち取るまで戦う」と決めていたのである。日本帝国の解体、占領、恒久的非武装化、戦争犯罪裁判、政治経済の構造改革、日本人の再教育という六大目標を掲げ、屈服した日本に突きつける。敗戦国は米国に「革命」されていく。他に例を見ないことだった。

冷戦で米国の政策が変わり、占領状態は独立後も継続した。日本は国防を米国任せにして経済大国になるがバブルは崩壊。そして保守本流に代わる党内右翼が主導権を握るまでの長い対米従属の時代を、パイルは浩瀚《こうかん》な文献を渉猟して叙述する。「米国の干渉は度を越していた」と米国に厳しいが、日本に釘を刺すのも忘れない。

「日本自らが帝国主義体制確立の野望を抱いたことを否定できるわけではない。戦争末期に連合国が民間人を標的にしたことは確かだが、それは国民に甚大な犠牲を強いる戦争の続行という無責任な決定を日本の指導者が下したことを打ち消すものではない」

米国による支配という異常な時代はいずれ終わりに向かうだろう。自立した日本の目的は何かと著者に問われているように思えた。戦後七十七年、昔も今も貧困な政治の国に戦略は不在で、その日暮らしで行くほかないのはかなしい。
●『アメリカの世紀と日本――黒船から安倍政権まで』(ケネス・B・パイル著、山岡由美訳、みすず書房、二〇二〇年)

V

新聞・ジャーナリズムの章

報道は不自由なのか

（2016.6.3）

奇妙な風景が見受けられる。

日本の「報道の自由」が脅かされているそうである。由々しき事態と言わなければならない。発端は「国境なき記者団」という非政府組織が世界百八十の国と地域の「報道の自由」を調べた結果発表にあった。日本は七十二位というのだ。十一位の時もあったが、二〇一四年五十九位、一五年六十一位と下がり続けている。

朝日新聞の「天声人語」が「72位という順位には記者として自責の念を抑えがたい。報道の将来を思うと、焦燥感がこみ上げる」と書いていた。しかし何でかくも悲壮ぶっているのか分からない。いったい何をそんなに自らを責め、焦りにかられているのか。

現実に「天声人語」は「報道の自由」を侵されているのであろうか。何か記事を書こうとして、権力から「圧力」を受け、書きたいことも書けないというのであるか。

不勉強だから「国境なき記者団」なるものの素性からして知らないし、どんな基準で、どんな調査をしてのことかつまびらかでないが、お前の席次は何番だなどと評定されるがまま恐れ入らされる筋合のものでもあるまい。「外圧」に弱いのは抜き難いわが国民性ではあるが、外から言われたからといって右往左往するのはみっともない。

つぎに国連の人権理事会に任命された専門家だという「特別報告者」がやって来て、政府や報道関係者への聞き取りをし、「報道の独立性が重大な脅威に直面している」と警鐘を鳴らしたとある。放送法、自民党の憲法改正草案、特定秘密保護法などに関心があるらしいが、具体的に問題にしたいのは何なのか明らかでない。

安倍政権の出現とともに窮屈でいやな感じが漂い続けているのは確かである。電波所管の総務相が「電波停止」を口にしたり、自民党議員が「報道機関を懲らしめてやる」と言ったり、何より議論がまともに議論として成立しない言論状況は困ったものだと考える。ただし政権側の「圧力」によって言論と報道が不自由になったと証言する証人はいないのである。

ニュースキャスターが何人か辞めた。安倍政権に批判的だったからとの説がある。鸚鵡のようにべらべら喋る元アナウンサーや毒にも薬にもならぬ御託を並べる元新聞記者が権力に抗して発言していたとは思えない。彼らとて「圧力があった」とは言っていない。

総務相発言のとき、田原総一朗、鳥越俊太郎、岸井成格、大谷昭宏、金平茂紀、青木理、田勢康弘（欠席）が記者会見して「私たちは怒っている」と共同声明を出したが、それぞれ「場所」を持っているのだから、言いたいことはそこで言え、だ。お手々つないで共同声明なんて、六〇年安保の「七社共同宣言」じゃあるまいし、本来独歩行のジャーナリストの行動らしくない。口の悪いのが「電波停止で困るのはギャラのなくなる連中だろ」と嗤ったから、「言論の闘士」にそんな無礼なことを言ってはいけないとたしなめておいた。

国連の「特別報告者」は記者会見で「政府の強い圧力」に言及したが、その根拠は「匿名」が条件で会った関係者の話だったという。圧力を受けたのなら当人はなぜそれを公表しないのか。

「権力監視が使命」などと口にするくせに、陰でしかものを言えないようでは監視もへったくれもないだろう。

田原総一朗が週刊誌に「『政府の圧力』が強まったというより、放送局の体質がぜい弱になったのだととらえている」と書いていた。「圧力」ではなく「放送局の自己規制」が問題であり、キャスター解任も自己規制ゆえだとの指摘だ。

「脆弱な放送局」の現状については、TBSのキャスター金平茂紀も「痛感するのは、組織の中の過剰な同調圧力です。萎縮したり、忖度したり、自主規制したり、面倒なことを起こしたくないという、事なかれ主義が広がっている」と認め、「ジャーナリズム精神の継承に失敗した」と嘆いている。（朝日新聞三月三十日付）

嘆くばかりでは始まらない。「過去を学び、やり直さないといけない」と金平は言っている。かつて報道が不自由であった時代に、言わなければならないことを言った先人がいた。権力にどう抵抗したかを後進は学ぶべきである。

一九三二年、陸海軍人が首相官邸を襲い、首相犬養毅を暗殺した五・一五事件に際し、福岡日日新聞は十六日に異例の夕刊社説を掲げてこれを「政治的野心を遂げんがためにする一妄動」と断じ、翌朝刊の社説「敢て国民の覚悟を促す」では、軍人の政治関与の危険を警告して「軍部国を誤る」と直言した。

事件直後、全国の新聞の大勢が臆病風に吹かれて沈黙し、顧みて他を言う態度を見せるなか、ひとり福日は突出した。当然のことに軍部の激しい反発を買い、爆撃機による社屋上空乱舞、不買運動などあらゆる方法で圧力を加えられた。しかしこれに屈することなく言論の志を貫いたのが編集局長として筆政を担う菊竹六鼓であった。襲撃に備え毎朝新しい下帯をつけて出社。新聞社がつぶれることも覚悟した。副社長兼主筆だった三七年七月死去。五十七歳。

三三年八月、初の防空演習があったとき、報道しない大新聞をよそに信濃毎日新聞は「関東防空大演習を嗤ふ」で軍部を痛罵した。

「将来若し敵機を、帝都の空に迎へて、撃つやうなことがあつたならば、それこそ人心阻喪の結果、我は或は、敵に対して和を求むべく余儀なくされないだらうか。……敵機の爆弾投下こそは、木造家屋の多い東京市をして、一挙に焼土たらしめるだらう。……」

主筆桐生悠々による論評だったと今では有名だが、当時は東京でも風の噂になったに過ぎない。陸軍は信毎にさまざまの圧迫をかけ、責任者の処分を要求した。小坂順造社長はついにかばいきれず、悠々は信毎を去って、個人誌『他山の石』に立て籠もる。四一年九月、命尽きた。六十八歳。辞世の句に〈蟋蟀《こおろぎ》は鳴き続けたり嵐の夜〉。

「報道の自由」は与えられるものにあらず、嵐の夜であろうと、報道に携わる者が自ら行使していくよりないではないか。

●『剣よりも強し』（前田雄二著、時事通信社、一九六四年）▽『六鼓菊竹淳　論説・手記・評伝』（木村栄文編著、葦書房、一九七五年）▽『評伝桐生悠々』（太田雅夫著、不二出版、一九八七年）

（2016.11）

無知と忘却と欺瞞と

無知は恥である。

自覚がなければ、しかし恥じ入ることもないであろう。

ニュートンが「私は海辺に遊ぶこどものようだ」と言ったという話が、頭をよぎることがある。「つるつるした小石やかわいい貝殻を見つけては面白がっているだけだ。目の前には真理の大海が未発見のまま広がっているのに」

知ったつもりで、実は何も知らないとは、年をふるにつれて身に沁みてくることである。科学の世界の真理は棚上げするとして、日々の暮らしの上の大事といい、歴史上の事実といい、われら凡俗もニュートンに似て、砂粒一掬いを掌に、ああだ、こうだと言っているに過ぎない。

「日本のなかの植民地朝鮮」という副題のついた伊藤智永著『忘却された支配』を読んで、たかだか百年以前からの出来事なのに、知らないことだらけだということを思い知った。さながら風が立ち、浪が騒ぐ歴史の限りない海原を前に、ただ腕を振るしかない人間の無力さを感じたことであった。

著者は一九六二年生まれ。八六年毎日新聞に入り、政治部、ジュネーブ特派員等を経て編集委員。たまに見る署名記事の色合いが他とは少し違った。いいコラム書きになるだろうと思っていたら、いま毎月一度のコラムを持つ。新聞コラムは花盛り、とはいえ、しおれた花の繰言ばかりの中で伊藤の「時の在りか」には筆勢がある。

オバマが広島で「謝罪なき献花」をしたとき、おしなべて新聞は「礼賛」と「感動」の押し売りをしたが、伊藤は「政治的配慮の巧みな儀式」と断じ、「謝罪を求めるのは、かたくなな人たちと言わんばかりの空気」に異を唱えて、「愛する子を一瞬の閃光と烈風で蒸発させ、骨も残らずこの世から消し去ったものを『許します』と言う親がいるだろうか」と弁じた。

戦後七十年に際し、伊藤は「歴史修正主義を公言してはばからない安倍晋三元首相が思いがけず首相の座に舞い戻」っているという巡り合わせを思う。そして「安倍首相戦後七十年談話」が出てきた。

先の大戦を「反省」した「戦後五十年村山富市首相談話」と慰安婦問題の「河野洋平官房長官談話」を見直すと言明しながら、安倍は「談話」を出すと言ったり、見送ろうとしたり、迷走を重ねた。米国の意向を忖度したためである。「安倍談話」は、焦点とされた「侵略」「植民地支配」「反省」「お詫び」の四つの言葉を使いながらも、「『侵略』と『支配』の主体がはっきりしないので『反省』と『謝罪』も誰に向かって述べているのか分からない」という出来であった。

なかんずく「侵略」と「植民地支配」への言及をごまかしたことに伊藤はひっかかる。「日本がアジア諸国を侵略し、台湾や朝鮮を植民地支配したとは一切明言していない」。主語を省略し、詭弁を弄し、戦前からの「支配意識なき植民地主義」を踏襲しているのだ。

一〇年から四五年まで、日本は朝鮮を植民地とした。これは罪科である。だがそのことをすっかり忘却したかのようであったり、それどころか、ときに「いいこともしたのだ」と開き直ったりして戦後日本はすり抜けてきた。

「戦争責任があるなら、植民地支配の責任もある」と考える伊藤はまず「植民地の記憶」を想起すべく取材にかかる。「記憶のかけら」は、碑、遺骨、墓石、無縁塔、慰霊祭、遺品、新聞記事といったさまざまのかたちで、あちこちに残されていた。数少ないが「過去」と向き合う人たちがいた。

「戦時中、日本各地の鉱山、発電所、鉄道、港湾、軍事施設の工事・作業現場に、植民地朝鮮から約八〇万人の朝鮮人が強制動員された」のだが、その実態は「史実」として定着されずにきた。落盤事故で朝鮮人労働者が海底に生き埋めになった山口県宇部市の長生炭鉱▽建設工事中に犠牲者を出した北海道宗谷郡猿払村の旧陸軍飛行場跡▽朝鮮人強制連行問題の本場とされた九州の筑豊▽英兵捕虜や朝鮮人労働者から犠牲者が出た三重県熊野市の旧紀州鉱山▽朝鮮人の特攻隊員がいた鹿児島県南九州市の知覧と福岡県朝倉郡筑前町の大刀洗飛行場跡。

伊藤は土地の言い伝えを聞き、遺物に接し、犠牲者追悼の念止み難く活動する人たちを訪ねた。

圧巻は、「朝鮮ジェノサイド」と題された第六章である。

九五年に北海道大学の講堂で「韓国東学党　首魁ノ首級」と記された六体の髑髏が見つかった。文学部教授だった井上勝生の追究で驚くべき事実が浮かび上がる。

一八九四年、朝鮮で「東学農民戦争」が起きた。実は「日本の侵略に対する朝鮮人民が、全土の半分で一斉蜂起」したのだった。朝鮮政府は清に救援を要請する。日本はこれに対抗して大軍を出す。日清戦争の勃発である。

参謀次長川上操六は「東学党に対する処置は厳烈なるを要す、向後悉く殺戮すべし」との命令を発した。抗日農民軍討伐のため、四国四県から召集された後備第十九大隊は「勦滅命令」に従って、農民軍虐殺に及んだのであった。

ただしこの事実は日本では知られることはなかった。政府は意図的に記録から消し去った。ちなみに「日露戦争までの日本は清く正しく美しかった」の司馬遼太郎は植民地朝鮮の歴史を書かなかった。井上が退官間際の二〇〇八年、討伐大隊長の残した文書にたどり着いてはじめて実相が判明したのだった。

兵たちの従軍記や手紙が見つかった。当時の新聞記事、石碑、伝承など「史実のかけら」の採集には市井の人々の協力があった。彼らは歴史の事実継承ということに当事者として関わったのである。

「あの戦争には何ら関わりのない、私たちの子や孫、そしてその先の世代の子どもたちに、謝罪を続ける宿命を背負わせてはなりません」と「安倍談話」にある。しかしそれは「虫がよすぎる上に、お門違いだろう」と伊藤は言う。

われわれは「支配され、強制された」側に対して、しかるべき挨拶をしていない。歴史に後始末をつけていないのである。

折しも記録映画『東学農民革命――唐辛子とライフル銃』(前田憲二監督)が完成、上映会で観た。「東学」の遺族が、百二十年前に日本軍に殺された曽祖父を弔う祭祀を今も続けていた。

●『忘却された支配――日本のなかの植民地朝鮮』(伊藤智永著、岩波書店、二〇一六年)

べっちゃくちゃの果てに

よせばいいのに、ジジイとババアがべっちゃくちゃと言い争う大統領選挙には辟易した。あれがわれわれに民主主義を教えてくれたというアメリカの現状か。どちらかなら、わたしはババアのほうが嫌だったが、しかしジジイでよかったかどうかの判断はつかない。

十一月九日は国立劇場にいた。「仮名手本忠臣蔵」の十、十一、十二月にわたる全段完全通し上演。十年前にやはりここで真山青果の「元禄忠臣蔵」全十篇を観た。行けるときに行っておかないと観たいものも観られなくなるかも知れない。

当日は第二部で「道行旅路の花聟」に始まり、勘平が悲劇的最期に向かっていく五段目、六段目と由良之助が祇園一力茶屋で本心を隠して遊ぶ七段目である。

丸谷才一に言わせれば、四十七士の代表として上級武士の由良之助、下級武士の勘平を選んだところが作者の妙。見物はこの二人の身の上を手がかりに浪士全員の辛い生活を思いやることになるのだが、とまれ、七十代の菊五郎と吉右衛門の出番である。歌舞伎界のジジイたちは健在であった。

「道行」はひそかに色にふけり、大事の場に居合わせなかったお軽勘平が、その不忠を恥じて鎌倉を出奔したところである。お軽に横恋慕する鷺坂伴内が呼び止める。この科白の調子がいい。

(2016.12)

「ややや、勘平。うぬが主人の塩冶判官高貞と、おらが旦那の師直公と、なにか殿中でべっちゃくちゃ、くっちゃくちゃと話すと思うとちいさ刀をちょいと抜いてちょいと切った科によって、屋敷は閉門、網乗物でエッサエッサと送り返してしまったわえい」

殿中では鯉口切っただけで、その身は切腹、お家は断絶と知れたことなのに、塩冶判官はどうして沙汰に及んだのか。小林秀雄が「事件は、極くつまらぬ事から起つた」と書いていたが、師直が塩冶の妻に懸想し、振られた腹癒せに夫を苛めたというのは素直すぎてつまらない。「鮒侍」とののしられたくらいで前後の見境を失うとは、五万三千石の大名のやることではないだろう。

ばかな殿様に仕えた家来への同情を禁じ得ない。トップが誰であるかで、組織は決定的な影響を受ける。シャープとか東芝の社員は身に沁みていることだろう。わが古巣の朝日新聞でも、若い人とたまに会うと、「慰安婦と原発」の対処を致命的に誤った首脳陣への恨みつらみが尽きないのである。

終演後、劇場発バスの中、わたしは不所持だが、スマホを開いた誰彼が「トランプだって」「ヒラリーじゃないの?」「テレビが当確を打ったらしい」「逆転したのね」とべっちゃくちゃ、くっちゃくちゃ。アメリカのトップは一大関心事だ。

予想は外れるためにある。世論調査でクリントンがわずかに上にあるとしても、解説者がしたり顔で言うほどに優勢とは思っていなかった。むかし選挙の世論調査では、わたしもひどい目に遭ったことがある。「平均して一、二ポイントの差」などというのは全く誤差の範囲内である。

テレビで、「事情通」連中が「愕然」としたり、「不明」を恥じたりして飛び去った鳥を見失ったようなあほう面をさらしていたが、「ヒラリー」を担いだのは日本のアメリカ屋だけではない。

本国のマスメディアの大勢がそうだった。

わたしの知る限り、日本で「トランプ」と公言したのは元NHKの木村太郎だけである。木村は東京新聞への談話で、①有力マスコミの一方的なトランプ批判への反動②そもそもマスコミ不信がある③「ウィキリークス」によるクリントン家の金銭スキャンダル暴露などが作用して、接戦どころか大差がついたのだと述べている。

〈驚いてもっともらしく結果論〉という川柳が載っていた朝日新聞によると、フランスの歴史学者トッドは「当然の結果」と言い、皆が驚いていることに驚いたという。生活水準が落ち、不平等に当面する白人層が有権者の四分の三、その票が自由貿易と移民を問題にした候補に動いたのだ。「問題は、なぜ指導層やメディア、学者には、そんな社会の現実が見えないのかという点だ」と訝しがっている。

アメリカが内向きになるとの警戒論がしきりだ。トランプの言動から見て、自国第一主義で世界のことなど知ったことかとばかりの政治をするのではないかというのである。本心は分からない。過激な発言を翻し始めたから、軌道修正をしていくのだろう。世界のことは知らないとはいくまい。

「世界への愛」を標榜し、世界との関わり方を考え続けたハンナ・アーレントの著書を丁寧に読解した対馬美千子によると、アーレントはこんなことを言っている。

人間たちが、自らの生活の利益と私的自由を適切に考慮に入れてくれることしか政治に求めないのが当たり前になってしまうのはよくない。それは「暗い時代」だ、と。

ドイツに生まれ、ナチスによる「暗い時代」を潜り抜けたユダヤ人のアーレントにとって、世界から逃避せず、世界とどう和解するかは生涯の主題であった。

世界が非人間化する「暗い時代」を招いてはならないのである。自分の内にひきこもってばかりではいけない。人が世界と関わっていくのは義務だ。そのために世界を理解し、和解する必要がある。そして彼女は十八世紀の啓蒙思想家レッシングを例示して、「つねに世界の利害の側に立ち、あらゆるものをその都度の自らの世界的立場から把握し、評価する意識」の大事さを説くのである。

アメリカの民主主義精神を賞賛したアーレントが生きていたら、次期大統領に対し「世界の側に立ちなさい」と進言することだろう。

大統領交代の季節は、「あれは十二月の寒い日だった」と書き出されるハルバースタムの『ベスト&ブライテスト』が懐かしい。さっそうと登場した四十三歳のケネディへの期待は幻滅に変わっていったことだった。

オバマも期待外れであった。若けりゃいいというものでもないのである。七十歳のトランプを石川好は「閉塞状況を打ち破る大統領になるかも知れない」と見ている。案ずるに、希望なしに人は生きられない。

●『ハンナ・アーレント——世界との和解のこころみ』（対馬美千子著、法政大学出版局、二〇一六年）▽『ベスト&ブライテスト——アメリカが目覚めた日』（デイヴィッド・ハルバースタム著、浅野輔訳、朝日文庫、一九九九年）

キャスターの運鈍根

（2017.5）

国谷裕子のこの本を読んで、テレビのキャスターというのは女子一生の仕事であると思った。これが男子一生の仕事であるかどうかは知らない。男でキャスターと称したのは田英夫以来雨後の筍のごとくいたが、その体験を国谷のように述べた者はいなかった。彼らがキャスターという仕事とどう取り組み、何を生き甲斐としたかを知る由もないのである。

キャスターとかコメンテーターと言えば、政界転出の踏み台にしたのがいたり、「TBSは死んだ」と言いながらTBSに出続けた筑紫哲也みたいなのがいたり、ただぺらぺらと口先ばかり達者だったのがいたりと、むしろ眉に唾をつけて眺めるのを習いとした。

国谷裕子は一九九三年から二〇一六年まで二十三年間、NHKの「クローズアップ現代」キャスターの任にあった。現場が「来年も国谷でいきたい」と主張したにも関わらず、NHKは毎年更改してきた出演者契約を「番組リニューアル」を理由に打ち切った。

そこには、新聞・放送を何かと牽制したがる安倍政権からの圧力があったのだろうとの憶測が流れたが、真相は分からない。ただしキャスターを降りた、あるいは降ろされたおかげで国谷裕子が昔日を振り返り、整理し、記録を叙述したことで、彼女の真剣勝負の軌跡をたどることができ、ここにジャーナリズムの意義を考えるに資する文献を得た。

古来、事を成し遂げるのに必要な三条件を運鈍根という。広辞苑によると、それは「好運と愚直と根気」の謂いである。国谷裕子のキャスター人生に、この三条件がいかにも成立しているのを見る。

好運の一つは「クロ現」以前に有効な助走期間があったことだ。八一年に英語放送のアナウンサーに起用されて以来、NHKとの断続的な関係のなかで、衛星放送や地上波の番組で場数を踏むことができた。しかも天安門事件やベルリンの壁崩壊、東欧民主化といった歴史的出来事に遭遇している。

ただし英語は堪能でも、帰国子女で日本を知らないという劣等感を持ち、報道の第一線での訓練を受けていないために、大きな挫折をして屈辱感を味わった。だがそれがキャスターへの拘泥を生んだ。

「クロ現」が全NHK的組織によって支えられていたのも好運と言えた。「深く知りたい」という視聴者に応えようと、「今を映す鏡でありたい」との思いを込め、「テーマに聖域は設けない」主義を持して作られる「ワンテーマで三十分弱」番組が、ゴールデンアワーに週四本放映されたのである。

組織の上に乗っているだけで「キャスター面」はできたかも知れない。しかし彼女は事あるごとに愚直に自分を主張した。前日と当日と二回開かれる編集責任者、番組デスク、プロデューサー、ディレクター、記者、記者部門のデスク、管理職、編集デスク、音響効果などによる全体試写の場で、彼女は些細なことでも疑問を口に出し、あくまで視聴者の視点に立って、取材者に「一番伝えたいことは何ですか」と問い返した。

「クロ現」は「キャスターによる前説、VTRレポート、キャスターと記者またはゲストとの対話」の三本柱で構成されたが、彼女は膨大な資料を読み込み、取材者の思いを理解し、なぜこの問題を報ずるのかという「熱」を伝えるべく、一分半から二分半の「前説」を必ず自分で書き綴った。

前説の肝心なところでは、顔の正面にカメラを合わせるように注文した。「視聴者にフェイス・トゥ・フェイスで伝えたかった。思いを伝えるためには目線を合わせて話すことが大切だと思っていた」とあるのはそのとおりだ。筑紫哲也などは売り物の「多事争論」を、なぜか横を向いて喋ったが、あれはどういう了見だったのだろう。

インタビューする国谷裕子の切羽詰まったような口調が蘇る。相手から「決定的な言葉」を引き出そうとして、ぎりぎりまで質問を重ね、時間切れになることがあった。

「責任ある立場の人には、たとえ事情があろうとも、聞くべきことは聞く、問うべきことは問う」との覚悟は正しい。「言うべきことを言う。言わなければならないことを言う」は、桐生悠々を持ち出すまでもなく、言論に携わる者の義務だ。しつこいと言われながら、根気強く義務を貫いたのである。ろくな質問もできない内閣記者会の連中など、彼女の爪の垢でも煎じて飲むがいい。

テレビには①事実の豊かさをそぎ落としてしまう②視聴者に感情の共有化、一体化を促してしまう③視聴者の情緒や人々の風向きに、テレビの側が寄り添ってしまう、という三つの危うさがある。それに陥らないため、キャスターには①視聴者と取材者の橋渡し役②自分の言葉で語る③言葉を探す④インタビューで発言を引き出す、という四つの役割が要請されると国谷裕子は考えて事に当たった。

あたかも「クロ現」開始の年にNHKに招かれた米国のジャーナリスト、デイビッド・ハルバースタムが「テレビが伝える真実は映像であって、言葉ではない。テレビが伝える内容は単純で、複雑なことは伝えない」というテレビに否定的で悲観的な言辞を残した。「この問いかけをどう乗り越えるか」が国谷裕子にとって課題となった。徹底的に「言葉」にこだわり続けた所以である。

新しい事象にはそれに適した表現が必要だ。「犯罪被害者」「ウーマノミクス」「見えない敵」といった言葉を意識して使い、「理解が進まない安保法制」や「ねじれ国会」という言い方には異議を唱えた。

「キャスターである私には、言葉しかなかった。『言葉の持つ力』を信じることがすべての始まりであり、結論だった。テレビの特性とは対極の『言葉の持つ力』を大事にすることで、映像の存在感が高まれば高まるほど、その映像がいかなる意味を持つのか、その映像の背景に何があるのかを言葉で探ろうとしたのだ」

今、言葉の軽い時代に抗して果敢な試みを実践したキャスターの、これは奮戦記である。
●『キャスターという仕事』（国谷裕子著、岩波新書、二〇一七年）

（2017.6）

ゲイ・タリーズと出歯亀

あちらでは「ピーピング・トム」と呼び、こちらでは「出歯亀」という。覗き見男のことだ。「トム」は、酷税下の民に同情する領主夫人が亭主を諌めて、全裸で馬に乗り街を駆けたのを窓から覗き見した仕立屋の名だったというが、史実ではないらしい。

「亀」は「一九〇八年、女湯の覘きの常習者で、出っ歯の植木職池田亀太郎という男が、東京・大久保で性的殺人事件を起こしたところから」と日本国語大辞典にあるから、これは実在の男だった。

森鷗外も関心を持っていたとみえ、「ヰタ・セクスアリス」に「出歯亀といふ職人が不断女湯を覗く癖があって、あるとき湯から帰る女の跡を附けて行って、暴行を加へたのである」と書いている。

「出歯亀主義」という用語も生まれた。亀太郎の事件をきっかけに、現実暴露を旨として性的描写を行った自然主義に対して使われ、さらに発展して社会主義や無政府主義にも適用されたという。反体制思想を揶揄したのである。

昭和戦後に「覗き見男」とされたのは寺山修司である。八〇年七月十三日夜、寺山は東京都渋谷区宇田川町のアパート敷地内にいるところを住人に見つかって警察に突き出され、罰金を払った。このことが半月後の新聞各紙に「のぞきで逮捕」と報じられた。

寺山のデビュー当時からを知る編集者杉山正樹が『寺山修司・遊戯の人』を著して、第一報は共同通信の「特ダネ」だったが、寺山の言い分はなく、警察発表をなぞっただけの欠陥記事と難じている。しかし劇作家で前衛劇団「天井桟敷」の主宰者。俳人、歌人として若いころから「天才」と囃された「時代の寵児」の醜聞はマスコミの恰好の好餌となった。

週刊誌やテレビは、まるで「変態者」か「奇行の主」のように決めつけた。「事実無根、冤罪だ」という寺山の主張はかき消され、原稿・出演・講演の依頼がことごとく取り消されていった。三年後の五月、寺山は急性腹膜炎による敗血症で四十七歳の春秋を閉じた。

トム、亀、寺山と連想したのは、ゲイ・タリーズの『覗くモーテル観察日誌』を読んだからだ。「男はほぼ百パーセントが覗き魔だ」とうそぶき、思春期以来の已み難い性癖をモーテル経営者になって満足させたという男に関するノンフィクションである。

ゲイ・タリーズと言えば、六〇～七〇年代に一世を風靡したニュー・ジャーナリズムの旗手である。それまで主流であった無署名性の言語ではなく、自分をさらしながら取材対象に肉薄して書き尽くそうとする試みは「個人のジャーナリズム」と称された。トム・ウルフやデイビッド・ハルバースタムとともにタリーズは記者たちにとっての必読書であった。

ニューヨーク・タイムズ社内の派閥抗争を暴露した『王国と権力』やマフィア組織の崩壊を描いた『汝の父を敬え』をむさぼり読んだ覚えがある。その場に居合わせなければ書けないことが書かれた現場再現力に驚嘆したものだが、それは無論、相手にどこまでも食い込み、綿密な取材を敢行し、かつ正確に表現する方法をもって初めて出来ることであった。

タリーズの関心が変容するアメリカ人の性行動へ向かい、『汝の隣人の妻』と取り組んでいた八〇年のことだ。フースという男から封書が届いた。十五年来、自分のモーテルで客の性的行動を覗き見してきたが、その記録を貴殿に提供したいというのであった。

「そんなことをしたのも、ひとえに人間への飽くことなきわが好奇心のゆえであり、決して変態の覗き魔としてやったことではありません」

これにタリーズの出世作『王国と権力』冒頭の文章が共鳴する。

「ジャーナリストというのは、たいていが飽くことのない覗き魔のようなもので、その目は世界の欠陥、さまざまな人間と地域のもつ不完全性に向けられる」

「誇り高き仕立屋の息子」たるタリーズは男に会いに行き、ともに覗きをする。以来三十有余年の交わりの末に、「日誌」の実名公開への同意が得られたのである。

フースは客室の天井に仕掛けを施して屋根裏から覗き続けたのだが、男女の性行為、同性愛、集団セックス、夫婦交換、近親相姦等々の例示は引用の煩に堪えない。要するに、覗き見男の期待が満たされる日もあれば、すかされて呪いの言葉を吐くときもあった。

「人間への飽くなき好奇心」から覗いていたフースは、だんだん人間嫌いになっていく。

誰も見ていないと思っているとき、人間は本性を現す。浴室のシンクに小便をしたり、フライドチキンを食べて手についた油の汚れをベッドのリネンで拭き取ったり、愛犬が椅子の裏に出した糞をそのままにチェックアウトしようとしたり、人間とはいやなものなのである。

覗き魔フースは「基本的に人々は不誠実で不潔だ。人は騙し、嘘をつき、自分だけの利益で動く」との人間観に達し、「人は他人を信頼できない」と断じるのである。

タリーズの骨法は「きっちりと裏づけのとれる本名とまぎれもない事実のみを書くか、そうでなかったら一本の記事も書かない」である。だが七七年十一月十日夜に覗き魔が目撃したという殺人の記録が警察にない。他にも曖昧な記述がある。そういう「不正確で信頼できない語り手」のことをなぜ書いたのか腑に落ちない。フースを丸ごと受容したのであろうか。

今や「出歯亀主義」は国家公然の秘密となった。監視カメラ、インターネット、クレジットカード利用歴、銀行の取引記録、盗聴テープ等々。ビッグブラザーは、それらを使って国民を監視している。それに比べて、とフースは悪びれた色もなく自説を述べるのである。

「自分の覗き見は〝無害〟だ、なぜなら利用客は見られていることをまったく知らず、その目的はだれかを騙したり、罠にかけたり、あるいは罪に陥れたりすることでは断じてなかったからだ」

●『覗くモーテル観察日誌』(ゲイ・タリーズ著、白石朗訳、文藝春秋、二〇一七年)▽『寺山修司・遊戯の人』(杉山正樹著、新潮社、二〇〇〇年)

読売や、ああ読売や

ＷＯＷＯＷでドラマ「社長室の冬」を見た。大新聞が発行部数の減少で経営危機に陥り、外資系ネット通販会社に身売りを図る。

外資系の条件は苛烈で「紙の新聞全廃」である。用紙代不要、印刷工場不要、販売店不要で経費削減だが、大幅な機構縮小と人員整理は必至だ。けれど解雇はしない、全員救済するとの約束で実現しかかる。だが反対する社主家の暗躍で頓挫。小規模化で題字は残るものの部数減は続き、誰にも春は来ないという新聞冬物語であった。

「ジャーナリストの魂を捨てるのか」とか「民主主義を守るのは新聞だ」とか、大仰な科白が飛び交う場面には辟易したが、部数激減に広告収入ガタ落ちが重なって、新聞経営が今日暗いトンネルに入っていることは間違いない。

明治以来の紙齢を持つ全国紙で、社主家の関わる美術館があるとくれば、わが古巣の朝日新聞がモデルかも知れず、「たかがドラマ」と思いつつ、つい見てしまった。原作があると聞き、読もうかと思う矢先にそれどころでなくなった。作者の堂場瞬一は読売新聞にいたというが、その読売の「ジャーナリストの魂」に驚くべき変調が現れたのである。将来を云々するよりも、今の危機がそこにある。

（2017.7）

読売は五月三日付一面に「首相単独会見」を掲載し、「九条に自衛隊の存在を明記した憲法改正の二〇二〇年施行を目指す」とする首相の考えを「特報」した。政治部長が署名入りで、「悲願達成には、もはや猶予は許されないと決断した」と、首相の「ご意向」を忖度したような解説を施している。

三日、首相は東京都内で開かれた「日本会議」の集まりに、「自民党総裁」としてビデオメッセージを送り、同趣旨のことを述べた。

このビデオメッセージをもとに、他紙は四日付で読売を後追いした。八日、国会で質疑があった。衆院予算委員会で野党議員の質問に対し、首相は「読売新聞で詳しく書いているので、熟読してくれればいい」と言い放った。

この前後、「安倍首相の一日」欄を見ると、首相と読売との間には密接な接触があった。四月二十四日午後六時三十一分、東京・飯田橋のホテルグランドパレス内の日本料理店「千代田」で読売新聞グループ本社の渡邉恒雄主筆、東京本社の前木理一郎編集局次長兼政治部長と会食▼四月二十六日午後三時十二分、読売新聞のインタビュー▼五月二十九日、午後六時五十五分、東京・赤坂の居酒屋「うまいぞお」。読売新聞東京本社の田中隆之編集局総務、前木理一郎編集局次長兼政治部長、飯塚恵子国際部長と懇談、といった具合だ。

朝日の元政治記者が「自分のころは、首相インタビューは各社単独では行えないルールだった」と訳知り風な、頓珍漢なことを言っていたが、『読売新聞140年史』によれば、「読売が安倍の単独インタビューに踏み切ったのは、第二次安倍内閣が発足した直後の2012年12月28日のこと」で、「当初内閣記者会から反発する声も上がったが他社がすぐ追随した」とある。首相官邸とメディアの関係はすっかり変容していたのだ。

政権と一心同体の紙面は続く。

「モリ・カケ」忖度疑惑で前川喜平前文部科学事務次官の「証言」が出て世間が騒然とするなか、読売は「前次官は売買春の温床である出会い系バーに通っていた」と「特報」し、「批判が上がりそうだ」と難じた。「出入りしていたことが関係者の取材でわかった」というのだが、前川は在任中に警察庁出身の官房副長官からバー通いを注意されたといい、「特ダネ」の出所は容易に推定できる。

これが「真実を追求する公正な報道」を信条に掲げる新聞か。「政権の走狗」「御用新聞」との批判が起きた。黙殺できかねたとみえ、釈明記事が二度出た。

一つは、五月十三日付で東京本社編集局長の署名入り。「首相が憲法改正についてどのような考えを持っているのかを直接取材し、広く伝えることは、国民の関心に応えることであり、本紙の大きな使命である」と動機を述べ、単独会見は「数カ月前から申し込み粘り強く交渉した結果、実現した」と言うが、要は政権に利用されたのではないと言いたいらしい。

もう一つは、六月三日付の社会部長の署名入り。前次官の「出会い系バー」通いは「公人として不適切な行為であり、それを報道するのは、公共の関心事であり、公益目的にもかなうものだ」と弁じている。さすれば今後は政治家や高級官僚の「出会い系バー」通いを誰彼なく報じるのであろうか。記事の本意を問われているのに、「本紙報道が、加計学園の獣医学部新設に関わる前川氏の『告発』と絡めて議論されているが、これは全く別の問題」と逃げている。権力の餌に釣られて、政権寄りの印象操作をする新聞というイメージは消えようがない。

読売新聞東京本社で社会部長、編集主幹、社長、会長を歴任した滝鼻卓雄に『記者と権力』という著書があって、こう書いている。

「いまほど、隠された真実を探し、ジャーナリズムのフィルターを通過させて報道することの重要さを確認すべき時代はない」

記者に対して「塀の上を歩け」と覚悟を迫り、権力者と記者の関係は「合法か違法かのぎりぎり、日常的な友好的関係を守るか裏切るかのすれすれ。そんな鋭角的な線の上に立って、書くか書かないかを迫られ、その結果ニュースが生まれる」と説いている。

そのとおりだと、本田靖春は言うだろう。一九五〇年代、まだブロック紙ながら「民衆の胸の内を掬い上げて権力に叩きつけるキャンペーン」を連打する潑剌たる紙面に惹かれて読売に入った本田は、七一年に退社してノンフィクション作家に転じたが、「読売ＯＢ」であることを生涯の誇りとした。本田の去ったあと、やがて読売は渡邉恒雄が主筆として紙面を握り、憲法論調を転換して、自民党政権に寄り添っていく。

媚び、諂《へつら》いを心底から嫌い、「体制のポチにはならない」を信条とした本田は、「記者はおのれを権力と対置させなければならない。これは鉄則である」と言った。真実の隠蔽に躍起の政権に与する古巣の現状を見たら、本田は何と言うか。「読売ＯＢ」の看板を返上するに違いない。

●『我、拗ね者として生涯を閉ず』（本田靖春著、講談社、二〇〇五年）▽『記者と権力』（滝鼻卓雄著、早川書房、二〇一七年）▽『読売新聞百四十年史』（読売新聞グループ本社編集・発行、二〇一五年）

新聞は誰のためにあるのか

（2018.5）

『ペンタゴン・ペーパーズ／最高機密文書』を見た。

泥沼のベトナム戦争で、アメリカ政府は国民に嘘をついていた。それをあばく「最高機密文書」を新聞が素っ破抜いたジャーナリズム史上画期的な事件の映画化である。

新聞がまだ輝きに満ちていた時代を想起させずにおかない。スピルバーグはしかし回顧趣味で撮ったわけではあるまい。「政府と新聞」という緊張をはらむ対決は、今も新しい出来事だからである。

一九七一年六月十三日の日曜日、最高機密文書を特報したのはニューヨーク・タイムズであった。二十年を超える間、トルーマン、アイゼンハワー、ケネディ、ジョンソンと歴代の政権はベトナム介入に関する事実を隠蔽した。平和的解決の追求を表明しながら裏で軍事行動を取り、隠れて政治的暗殺を謀り、ジュネーブ条約に違反し、不正選挙をやり、連邦議会には虚偽報告をしていたのである。

六七年に国防長官マクナマラの指示で作られた文書には「合衆国のベトナムに於ける政策決定の歴史（1945－67年）」という平凡な題名がつけられていた。三千頁の歴史的記述と四千頁の補遺資料からなり、全体で四十七巻。第二次世界大戦後からベトナム和平交渉が始まる六八年五月までのインドシナ半島とアメリカとの「闇の歴史」であった。

マクナマラは調査目的を「学者たちに資料を残し、そこから当時の真実を再評価できるようにするため」と語り、文書は極秘の保管所にしまわれていた。ベトナムの戦場を見て政府の「嘘」に幻滅し、文書執筆陣に加わったランド研究所のエルズバーグが内部告発を決意する。ひそかに文書を持ち出してコピーし、議会で公開を試みたがならず、新聞に流すことにした。タイムズを選んだのは、ニール・シーハンというベトナム戦争を厳しく報道する記者がいたからだ。タイムズは三カ月をかけて精査し、国益と公益を検討したうえで文書の掲載に踏み切った。

スピルバーグは、エルズバーグやシーハンをヒーローにせず、抜いたニューヨーク・タイムズではなく、抜かれたワシントン・ポストを舞台に作った。原題は『The Post』。抜かれだろうと、それがニュースならばきちんと追うことをジャーナリズムの使命とした新聞人に共鳴したのである。かくてポスト編集主幹ベン・ブラッドリーと、経営幹部の強い反対にもかかわらずベンを支持した社主のキャサリン（ケイ）・グラハムの二人が主人公なのである。

ケイに自伝『わが人生』がある。十六歳のとき、父がワシントン・ポストを買収した。恋愛結婚した夫が社長になるが、鬱病から自殺するという不幸を越えて後を襲う。四十六歳の時だ。「耳学問ですべてが首尾よくいくものと甘く考えていた」という彼女は「前途に横たわる事の重大性を知った時の狼狽、事態の扱いの難しさ、長年にわたりいかに不安な日時を過ごすことになるかが分かっていなかった」と、正直に回想している。

「とりあえず私がアドバイスできるのは」と言論界の重鎮ウォルター・リップマンが手紙をくれた。「出社前に一時間ぐらいの時間をかけて新聞を読むことだ。読み方としては、ポストにじっくり時間をかけ、ニューヨーク・タイムズについてはポストに載ってない記事の見出しを見るだけでいい。紙上で報道されている奇妙な事件をいちいち調べ上げようとするのではなく、特に興味を引いたり、もっと詳しく知りたいと思う記事がポストやタイムズに載っていたら、それだけをメモしておく。そしてその記事を書いた記者に電話を入れ、説明させることを忘れないことだ。そうすれば一石二鳥というものだ。つまり、そこそこの努力で情報を入手できるし、同時に実際に原稿を書いた記者についても、他の方法では得難い正確な人物像をつかむことができる」。

この本が出た二十一年前、このくだりにわたしは傍線を引いた。今読み返してみても、何と的確で実際的な助言かと感じ入る。

今でこそポストはタイムズと並ぶ代表的新聞とされるが、ケイが引き継いだ頃はまだ赤刷りの大見出しを掲げる大衆紙だった。彼女は六五年にベンをニューズウィークから引き抜いて編集幹部の地位につける。ベンはこれはという記者を次々と採用して署名記事を書かせた。ケイとベンは二人三脚でポストを改革していく。

タイムズを追うにも、文書がない。思い余って「あなたの親しいマクナマラからもらえないか」とベンはケイに頼むが、「それは出来ない」と拒まれる。だが研究所でエルズバーグと同僚だった記者がいた。入手できて、明日の朝刊で公表という時、政府が裁判所に記事差し止め命令を求めた。「報道の自由は報道しかない」と言うベン。政権との軋轢を恐れる経営陣や顧問弁護士。降版ぎりぎり、ケイは決断を迫られる。「新聞が潰れるかも知れない」と聞かされた。

「恐怖と緊張から、私は大きく息をつき、そして言った。／『やりましょう。やりましょう。実行です』」

こうしてポストは、タイムズが差し止められた後に機密文書を掲載した最初の新聞になった。有力紙が次々と戦列に参加した。最高裁は差し止め命令を無効とする。合衆国憲法修正第一条がいう「報道の自由」は守られたのである。

ベン・ブラッドリーは最高裁判決の「新聞は国民に仕えるものであり、政権や政治家に仕えるものではない」という言葉を引いて、こう述べている。

「両者の利害関係の対立が、新聞と政府の間に対立をもたらす。新聞と政府は対立関係にあるということが、本質的な関係である。両者の対立関係こそ、その社会の民主主義の品質証明であり、その強さでもある。そしてここにフリー・プレスを保障する憲法修正第一条の具体的な意味と重要性がある。なぜなら、報道の自由なしには争点の発見がなく、争点なしには真実の発見がないからである」

嘘をつき、隠蔽し、強弁し、はぐらかして恥じない政権なら我々にもおなじみだ。がんばれ、新聞。

●『キャサリン・グラハム　わが人生』（キャサリン・グラハム著、小野善邦訳、TBSブリタニカ、一九九七年）

それぞれのミッション

（2019.2）


　やたらテレビをつけては家人に笑われる。正月は映画の「ミッション：インポッシブル」連作を見た。

　半世紀前にブラウン管で見た懐かしの「スパイ大作戦」の原題がこれであったと知った。テーマ音楽が同じ、「例によって、君もしくは君のメンバーが捕らえられ、あるいは殺されても当局は一切関知しないからそのつもりで」という指令テープが自動消滅するのもそっくりだ。映画界の常道であるパクリの典型ながら、荒唐無稽で奇想天外なトリックで目的を果たす展開と派手なアクションの連続は暇つぶしには恰好であった。

　インポッシブル（不可能）なミッション（任務）の遂行命令を当局から受けて、トム・クルーズがテロ組織や犯罪組織との戦いに奔走するという筋書きは「世界の警察官」を自任していた時代のアメリカならではの設定であろう。何事も「アメリカ・ファースト」で、世界の難題から身を引こうとするトランプの国には、今やこんな使命感に満ちた映画は似合わない。

「ミッション：インポッシブル」と言えば、これを背負ってめげないお方が日本の宰相だ。拉致被害者救済、憲法改定、北方領土奪還、国土の強靭化、原発輸出政策……声張り上げて自ら課した任務は数知れず。しかしどれもこれも実現しそうにないのが情けない。星取表を作れば、●

●●……。引退した稀勢の里と同じい。
政治家の仕事は空言空語をもてあそぶことにあらず、何をやり、何ができなかったによって評価されるべきだとは言わずもがなであろう。しかるに在任七年を数える安倍内閣に言論機関が評定を下せないでいる。ただ酒席をともにして、夜伽ばなしに精出すだけの政治記者連中には本来のミッションは消滅しているらしい。

そこへいくと、アメリカ・ジャーナリズムの風景は異なる。ボブ・ウッドワードの『FEAR恐怖の男――トランプ政権の真実』を読んだ。

政権の出だし二年間に焦点を当てて、その「意思決定の仕組み」を解明すべく、著者は例によって、ディープ・バックグラウンド・インタビュー、つまり情報はすべて使用してよいが、情報を提供した人物については何も明かさないことを条件に、出来事に関わったか、じかに目撃した人々に数百時間に及ぶインタビューを行った。ただしトランプには断られたとある。

年初、国防長官マティスが更迭された。これで当初からの主要幹部はほぼ全員が政権から去ったことになる。こうなるだろうことはこの本の随所に示唆されている。

退役海兵隊大将、元中央軍司令官のマティスは、蔵書七千冊を所蔵し「戦う修道士」と称される。政治と軍事のイロハを知らない大統領に対して、つねに物静かに説く国防長官は「政権のモラルの重心」といわれた。戦争を望まず、「現状維持と戦争を行わない戦略がウィンウィンだ」が持論だ。

「ヨーロッパの防衛になぜ金を出さなければならないんだ?」とNATOに疑義を呈し、オバマが結んだイラン核合意を非難し、アフガンからの撤退を主張し、と大統領は万事否定をミッシヨンと考えているかのようだ。韓国との貿易赤字年間百八十億ドルと在韓米軍の駐留費用三十五億ドルということにこだわり、貿易協定を破棄し、韓国引き揚げを言い募る。

米韓の良好な関係のおかげで北朝鮮のミサイル発射を七秒で探知できるのであり、これは国家安全保障の要になっていると説明しても、大統領は理解しようとしない。「私たちは」と、マティスは落ち着いた声で、にべもなく言った。「第三次世界大戦を防ぐために、こういったことをやっています」。

トランプはシリアのサリンガス使用に逆上して独裁者アサドを「ぶっ殺そう！」と叫んだ。「ただちにやります」と答えたマティスは、電話を切るや上級補佐官に言った。「そんなことはやらない」。

一発の銃声で始まった第一次大戦を描いたタックマンの『八月の砲声』に心酔し、戦争の勢いが増すと、誰にも止められなくなることを恐れるマティスは、好戦的な態度のトランプに我慢ならなくなっていく。ついに側近にこう伝えた。「大統領はまるで〝小学五、六年生〟のようにふるまい、理解力もその程度しかない」。

感情的になりやすく、思い込みで動き、勉強が大嫌いで資料を渡しても読まず、財政の仕組みを知らず、貿易協定を毛嫌いし、グローバリストを端から敬遠し、部下への思いやりや哀れみといった感情はまるでない。そんな男がいま、アメリカの大統領なのである。しかもこの男の信条はこうだ。「真の力とは恐怖だ。力で肝心なのはそれだけだ。弱みを見せてはいけない。つねに強くなければならない。脅しに負けてはならない」。

ホワイトハウスの内部分裂は目を覆うばかりだ。娘のイバンカと娘婿クシュナーが権限もないのに我が物顔にうろつき、高官同士は容赦なく中傷し合う。「ヘビとネズミ、ハヤブサとウサギ、サメとアザラシを、動物園で壁のないところに入れたら、むごたらしく血みどろになる」と、状況を例えた首席補佐官はうんざりして辞めた。

次の首席補佐官は「トランプは馬鹿だ。説得しようとしても無駄だ。彼は正気ではない。私たちは狂気の町にいる」と言って辞め、国務長官は「あの男は知能が低い」と言って辞め、国家経済会議委員長は「彼は間違っていることは、絶対認めないだろう」と言って辞めた。迫りくるロシア疑惑捜査に対処していた弁護士は「あんたはクソったれの嘘つきだ」と言いたかったが言わずに辞めた。

あのニクソンを追い詰めた『大統領の陰謀』以来四十有余年、歴代大統領の実像活写をミッションとしてきたウッドワードは、今年七十六歳、なお現役の新聞記者である。「アメリカは、感情的になりやすく、気まぐれで予想のつかない指導者の言動にひきずりまわされている」との観察は、アメリカへの警鐘であろう。ワシントン・ポストのファクトチェックによれば、トランプは二年間に八千百五十八回の嘘をついたそうである。

●『FEAR　恐怖の男――トランプ政権の真実』（ボブ・ウッドワード著、伏見威蕃訳、日本経済新聞出版、二〇一八年）

異を立てるということ

(2019.5)

何が起きるか分からない。まさか「云々」を「でんでん」と読んだ国語力のお方に、万葉集の講義を受けるとは思わなかった。

「万葉集は、千二百年余り前に編纂された日本最古の歌集であるとともに云々」。その中の一節、「初春の令月にして　気《き》淑《よ》く風和《やわら》ぎ云々」から取った元号「令和」には「人々が美しく心を寄せ合う中で、文化が生まれ育つ、という意味が込められている」との御講説に、ただただ感じ入ったことである。

それにしても「平成最後の閉店セール」から「平成最後の春場所」まで、「平成最後」の大合唱がやっと終わったら、今度は「令和饅頭」だの、「令和ヌードル」だのと喧しい。日本人はかくも元号好きであったのだろうかと訝しい。いやこれはひたすら一様に元号で煽るマスコミのせいなのではないか。聞かれれば何か言うだろうが、人々が元号にそれほどの関心を持っていたとはとても思えない。

「正月原稿に年号問題をとりあげそこねたのが残念」と「在東京、新聞社勤務」の小和田次郎が『デスク日記』に書きつけたのは一九六五年一月一日である。

「昭和何年などという王朝名を使っているのは、もはや日本ぐらいのものではないか。外務省、防衛庁など西暦記号を文書に使っている役所も多いのに。西暦使用運動を何とか起こしたいものだ」

小和田次郎とは当時共同通信社会部デスクだった原寿雄の筆名。六三年十二月分から雑誌『みすず』に『日記』掲載を始めた。日常の紙面が作られる舞台裏の見聞録は記者志願の必読書であった。新聞界の恥部をも暴く筆致に圧力がかかるのは必至と予想されたが、やがて原は社会部からバンコクに出され、『日記』は六八年十月分で打ち切られる。社側から連載終結を迫られたのだと噂に聞いた。

原は外信部長を経て編集局長、編集主幹として共同通信の中枢を担うが、「出世」した新聞人としては珍しくまともな感覚の持ち主だった。新聞記者は「わが国」などと書いてはいけない、ということをわたしは『デスク日記』に学んだ。「わが国」と書く姿勢にはナショナル・インタレスト論に導かれて、事実上のガバメンタル・インタレストを擁護する「危険」がある。「新聞はできるだけ客観的表現をすべきだ」というのであった。

原が七十二歳で著した『ジャーナリズムの思想』の中でも「権力を監視すべき番犬が眠りこけていたのでは、ジャーナリズムは民衆から見放される」と警告を発し、「日本のジャーナリズムに今なおタブーがあるのはなぜか」と問うている。

話がそれた。年号のことだった。六五年時点における原の問題意識は、しかし日の目を見ない。一部を除き新聞が西暦表示に踏み切るのは四半世紀後の八九年、昭和が終わってからである。このときやっと西暦で記述するようになった。最近の世論調査によると、日常生活で使うのは元号より西暦という人が多い。三十年間に馴化したのである。だというのに、愚かなメディアは「元号狂騒曲」を奏で、踊り続けたのであった。

元号の考案者は誰某らしいだとか、黒子の担当者がいただだとか、落選した他の案はこれこれだとか、今更どうでもいい、くその役にも立たない記事は氾濫したが、「天皇制」や「元号」の根本を問う言論に接することはなかった。

「そもそも天皇制自体に懐疑的な私は、代替わりにさほどの興味を抱いてはいない。ただ『平成最後の……』といったフレーズや『平成を振り返る』式の言説が溢れかえるなか、天皇制そのものを掘り下げる論考がメディアにほとんどないのはどうしたことか」と、青木理が『週刊現代』のコラムに述べていた。六六年生まれというから原の一世代と少し後進にあたる。共同通信の社会部記者やソウル特派員を経て独立。著書に『日本会議の正体』『安倍三代』がある。

「皇室関係ニュースに批判は一切タブー」という日本の新聞の態度は、外国人記者にとって奇妙なことらしいと、六四年二月の『デスク日記』にある。皇室タブー視は今も変わりない。「万世一系」の怪しさ、男系持続の危うさ、雅子妃の体調懸念、秋篠宮家の婚約スキャンダルと、問題はあるのにまともな批判がない。まして根源的な天皇制論議などはない。

八八年の秋を思い出す。昭和天皇の不例とともに広がった「自粛現象」を目の当たりにして、われわれはそれまでさほど意識することのなかった天皇という存在に否応なく直面したのであった。

とつぜん秋祭りが中止され、パーティーが無期延期になった。子どものための動物フェスティバルも「諸般の事情により」取り止め。コンサートも中止、街のイルミネーションが撤去され、テレビのコマーシャルは改変された。

わたしはこのとき社会部のはしくれにいたが、天皇の下血発表が連日繰り返され、皇居に門番記者を終日張り付けて警戒態勢を敷くという社内の騒ぎに違和感を覚えていた。ばかばかしい社内の興奮ぶりをよそに、街は雪の夜のごとく静まり返っている。私的な宴会まで遠慮させられるという話だ。

何かおかしい。新聞記者が「変だな」と思ったら、そいつが即ニュースだとは言わないが、少なくともニュースの発端だ。同僚と語らい「自粛をやろう」となって、わたしはデスクを務めた。神田の古本まつりが中止、新宿御苑の菊花展示がなくなった。野球の早慶戦で応援の大太鼓が消えた――そんな風景を「自粛の街を歩く」と題して報じていった。のちに「公然と反旗を翻した記者たちがいた」と評されたが、われわれはただ奇妙と思ったことに立ち止まり、異を立てただけである。

新聞は一色に染まってはならないと考える。戦前、戦中を想起すれば自明のことだろう。しかし何か「画一化のうねり」が始まると、「右へならえ」と一斉に走り出すマスコミの体質は今も昔も変わらない。さらに悪化しているかも知れない。元号騒ぎのなか「異を立てる試み」はついぞ見られなかった。

●『デスク日記――マスコミと歴史』全五巻（小和田次郎著、みすず書房、一九六五年〜六九年）▽『ジャーナリズムの思想』（原寿雄著、岩波新書、一九九七年）▽『ルポ自粛――東京の１５０日』（朝日新聞社会部著、朝日新聞社、一九八九年）

政治記者は御伽衆か

（2020.3）

ドナルドとシンゾーは依怙贔屓するところが似ている。アメリカの大統領は、かねてお気に入りの右派論客に民間人への最高栄誉とされる大統領自由勲章を贈ったという。日本の首相は、言うことを聞く官僚を人事で重用し、税金で催す「桜を見る会」には自分の後援会を招いて悪びれるところが全くない。

アメリカの大統領が限られた新聞記者と定期的に酒食をともにするかどうかは知らないが、我らが宰相は屢々、一部の新聞記者と酒席を囲む。そこに侍るのはお眼鏡にかなう面々であるのは言うまでもなかろう。

正月十一日、朝日新聞の「首相動静」にこんな件があった。

「東京・京橋の日本料理店『京都つゆしゃぶCHIRIRI　銀座京橋店』。曽我豪・朝日新聞編集委員、山田孝男・毎日新聞特別編集委員、小田尚・読売新聞東京本社調査研究本部客員研究員、島田敏男・NHK名古屋拠点放送局長、粕谷賢之・日本テレビ取締役執行役員、石川一郎・テレビ東京ホールディングス専務取締役、政治ジャーナリストの田崎史郎氏と食事」

七人の新聞・放送人は、首相安倍晋三と二時間余り懇談したとみられる。中身は表沙汰にされていない。これを読んで兵庫県の七十六歳の嫗がこだわりを覚えるが、曽我のコラムを待つことにした。いやしくも記者なら、会食で得た情報を記事にするだろうと考えたのである。ところが期待外れに終わった。媼は投書を書く。それが一月二十四日の「声」欄に載った。

「メディアは権力者を監視するために不即不離の姿勢で臨み、客観的な目を持つことが必要だ。特定のメンバーだけが定期的に首相と会食するのは、記者の基本的な姿勢に対して読者に疑問を抱かせる。私はダメだと思う」と誠に直截かつ常識的な物言いである。

「自民党総裁四選を辞さないのか、任期満了までに改憲の道筋をどう描くのか。夕食をともにしながら、曽我編集委員はどんな感触を得たのだろう」と思った媼は、それが書かれていないので「残念だった」と落胆を隠さない。「なぜ、首相との会食が必要なのか。費用の負担はどうなっているのか。そして、どんな話をしたのか。読者として知りたい」と問い、「ぜひ書いてほしい。曽我編集委員、期待しています」と熱望している。

若い連中と話していると、インタラクティブとか双方向性という用語が飛び交う。「何だい、そりゃ?」と聞けば、要するに送り手と受け手の相互関係、つまりは「読者との対話」ということらしい。

六年前に慰安婦報道で読者の反応を見誤るという醜態をさらした朝日新聞は、「パブリックエディター制度」を創った。「記者や編集者らが見落としがちな『読み手』の視点を編集部門に伝えることで、より正確で公平な紙面をめざします」との触れ込みで、社外識者に委嘱しているのも「対話」の必要性を痛感したからであろう。

投書子の「期待」に、名指しされた曽我がどう応えるか。明確に問われているのだから、明確に答えるに違いない。それでこそ「双方向性時代の新聞」と言える。しかるに投書掲載から九日後の曽我コラムは、問いに何も答えず、政界昔話に終始するものだった。媼は再び落胆したことだろう。「一読者の声」など歯牙にもかけぬといった新聞記者の傲慢さが知れる。

聞かれても答えないのは安倍そっくりだ。直接記事にしないというオフレコが前提ならそう説明するしかない。会計は明朗でありたい。会食は記者の取材活動であるのか、それとも幇間《ほうかん》か御《お》伽衆《とぎしゅう》のごとく権力者のご機嫌を伺う場なのか、二つに一つではないか。

『週刊現代』によれば、神田小川町の居酒屋で旧臘、安倍は首相番記者と「オフレコ懇談」をしたという。野党批判から後継者寸評まで饒舌だったようだが、首相番は政治部一年生が多いから、ただ謹聴していただけだろう。会費は四千五百円だったとある。毎日新聞と東京新聞は欠席したそうだ。

首相との飲食を「本音を聞く機会」として容認する向きがある。だが世間の目は甘くない。厳しい投稿が続いたらしい。無視できなかったと見え、朝日は二月十四日に「首相との会食」を巡る記事を載せた。「権力者が何を考えているのか記事ににじませようとしている」との曽我談があるが、なぜそうと自分のコラムに書かなかったのであろう。しかし「にじませた記事」などついぞあったか。

ちなみに「つゆしゃぶ」は記者側の主催で、首相の分も持ったそうである。やたら会合のゲストがお好きという宰相をお呼びして、書かざる記者どもが自前で御伽衆を務める図がにじんで見える。

めだかが群れるような懇談会など当てにしない記者がいた。朝日新聞の後藤基夫である。政治家とは単独で会った。「ゴッちゃんのGは、何でも『ご存じ』のG」と言われ、「書かざる大記者」

と目された。いかにも知ったことの全ては書かなかったが、書くべきことは書いた。講和後の日本に米軍が駐留する条件を定めた日米行政協定の全容を抜き、保守合同した自由民主党の総裁人事を抜いた。

政治家との親密度が政治記者の力量とされ、玄関組、応接間組、お茶の間組の序列がある。佐藤栄作邸のお茶の間で得意がっている某記者の前に、寝室から平然と現れたのが後藤で、ここに「寝室組」という呼称が生まれた。しかも後藤は、池田勇人とも差しで呑み、大平正芳、田中角栄、さらに中曽根康弘とも親しかった。

窺い知れない情報源を持ち、驚くほど政界に通じていた。けれどもどこかの「大物記者」みたいに政治に介入したり、人事を動かそうとしたりすることは金輪際なかった。臆せず、奢らず、屈せず、高ぶらず、常に批判精神を持し、不即不離で政治家に接した。

とかく公私混同の誹《そし》りのある首相に、御伽衆よろしく侍る新聞記者がいることを知ったら、後藤は何と言うであろうか。わたしが駆け出しのころ、後藤は東京本社編集局長であった。酒の好きな人で一杯聞し召しながら、「いいか、御用記者にはなるなよ」と言われたことを思い出す。

●『政治記者後藤基夫』（後藤基夫を偲ぶ文集刊行会編集・発行、一九八五年）

情報源を明かす

（2020.9）

奇怪な文章を読んだ。

週刊文春や文藝春秋の編集長を歴任したという木俣正剛がダイヤモンド・オンラインに出したものだが、文春が情報源として依存した検察担当記者の実名が複数出てくるのである。

例一　検事総長に吉永祐介がなるとき、「次は根來泰周にする」という密約を政治家が求めた。「そんなことはあってはならないこと、当時の検察記者は各社ともエース級でしたが、NHKの小俣一平記者、朝日新聞の松本正記者が中心となって、文春に詳細な情報を提供してくれます」「そして最終的には、週刊文春がとどめを刺しました」

例二　税金横領事件捜査の雲散霧消を「検察担当記者たちも、『こんなことはあってはならない』と憤慨していました」「立ち上がったのは、前述のNHK小俣一平記者でした。私たちに、検察の情けない現状を教えてくれたのです」「朝日新聞の松本正記者、東京新聞の村串栄一記者らが、次々と取材メモを私たちに提供してくれました」「最終的には、小俣氏が各社の夜回りでの取材メモをまとめて、編集部に提供してくれます」。

朝日やNHKに文春通信員がいたわけだ。情報源の秘匿が新聞学のイロハだとは承知だろうに、何で明かしたのか。「検察内部の劣化が初めて白日の下に晒されたのは、メディアの志ある検察記者たちの協力によるものだったことは、お話ししておきたいと思います」とあるから、木俣のこれは善意かららしい。

各社の「エース級」も元編集長に「志」を顕彰されて、さぞかし本望であろう。しかし検察を回って検察内部の劣化に憤慨したのなら、まずは自分のところで記事にするのが「記者の志」ではないのか。記者もいろいろとはいえ、週刊誌に横流しするために夜回りしていたとは呆れる。まさか無償のボランティア活動だったのではあるまい。

昔の同僚の話だと、松本正というのは遊泳術に長け、社会部長から広報宣伝本部長まで出世した。新人に向かってやたら「夜回りをしろ」と訓示していたそうである。取材メモの私的な活用法まで教唆したかどうかは知らない。思うに朝日の内部事情を週刊文春で初めて知ることが度々あったが、文春と通じて情報を漏洩するスパイが社内にいたのは間違いない。

世界に名高い情報源と言えば、ウォーターゲート事件のディープ・スロートだ。ニクソン政権を崩壊させたワシントン・ポストの調査報道を担ったボブ・ウッドワードとカール・バーンスタインにとっての「秘密の情報源」で、一世を風靡したポルノ映画にちなんでそう名付けられた。このことは事件を描いた『大統領の陰謀』で広く知られる。

しかしその正体は当初、二人と編集主幹のベン・ブラッドリーの三人しか知らず、のちに六人に増えたが、「ディープ・スロートは私だ」と、元FBI副長官マーク・フェルトが弁護士を通じて名乗り出るまで三十三年間にわたり秘匿された。この間、推理と憶測で幾十人の名前が浮かんでは消えたが、ポスト側は沈黙を守った。

ウッドワードは軍役時代に出会ったフェルトに食らいつき、何かと相談を持ちかけた。新聞に行きたいと言ったら、「新聞は先走りしすぎるし思慮が浅い」と不賛成だったが、付き合いは続いた。警察回りのとき、フェルトはFBIの副長官代理で事実上ナンバー2の地位にいた。

父と同い年のフェルトが息子のようなウッドワードの面倒を見るといった趣で、正しい手掛りを示してやるのだった。ウォーターゲート事件で彼は「だれにも見られない場所で会おう」と言った。連絡手段に植木鉢とニューヨーク・タイムズが使われ、映画の見せ場にもなった密会は、未明の地下駐車場で繰り返された。ただし「具体的な情報は教えない。よそで集めた情報や結論を裏付けるか、第二の情報源という役割を果たすだけだ」との原則があった。

「電話はするな」と言ったり、「間違ってかけたふうをしろ」と言ったり、時には情報を小出しにした。煽るようにポストの記事が「手ぬるい」と叱咤し、「もっと手厳しく」と発破をかけるのだった。そして、事件はホワイトハウスぐるみの不正工作なのだということを指し示したのだ。

「身許は決して明かさない」というのがフェルトとの約束である。ウッドワードは本を書くとき、あなたの名前を出していいかと遠慮がちに尋ねてみた。すると、すかさず激怒された。「とんでもない、だめだ。正気か?」

人に聞かれると、「死後に明かすのが妥当だと思う」と答えた。「情報源が、自分たちは死ぬまで秘匿されると安心できるように気を配らなくてはならない」と考えたからだ。これには法律家の中に異論があり、「情報源は永久に秘密にすべきだ」と言う人がいて、「いや、死後二十年が適切」と言う人がいた。

退官後は疎遠になったフェルトがディープ・スロートだという説が流れた。ウッドワードは八十七歳の恩人を訪ねて行く。あなたは何者なのですか、かつて何で新米記者に秘密情報をくれたのですかと、その真の動機を質したかった。だが相手は何も憶えていない。やはり存命中は秘匿しようと決めた。

ところが五年後に本人の「告白」がとつぜん出る。家族の後押しがあったのだという。ウッドワードは苦慮して追認に踏み切るのだが、『ディープ・スロート——大統領を葬った男』には、その葛藤とフェルトへの誠実味あふれる感謝の念が書かれてある。

翻って、文春の元編集長が自慢たらしく情報源の名前を挙げた文章には、葛藤もなければ感謝の念もない。まるで「むかし飼っていたスパイたちの思い出」でも語るかのようである。

●『ディープ・スロート——大統領を葬った男』（ボブ・ウッドワード著、伏見威蕃訳、文藝春秋、二〇〇五年）▽『大統領の陰謀』（カール・バーンスタイン、ボブ・ウッドワード共著、常盤新平訳、立風書房、一九七四年）

秋田魁新報社の闘い

（2020.12）

消失の時代である。

ＡＮＡもＪＡＬも歴史的な赤字だそうだ。部数消失が囁かれる新聞に「国際線需要が消失」という見出しが躍る。見えない新型コロナウイルスのせいで飛べない航空機が、空港の駐機場に翼を並べている。

縁も義理もない、そもそも参政権がないアメリカの大統領選挙の開票速報にいちいち付き合わされたのは、われながらご苦労様だったが、トランプがツイッターで「投開票日の夜遅く、私は大幅にリードしていたのに、数日が経過すると、リードは魔法のように消失した」と独白したというのには思わず笑った。開票所は甲子園に似て魔物が出るということをトランプは知らなかったらしい。

票は一律には開かない。出口調査のないころの新聞記者には、開票台の票の動きに目を凝らすという任務があった。票の束をわざと隠す立会人がいたのだ。敗勢だった候補が土壇場で逆転することも珍しくなかった。逸って当確を打って間違えるときは、決まって隠し票という魔物が現れていた。

トランプには郵便投票が隠し票だった。アルバート・ゴアやヒラリー・クリントンがした敗北宣言を拒み、選挙制度の攻撃に躍起である。老いたるわがまま坊やが地団駄踏んでいる図だ。引導を渡す坊主がいなかったと見える。

彼は事実を疑う。事実を認めようとしないのは、今に始まったことではない。トランプ政権発足後に『真実の終わり』を著したミチコ・カクタニは、トランプを「ナルシシズム、虚言癖、無知、偏見、無作法、扇動、それに暴君的な衝動を具現化する、大袈裟で常軌を逸したアバター（化身）」になぞらえ、「真実と法の支配に対する彼の攻撃が引き起こす途方もない悪影響を無視してはならない」と警告した。

ワシントン・ポストによれば、就任以来、トランプのついた嘘は二万回を超えるという。ホワイトハウスの記者会見で一人の記者が「大統領、国民に嘘をつき続けたことを悔いていませんか」と質問したところ、トランプは黙殺して別の記者を指名した。だがそこに一瞬の間があったらしい。

朝日新聞の沢村亙はコラムで「あの『間』は何だったのだろう。ほんの少しでいいから、呵責の念であってほしいと切に願う」と願立《がんだ》てしていたが、トランプと後悔はどだい無縁だろう。大統領選の大接戦は、英誌エコノミストが紹介したという逆説を思い起こさせる。いわく「嘘をつく政治家を、その発言を信じていないとしても支持することがある」。

虚偽を言い募る指導者が支持される「ポスト真実」の現代では、事実が足蹴にされ、消失する。トランプは気に食わない新聞やテレビをフェイク呼ばわりし続けた。ニューヨーク・タイムズの記者だったカクタニは、『真実の終わり』の結語に「一般的に受け入れられた事実なしには、政策をめぐる理性的な議論はできない。政治的役職への候補者を評価する実質的な方法も、公選された公務員に対して人々への説明責任を問う術もない。真実抜きには、民主主義は制限される」と記した。そしてこの書を「あらゆる場所でニュースの報道につとめる、ジャーナリストたちに捧げる」としている。

カクタニの鼓舞に呼応するごとく秋田魁《さきがけ》新報は、事実を蔑ろにして恥じない政治に対して、事実をもとに「政策をめぐる理性的な議論」を求めた。ろくな説明もなく押しつけられようとしたミサイル迎撃システムの配備問題で住民の側に立って報道し、政府の誤りに事実を突きつけ、計画を断念させたのである。その経緯を記した『イージス・アショアを追う』は新聞衰退の当節、新聞の存在理由を明証して余すところがない。

二〇一七年十一月、読売新聞が「陸上イージス、秋田・山口に」と地味に報じたのが発端だった。イージスって何だ、なぜ秋田なのか、住宅地が近いが危険はないのか、そもそも必要なのか。秋田魁新報の記者たちは疑問を持った。

一八七四年創刊の遐邇《かじ》新聞（遐邇とは遠近の意）以来、官権力の弾圧に抗して秋田日報、秋田新報、秋田民報と題字を変えてきた秋田魁新報は、社是を「正を踏んで懼るる勿れ」とする地元紙である。

「防衛計画の大綱」にも「中期防衛力整備計画」にもないイージス・アショア導入を政府は閣議決定し、配備地を明かさないまま予算に計上した。何故急ぐのだろう。防衛専門の記者などいないが、読者に考える素材を提供するのは新聞の任務である。イージスにまつわる報道を絶やすまいとの方針が取られる。現場へ行く。人に会う。書ける記事は書くという骨法を守って紙面作りが始まった。

米軍レーダーが置かれてある青森へ赴き、もう一つの候補地山口をルポし、国会での論議は漏れなく掲載した。イージスを世界で唯一実戦稼働しているルーマニアと建設中のポーランドへも記者を特派。社長自ら筆を執り「地上イージスを配備する明確な理由、必要性が私には見えない。兵器に託す未来を子どもたちに残すわけにいかない」との署名論文を掲げた。

そして政府の「適地調査報告」をにらんでいた記者が、レーダー波を遮る山があるので不適とされた代替地の図面の仰角がおかしいと気づいたのである。事実と違う。防衛省は答えられない。杜撰極まる調査だった。二〇一九年六月五日付で特報した。毎日新聞が異例のことに「秋田魁新報によると」と一面トップで後追いした。NHKが「ニュースウオッチ9」で詳細に取り上げ、「これは結論ありき、だったんじゃないのか」と論評した。波紋が全国に広がった。

直後の参院選秋田選挙区でイージス反対の野党候補が自民党候補を破った。今年六月、政府は「技術的問題」を理由に計画停止を発表した。事実を軽んじて、何事によらず「丁寧な説明」を逃げた安倍政権も、イージスだけは撤回を余儀なくされたのである。

事実抜きに民主政治は成り立たない。権力が嘘をつくとき、それに抗して事実を追及する新聞の存在が、民主主義の存続のためには必要なのである。

●『真実の終わり』（ミチコ・カクタニ著、岡崎玲子訳、集英社、二〇一九年）▽『イージス・アショアを追う』（秋田魁新報取材班編著、秋田魁新報社、二〇一九年）

記者シーハンの闘い

(2021.3)

　スティーヴン・スピルバーグの映画『ペンタゴン・ペーパーズ』を観た人なら、ニューヨーク・タイムズが何か大スクープをしそうだと聞いたトム・ハンクス扮するワシントン・ポスト編集主幹のブラッドリーが「おい、最近ニール・シーハンはいたか」と、部下にただす場面を記憶しているかも知れない。

　時は一九七一年初夏、あるならヴェトナム戦争がらみ、やるならシーハンではないか。それがここしばらく大統領会見にも国務省会見にも姿を見せないと知って、ブラッドリーはいやな予感を覚える。そして日ならずして国防総省機密文書の暴露という大抜かれに横っ面を張られるのである。

　並みの監督なら、出し抜いたタイムズを描いたであろうに、抜かれたポストに焦点を当てたのがスピルバーグの秀抜な着想だったが、ために本来の主人公たるシーハンはちらとしか出て来ない。

　シーハンが一月七日、八十四歳で死去した。六〇年代のヴェトナム戦争を取材。七一年に米国介入の経過を検証し、歴代政府が状況を正しく伝えていなかったことを示す最高機密文書を特報した。時のニクソン政権は記事差し止めを求めたが、連邦最高裁が「報道の自由」を理由に却下。

政府と新聞の均衡が一変する画期となった。

わたしは十代のころに新聞でシーハンの名前を知った。最初は毎日で、次に朝日だった。UPI通信からタイムズへの移籍で、彼の署名記事の掲載紙が変わったのだ。具体的な記憶はないが、『泥と炎のインドシナ』で一世を風靡した毎日新聞外信部長の大森実が、彼を激賞していたのを思い出す。

再びシーハンを知るのは、機密文書暴露のときだ。わたしは新聞社に入って「キシャ」以前のころで、「トロッコ」同士で米国の新聞記者の凄さを話題にした覚えがある。ところがぷっつりと消息を聞かずに過ぎた。三度、その名前に接したのは、九二年に『輝ける嘘』が翻訳出版されたときである。さながら『戦争と平和』にも似て、ヴェトナム戦争を描き尽くそうとする作品だった。退社して十六年の歳月をかけて書いたとある。二段組の上下二巻本約一千頁を、わたしは息をもつかせず読んだ。

シーハンは三六年生まれのアイルランド系。父の酪農を継ぐ気はなく、奨学金でハーヴァード大学に行った。イエーツ、エリオット、エズラ・パウンドに心酔する文学青年で、ジャーナリストを「書き散らし屋」と呼んで軽蔑していた。政治に関心を持った形跡もない。それが徴兵され「師団新聞」を体験、除隊後にUPI通信の記者となる。六二年、彼はサイゴンにいた。やがてタイムズに移籍。六五年にダニエル・エルズバーグを知る。決定的な出会いであった。

エルズバーグは三一年生まれのユダヤ系。大変な秀才でハーヴァードを最優等で卒業、国防総省からランド研究所に移り核戦略研究家として名を成す。さらに海兵隊を志願してヴェトナムに来た。戦争の実態に通じ、国防長官のマクナマラが命じた機密文書作成に関与、政府寄りから反戦の旗手へと変貌した。文書を持ち出して複写し、それを使って国会議員や報道機関に働きかけるようになる。

シーハンは入手先を言わない。編集局長のローゼンタールが「本物か」と聞いただけである。幹部の誰も問わない。記者を信頼するというタイムズの原則は揺るぎなかった。どんな形で載せるか、法的問題があるか、政府の反応はどうであるか。幹部たちの息詰まるやりとりは、名物記者ハリソン・ソールズベリーの『メディアの戦場』に詳しい。

機密文書は政府が国民に対して恒常的に繰り返してきたごまかしのパターンを如実に示している。問題の核心にあるのは連綿とした嘘だ。一つの政権から次の政権へと引き継がれて、政府がつきつづけてきた嘘である——という点で、幹部たちの見方は一致していた。編集局長はつけ加えた。「タイムズは歴史を提供するのだ」。

「メガトン級」を抜かれて、これを追うか追わないかで意見が割れたポストで、メリル・ストリープ演じる社主のキャサリン・グラハムが「やりましょう」と決断する場面は、映画の見せ場だった。これを機に全米各紙が機密暴露に「砲列」を敷くのである。

シーハンが機密文書を抜いた翌年、まだ戦闘が続いているヴェトナムで元陸軍中佐ジョン・ヴァンが「戦死」した。デーヴィッド・ハルバースタムとシーハンは戦場記者として名を馳せたが、二人の「師匠」がヴァンであった。小柄ながら疲れを知らぬ「戦争における天性のリーダー」は、記者への正確な説明を惜しまなかった。「たくさんのことを教わった。もしヴァンがいなかったら、われわれが書く記事は違ったものになっていたといっても過言ではない」。

極貧の環境で育った南部っ子は、軍人という天職を得た。彼は共産主義に対抗するというアメリカの「大義」の信奉者だが、現地で見た米軍と南ヴェトナム軍の嘘と腐敗と無責任を見逃せない。上層部へ訴えようとして止められ、軍を辞める。だが国際開発局からヴェトナムへ派遣されて「民間将軍」として自在に活動中、ヘリコプター事故で散った。四十七歳。

記者シーハンの主題は一つ、嘘で固めた南ヴェトナムという国を戦場に生きて死んだ男を主人公にして書く。「そこを訪ねる人にとっては、われわれもまた『輝ける嘘』の一部だったのだ」と述べたヴァンの言葉から書名は取られた。三百八十五人にインタビューをして、あらゆる文献に当たり、彼の「生涯の秘密」まで明かされる。

情報源について沈黙を続けたシーハンは、「死後解禁」を条件に取材を受けていた。それによると、エルズバーグが「メモはいいが、複写はだめだ」とした文書を密かに持ち出したのだった。暴露後、疎遠になっていたエルズバーグとマンハッタンでばったり会った。「私がやったように、君も盗んだな」と言われて、こう返したそうである。「いや、盗んでいない。あなたも盗んではいないよ。あの文書は米国民の所有物だ。国民の手に取り戻して何が悪い」。

●『輝ける嘘』上下（ニール・シーハン著、菊谷匡祐訳、一九九二年、集英社）▽『メディアの戦場』（ハリソン・ソールズベリー著、小川水路訳、一九九二年、集英社）

冤罪事件と新聞記者

（2022.3）

「事件記者って何ですか」と若い衆に聞かれる。殺しがあれば現場へ行き、サイレンが鳴ったら火事場へ走る。警察を取材して「抜いた、抜かれた」に一喜一憂する集団。むかしＮＨＫの「事件記者」というドラマを見て、それで志望する者もいた話をし、ついでに「これでも我輩は事件記者だったのだぞ」と言うと、怪訝《けげん》な目をするのがいるのは遺憾である。

新聞に入ると、地方支局で警察《サツ》回りからである。わたしは初任地の宇都宮と次の千葉で県警本部詰めをやり、社会部では花の警視庁捜査一課の担当だったのであるから、「れっきとした」と形容詞をつけて胸を張りたいくらいだが、実は威張れたものでない。

宇都宮では、あさま山荘事件につながる銃砲店襲撃を決行した京浜安保共闘のアジトが県内にあったことを抜かれ、首都圏連続女性殺人事件の渦中に赴任した千葉では、「重要参考人浮かぶ」を抜かれと散々だった。なのになぜ警視庁へ行かされたのか分からない。

捜査当局取材は、相手の手のうちに全部のカードがある。こっちはちらと垣間見せてもらうしかない。発表前に「容疑者をあす呼ぶ」と察知するには、刑事との間に濃密な間柄を築かなければならない。「誰某は一升瓶を下げて毎晩、夜回りしたものだ」といった類いの伝説が語られる所以だ。わたしには、その根気がない。

言うべきことを言うのが新聞記者だと思い、「務まるまいから外してほしい」と申し出たら、「俺の人事に文句をつけるのか」と、部長さんがえらくお怒りになった。詮方なく「役立たず」を証明して一年後、めでたく追い出された。

千葉の重要参考人は小野悦男といった。抜かれてもすぐに追えなかった。「ホンボシ」の確認が取れなかったからだ。起訴され一審で無期懲役になった。ところがこれが二審で無罪にひっくり返る。証拠不十分とされたのである。小野は「自白を強要された」と訴え、一転「冤罪の被害者」として囃《はや》される。

千葉県警の記者クラブで各社の動きを冷ややかに眺めている通信社記者がいた。夜討ち、朝駆けの古典的取材法に批判的で、日ごろからとかく労働条件に小うるさいとのことだった。尤《もっと》もらしいことを喋る男だが、ただの怠け者に見えた。そいつが後日、事件をネタに「犯罪報道の犯罪」てなことを言い出して本をお出しになり、どこかの「教授」に転身したから感心した。オツムのいいやつにはかなわない。

持ち場替えで事件と切れ、小野のことは忘れていたら、数年後に女性を殺害して焼くという類似の犯行で逮捕された。証拠があり無期懲役が下る。「もしや?」と思われた。だが当人は、以前の事件は無実だと言い続けたそうである。確定判決のある刑事事件は一事不再理の原則で二度と審理できない。だから小野は異例の「冤罪者で殺人者」として犯罪史に残る。

新聞一面最下段の書籍広告に、『生き直す——免田栄《めんださかえ》という軌跡』を見つけた。著者の高峰武を多少知る。冤罪事件連続の日本で初めて確定死刑囚が再審無罪になった免田事件と長年取り組み、かつての同僚らとともに膨大な資料の整理に当たり、免田の評伝を書いていると聞いていた。

高峰武は一九五二年生まれ。早稲田の仏文を出て熊本日日新聞に入社したのは、心酔するサルトルの「アンガージュマン」（社会参加）を実践する志だったのかも知れない。警察、司法の担当が長く、社会部長、編集局長、論説主幹を歴任した。

事件の発生は四八年の暮れである。高峰は生まれていない。記者になり支局勤務を経て上がった社会部は、再審判決を前に取材競争の只中にあった。高峰は、熊本地裁八代支部で無罪判決が出た八三年七月十五日の現場にいて、法廷から出て来た免田栄の「自由社会に帰ってきました」というやや甲高い声を聞く。翌月、単独インタビューで「やってもいないのになぜ自白したのか」と質《ただ》している。

四八年十二月二十九日深更、人吉市で祈禱師一家の四人が殺傷された。翌年一月十三日、二十三歳の免田が警察に連行される。窃盗容疑で逮捕、さらに強盗殺人容疑で再逮捕のあと自供。第三回公判で全面否認に転じるが、五〇年三月に死刑判決が下った。再審の請求と却下が繰り返され、第六次による再審で無罪判決が確定したとき、免田は五十七歳になっていた。

「その心情は筆舌に尽くし難い」と裁判所も認める獄中三十四年であった。再審請求という手段があると教えられて、免田は申し立て書を書く。自白書面に片仮名で自署した男が、広辞苑と六法全書を差し入れてもらい、幾度却下されても書いた。第三次でアリバイを認める裁判長がいたが、高裁で取り消された。以後二十七年、免田には「アリバイのある死刑囚」という異例の呼称がつく。

「不眠不休」の追及、自白の強要、再審請求の難しさ、いつ呼び出されるかという恐怖といったことは、免田の『獄中記』に赤裸々だ。「風雪に耐えられない捜査」と司法の不備がもたらす不道理、それに当局発表に頼る報道の欠陥は、高峰らによる新聞の長期連載をもとにした『検証』が指摘している。既刊の両書は戦中の横浜事件で冤罪を被った青地晨がつとに称賛を惜しまなかったところだ。

免田は二〇二〇年十二月五日、九十五歳で命終した。戻って三十八年、彼はひたすら生き直した。刺すような世間の目を逃げず、正面から言うべきことを言った。「死刑の廃止」を主張し、「いちばん憎いのはマスコミ」と公言し、冤罪者の無年金は不当だと訴えた。彼の願いは「人として認められたい」ということに尽きた。突然逮捕され、自白を強要され、死刑とされ、無罪になっても年金がない。俺は人ではないというのか。「再審というのは人間の復活なんです」。

「よう生きてきたなあ」と免田は晩年よく言ったという。生身の彼と最期まで付き合った高峰は、事件の顚末と言葉をライフワークとして定着した。歴史的な事件に出会った新聞記者の、それは宿命であり義務でもあったろう。

●『生き直す——免田栄という軌跡』（高峰武著、弦書房、二〇二二年）▽『免田栄 獄中記』（免田栄著、社会思想社、一九八四年）▽『完全版 検証・免田事件』（熊本日日新聞社編、二〇一八年、現代人文社）

一寸先はまことに闇

七月四日、テレビで『七月四日に生まれて』をたまたま見た。

一九六〇年代のベトナム戦争で海兵隊を志願した青年が重傷を負い運命が激変する。下半身不随の帰還兵は反戦デモに参加、機動隊に車椅子をひっくり返されながら「我々はベトナムで兄弟を殺している」「北爆をやめろ」「政府は嘘つきだ」と叫び続ける。実話に基づく映画化は八九年だった。

こんな作品がロシアでも出来ないか。政府の言うことを信じて、多くの若者が最前線に出ているはずだが、今に「ウクライナの非ナチ化」を掲げるプーチンの「嘘」に気づく時が来るだろう。五十年前にアメリカで起きた反戦デモがロシアでも起きるといい。歴史よ、繰り返せ。そう念じていたところ、日本で歴史が逆流するような事件が起きたからびっくりした。

七月八日、元首相が狙撃されて絶命した。たまたまテレビを点けたとたん「安倍晋三元首相撃たれる」と速報が流れて画面を見続ける羽目になり、これと同じく動けなかった日を思い出した。

七〇年十一月二十五日である。三島由紀夫が自衛隊の市ヶ谷駐屯地で割腹自決した。可はなく不可ばかりだった駆け出し記者は、栃木県警の記者室で他社の連中とテレビの前に半日いた。その日県内は平穏であったのだろう。


（2022.8）

産経新聞の住田良能（のち社長）が「おい、三島は約束について書いていたな」と話しかけてきた。〈私には約束がある。それを果たさなければならない〉といった文章だと住田は言い、「このことだったんだ」と興奮気味で、二人でその話ばかりしていた。

一年先輩の住田とはよく呑みに行った。何事にも一家言あり、弁舌滝のごとく、言葉の端々から新聞記者には珍しい読書家だと知れた。彼は河合栄治郎を、わたしは中江丑吉を楯に自由主義者の闘い方を語り合ったこともある。記者は筆一本が本道としながら、よせばいいのに経営の方へ行って苦労していた。七十にもならぬうちに命を終えたのが悔やまれる。

元首相は七日岡山で、八日は与野党接戦と囃《はや》された信州へ行く予定だったのが、七日夕、急遽奈良へ変更となった。長野応援がやめになったのは、この日発売の『週刊文春』が長野選挙区で立った自民党候補の女性醜聞を報じたからだった。七日に岡山まで行って元首相を狙うが果たせなかった犯行者は、その夜「あす奈良来訪」を知る。

何だかまるで、風が吹けば桶屋が儲かる話をたどるようである。風が吹けば砂埃が立ち、砂埃で目を患う人が多くなり、三味線弾きが増え、猫が減り、鼠が増え、そして……と玉突きの結果桶屋に行き着くのに似て、某候補者昔日の良からぬ行状が元首相の突然の死をもたらしたわけだ。とんだとばっちりだった。しかも憎きは旧統一教会で、元首相のことは「本当の敵ではない」と供述しているというからとばっちりの二乗だ。

こういう悲劇的な最期だと、新聞やテレビは日ごろにも増して情緒過多になり、政治家としての評価は二の次になる。記者による「評伝」が載るけれど、これが「じかに接してみると、ソフトな人物だと感じる人が多い。相手の話をよく聞き、気を配る座談の名手でもあった」（毎日）

とか、「会食では早口で話し、冗談を飛ばして場を盛り上げた。その明るさと情熱に、近くで安倍氏と接した人は引きつけられた」（朝日）と、ただひたすら甘口なのである。

野党や記者の質問に薄笑いを浮かべていたり、木で鼻をくくった答弁をしたり、選挙遊説で野次られて「こんな人たちに負けるわけにいかない」と叫んだり、国会で百十八回の虚偽答弁を重ねたりといった元首相の行状を忘れるわけにいかない者には、親しく酒食を共にした御伽衆のどうでもいい雑感など片腹痛くて仕方ない。

いやしくも八年八カ月という憲政史上最長の在任期間を誇り、「地球儀俯瞰の外交」と称して延べ百七十六の国・地域に赴いたという元首相である。だが拉致問題や北方領土など肝心の約束を果たさぬまま職を投げ出し、二年後に思わぬ難に遭って生涯を閉じた。その実績を総括し、成し遂げたことと出来なかったことを腑分けして見せるのが記者の仕事だろう。

「病気」で退きながら、すぐ最大派閥の会長になり、何かと現政権を牽制する発言をやめなかったのは何故だったか。「常に脳裏にあったのは、憲法改正の行方」（朝日）だったそうで、おそらく三度目を窺《うかが》っていたに相違ない。若年期ただのノンポリだったという三代目がここまで政治に執着するようになったのは何故かと思うのである。

三島事件は元首相の高校時代に起きた。探訪記者青木理の『安倍三代』によれば、同級生が事件を話題にしても元首相は全く反応を示さなかったそうである。

「戦後日本のありようを激しく批判し、日本の歴史と伝統を守れと訴え、憲法改正によって自衛隊を『国軍』にせよと檄《げき》を飛ばした三島の自殺が晋三の心にさざなみを立てた気配はない」

その政治志向性の欠如に驚く青木は、元首相を「何の変哲もない良家の子、つまりは、ごく凡庸なおぼっちゃま」と定義するのである。そんな「おぼっちゃま」が家業とはいえ職業政治家となり、「憲法改正」を標榜して右翼の柱石とまで見做される存在になるとは、これも人の運命の不思議であるか。

マックス・ヴェーバーは「政治とは、情熱と判断力の二つを駆使しながら、堅い板に力をこめてじわっとじわっと穴をくり貫《ぬ》いていく作業である。もしこの世の中で不可能事を目指して粘り強くアタックしないようでは、およそ可能なことの達成も覚束ない」と述べた。「これをなしうる人は指導者でなければならない」。

元首相が『職業としての政治』を読んだかどうかは知らないが、今一度指導者たらんとしたとすれば、それは「不可能事を目指してアタック」したかったのだろう。ともかくも沖縄返還を遂げた佐藤栄作を超えて国葬をもって送られるということを、約束未達成に終わった元首相が諾《うべな》うとは思えない。

●『安倍三代』（青木理著、朝日文庫、二〇一九年）▽『職業としての政治』（マックス・ヴェーバー著、脇圭平訳、岩波文庫、一九八〇年）

必ず名を正さんか

名は体を現すという。

孔子が政治の要諦を問われ、それは「名を正すことだ」と答えたことが『論語』に出て来る。

《子路曰く、衛君、子を待ちて政を為さば、子は将《まさ》に奚《いず》れをか先にせんとする。子曰く、必ずや名を正さんか》（子路第十三）

「きっと名称の整頓からはじめるだろう」と吉川幸次郎は訳しているが、宮崎市定によると、「何をおいてもスローガンを正しくしなければならぬ」となる。

そんな迂遠なこと、すぐには出来ませんよと嘲笑する弟子を先生は「野なるかな」とたしなめる。「野」とは「無教養」（吉川）、または「粗忽者」（宮崎）。

《名正しからざれば、言うこと順ならず。言うこと順ならざれば、事成らず。事成らざれば、礼楽興らず。礼楽興らざれば、刑罰中《あた》らず。刑罰中らざれば、民手足を措くところなし》

ここを「スローガンが正しくなっていなければ、政策に筋道が通らぬ。政策の筋道が通らなければ、政権が安定しない。政権が安定しなければ、教育が進まない。教育が進まなければ、裁判が間違う。裁判が間違ってきたなら、人民は手足を動かすことにも不安がつきまとうことになる」とする宮崎訳がぴったり来るのは、昨今の政情によるものかも知れない。

（2022.9）

戦後最年少で首相にまで上り詰めた安倍晋三が『論語』を読んでいたかどうかは知らないが、思えば安倍ほどスローガンを乱発した首相はいなかった。「美しい日本へ」「戦後レジームからの脱却」に始まって、「拉致被害者を救済する」「北方領土を取り戻す」から「フクシマの状況はアンダーコントロールされています」まで打ち上げられた花火は幾つあったろう。三本の矢、地方創生、一億総活躍、全世代型社会保障、待機児童ゼロ、女性活躍等々、掛け声ばかりだった政治が今や空しい。

安倍がいかに名称を大事にしたかで記憶に残るのは、違憲だとする反対意見を押し切って国のかたちを変えたときである。集団自衛権行使のための法律に「平和安全法制整備法」とあえて「平和」と「安全」を冠したのであった。今にわかに問題とされる統一教会の名称変更が安倍政権のときだったのは偶然とも思えない。

霊感商法で被害者が出た統一教会なら誰もが知っている。だがそれが世界平和統一家庭連合と変っていたとは知らなかった。文部科学省の元事務次官前川喜平によれば、宗務課長当時改称したいというのを「正体隠しになる」と門前払いし、前例踏襲されていた。それが十八年後に突如認められた。文科相は下村博文。「その意思が働いたのは間違いない」。下村は安倍の手下である。「忖度」したのかも知れない。

元首相狙撃事件は政治家と教団の持ちつ持たれつの関係を明るみに出したが、もう一つ新聞やテレビの及び腰も暴露した。取り調べに狙撃犯山上徹也は怨みの統一教会の名を早くから出していただろうに、教団が会見した日まで「特定の宗教団体」としか書かなかった。「全社横並びで旧統一教会の名前を伏せていたのは異様」と、カルト（反社会的宗教団体）に詳しく、被害者救済に関わる弁護士紀藤正樹が朝日新聞の記者に述べているが、情けない話である。

「今となっては責任を感じる」と言う下村は当然問責されるべきだが、「反社会的団体」の名称変更をその時報じなかった記者も処分ものだ。今さら「異例の変更問題」を騒いでいるのは笑止千万である。全国霊感商法対策弁護士連絡会が文科相に送った改称反対の文書は無視され、献金強要など被害は拡大していたのに、かつて霊感商法を執拗に暴いた『朝日ジャーナル』(一九九二年廃刊)を継ぐジャーナリズムはなかったのだ。

銃による襲撃事件で連想するのは一九八七年に起きた朝日新聞阪神支局襲撃事件である。この取材班に統一教会を追い続けた記者がいた。事件が未解決に終わったのち退社して『記者襲撃』を書いた樋田毅である。ついでだが樋田は、学生時代にくぐった痛烈な体験に基づく『彼は早稲田で死んだ——大学構内リンチ殺人事件の永遠』で今年の大宅壮一ノンフィクション賞を受けた。

樋田が統一教会に注目したきっかけは、襲撃事件の三日後に朝日新聞東京本社に届いた「教会の悪口を言うやつは皆殺しだ」という趣旨の脅迫状だった。消印は「渋谷」、散弾銃の使用済み散弾容器二個が同封されていた。支局の記者二人が殺傷された散弾と同じメーカー、同じ種類で、教団の本部は当時渋谷区内にあった。

統一教会と朝日との間には緊張関係が存在した。樋田の探訪は韓国取材も含めて三十年に及んだ。しかし事件との関連を示す証拠は見つからず、新聞記事にすることはついに出来なかった。だが「取材を通して明らかになってきた、この宗教組織の『暗部』を書くべきだ」との思いからこの本は書かれた。なかに驚くべき証言が出て来る。

元信者によると、関連団体には秘密の軍事組織があり、武闘訓練もしていたというのである。

元幹部の一人は「組織として事件に関わった事実はない」と断言したが、「ただし末端信者が暴発した可能性までは分からない」と語っている。そんな組織と元首相は祖父岸信介以来の友好関係を結び、式典にはビデオメッセージを送り、選挙に際しては教団組織票の分配を差配していたのである。

事件後、首相岸田文雄はすかさず国葬にすると発表した。「民主主義を守る」を理由にしたが、これに「国葬は民主主義とは相いれない」と、『国葬の成立――明治国家と「功臣」の死』を著した中央大教授の宮間純一が発言している。「多数残されている安倍元首相の疑念を覆い隠し、安倍政権の評価を固めて自民党政権を守ろうとしているのではないか」(プレジデントオンライン)。世論調査を見ると国葬に反対のほうが多い。

岸田のスローガンが「民主主義」とは知らなかった。聞くふりはするけれど何もしない政治。それを民主主義と称すると「名を正した」のであろうか。

●『論語の新研究』(宮﨑市定著、岩波書店、一九七四年)▽『記者襲撃――赤報隊事件30年目の真実』(樋田毅著、岩波書店、二〇一八年)

人が人を裁く罪と罰

（2022.10）

あってはならないことの最たるものは冤罪だ。誤判で無実の人間が死刑にされてはかなわない。しかしそんなことが、この国ではしばしばあったのである。

「免田事件」は「日本で初めて確定死刑囚が再審無罪になった」と序詞がついて語られる。八月に『検証・免田事件［資料集］1948年（事件発生）から2020年（免田栄の死）まで』（映画「免田栄獄中の生」など収録のDVD付き）が出た。

罪が起きるには起きた理由がある。容疑者自身の弱さ、捜査のずさんさ、弁護士、検事、裁判官の人権感覚、メディアの姿勢など多角的な検証が必要だ。免田事件に関する文献は多数あるが、この『資料集』には最高検による異例の検証報告が採録され、未収録の資料をウエブサイト「刑事弁護オアシス」に導く案内がついていて、必見の書となるだろう。

七十四年前の事件である。

一九四八年十二月二十九日夜、熊本県人吉市の祈禱師の家で、夫婦が殺され、幼い姉妹が重傷を負わされた。人吉署に別件逮捕された免田栄は、拷問と誘導で「自白」させられ、強盗殺人罪で起訴される。公判で全面否認したが、熊本地裁八代支部で五〇年三月に死刑判決。上訴するも五二年、最高裁で確定した。再審を請求したが棄却。三度目で五六年、再審開始が出たのに福岡高裁に取り消され、特別抗告は最高裁に棄却された。六度目で八三年、無罪になる。

二十三歳の青年は五十七歳になっていた。「白福事件」と被害者の名で呼ばれていたのが「免田事件」と変わるのは、最初の再審決定がまぼろしと消え、「個人では無力」と思い知った免田が日本弁護士連合会人権擁護委員会に訴え出てからである。支援団ができ、国会で取り上げられ、新聞やテレビが関心を向けるようになった。

『資料集』には膨大な手紙が写真版で収録されている。獄中三十四年の「死闘」が伝わってくる。表紙の地が黒ということもあり、この本は万物を吸い込むブラック・ホールのようだ。事件は、被害者の命を奪い、濡れ衣を着せられた男の人生を呑み込み、司法体制の弊を暴き、往年の事件記者に資料集編纂の任を課したのだった。

免田から所持する裁判資料や手紙の始末を相談されて、元熊本日日新聞記者の高峰武と甲斐壮一、元RKK熊本放送記者牧口敏孝の三人は「免田事件資料保存委員会」を作る。かつて事件を取材し、免田とその後往来する仲だった。歴史的事件に遭遇した記者として宿命でもあった。

資料は段ボール箱二十箱になった。刑務所から父親に来た通知に「再審請求で執行はされない」とある。法務省は今、再審請求と死刑執行は無関係とし、請求中の死刑囚でも執行するが、当時は違ったのだ。法務行政の恣意的な運用の実態がこれで分かる。

「なぜ、こんなことになったのか」と元記者たちは考える。なぜ三十四年余も我々の社会は誤りを正せなかったのか。一度正す機会があったのに、なぜ生かされなかったのか。免田は晩年になって、「一番憎いのはマスコミ」と本音を吐露するが、新聞や放送は一体何をどう報じてきたのか。

解明にあれだけ長い時間がかかり、これだけ膨大な文書があるのだから、よほど複雑な事件かと思うと間違える。真相は拍子抜けするほど単純なのだ。事件当夜、免田は接客婦といた。捜査段階でそう主張した。だが警察は「アリバイ潰し」をやった。被告は公判で訴えたにもかかわらず、検事も裁判官も詰めを怠ったのだ。

六回と記録される再審請求は、実は十三、四回したと免田は回想している。棄却されるたびに同房の死刑囚や看守に励まされて、心情をつぶさに述べた上申書を書き続けた。アリバイを認めた地裁支部裁判長が最初の再審開始を決定したが高裁に覆された。それから二十七年である。

裁判は十九回あった。検事は終始死刑を求刑した。関与した裁判官は六十七人、うち五十六人が免田を死刑とした。人一人の生命より「法の安定」のほうに重きを置くのがこの国の司法なのだ。弁護士の倉田哲治が言うように「裁判官（検察官を含めて）は、職業的惰性をはなれて、もっと人権感覚を旺盛にするべきである」。

殴られ、蹴られ、眠らされず、食事も出ない取調室で「自白調書」を取られ、本件での拘束は一万二千五百九十九日に及んだ。生還後も死刑の恐怖に苛まれ続けた。警察官、検察官、裁判官に直に質したが、沈黙するか「仕事でやった」「命令でやった」「今さら批判するな」と言われただけで、謝罪の言葉を聞くことはなかった。

初めのうちは誤字脱字当て字だらけだった文面が見違えるように変容する。広辞苑や六法全書を差し入れてもらい、裁判記録を書き写し、上申書を書き、父の死に耐え、聖書を読み、花壇を作り、カナリアを飼い、日課の点訳をする。そういう日々のなかで免田は確固たる自己を作り上げた。「権力者は権力を持つがゆえに間違いを為すものだ」と考えた。

再審無罪で人間として「復活」を果たし、「自由社会」に帰ってきたつもりが、不自由だった。世間の刺すような視線と嫌がらせの手紙。それに抗して生きた。生きるとは、自己に真実に行動することだ。国家賠償請求は断念したが、刑事補償を請求し、原審の死刑判決取り消しを求め、国民年金の支給がないことにこだわった。言わねばならないことは言った。

「人は人として認められなければならない」と免田は信じる。「天皇から公職を拝命した我々とお前らドン百姓とは違うんだ」と警察官から浴びせられた言葉を獄中で反芻するほどに、自分は人間扱いされていないと気づいた。「拝命思想のこの国に、国民のための行政はない。司法の世界では、冤罪というものが容易に作られていくだろう」と思うのであった。

免田は九十五歳まで生きた。冤罪という国家の犯罪を告発し、死刑制度廃止を訴え、天皇制廃止を公言してやまなかった。

●『検証・免田事件［資料集］1948年（事件発生）から2020年（免田栄の死）まで』（免田事件資料保存委員会編・現代人文社・二〇二二年）

Ⅵ　コロナの章

メインテーマはコロナ

アンソニー・ホロヴィッツの推理小説『メインテーマは殺人』を開いて「コロシ」の迷宮で遊んでいたら、世の中のメインテーマは「コロナ」になっていた。

ホロヴィッツが脚本を書いたテレビドラマ『刑事フォイル』は毎回見ていた。戦時中のイギリスはヘイスティングスで捜査に当たるフォイル警視正は魅力的だった。コナン・ドイルやアガサ・クリスティをこよなく敬愛するホロヴィッツには小説もある。「年間ベストテン」の類いに誘われ、去年は『カササギ殺人事件』、今年は『メインテーマは殺人』を手に取った。

いい推理小説は絡繰《からく》りが明かされ、犯人が分かっても、すぐまた再読したくなる。杉江松恋の解説に「後で見返してみると、最も重要な情報が書かれている章は初読時にあっさりと通り過ぎてしまっていたことに気づかされる」とあるが、それが醍醐味なのだ。

この小説にはホロヴィッツが出て来る。探偵に「おれの本を書いてくれ」と頼まれて作品を仕立てていく趣向だ。謎を解く鍵を作家が訊く。探偵がさらりとこう口にするくだりがある。「おれに訊く必要はないさ、相棒。あんたが見せてくれた、お粗末な第一章に書いてある。もっとも重要なものはなんだったのか、きっとあんたも気がつくよ。何もかも、そこに結びついてるんだから」

（2020.4）

コロナ対策に後手を踏む安倍晋三政権の体たらくを見るにつけ、そう言えば最初からこうだったと、この科白が想起されておかしかった。拙速で強引、説明不足のうえ独断的、さらにお友達優遇、依怙贔屓、すぐカッとなったり野次を飛ばしたりという子供っぽさ。すべてはこれこの政権の「第一章」からおなじみの景色ではないか。

「やるぞ」「やるぞ」と掛け声は再三かけるが、解決に至ることはない。憲法改正、拉致問題、北方領土、フクシマアンダーコントロール。「やってる感」で済むのなら政治家は役者で務まる。

安倍は「この一、二週間が瀬戸際」とか「正念場」とか大げさな言葉を発して、催しの自粛を求め、学校を一斉休校とし、隣国からの入国を制限し、「責任は負う」と見えを切った。だが感染拡大は止まらない。結果責任が問われよう。これまで責任を口にしても具体的に取った例はなかった。

「これは、七年も続いた最長政権の手法と力量と実績が本物だったかを確かめる卒業試験のようなものになるだろう」と見立てるのは毎日新聞の政治記者伊藤智永だが、「緊急事態宣言」を発動したくてうずうずしている安倍に、こう釘を刺すのを忘れない。「もしも宣言を出す時は、同時に退陣を表明すべきだろう」。ちなみに伊藤は安倍との会食には参じていない。招かれることは永久にないだろう。

伊藤によると、休校宣言は専門家の提言なし、科学的根拠なし、担当大臣との相談なし、議論なし、説明なし、文書なし、秘書官の今井尚哉の進言ありで決めたといい、二〇一六年参院選前の「リーマン・ショック級が来る」発言も一七年衆院解散時の「国難突破」発言も側近今井の策だったそうだ。

ミチコ・カクタニの『真実の終わり』に、専門家を尊重せず、閣僚の意見を聞かず、素人の側近に頼るトランプが描かれていた。反科学主義は全体主義のソ連やナチスドイツの特徴だったが、トランプのホワイトハウスも同断で、「知識よりもイデオロギー的追従を優先する傾向は、政権全体を通じて見受けられる」とあった。安倍政権もこれにそっくりに見える。

メインテーマが殺人なら名探偵の登場で大団円に向かうが、感染防止は有能な為政家がいないと難しい。トランプは「暖かくなればウイルスは死ぬ」と科学的根拠なしに言っていたのが、株価暴落で非常事態宣言を出した。安倍が検事総長にイエスマンを据えたいのは、「桜を見る会」疑惑の追及を免れるためだろう。とても名大統領、名宰相の器とは言えない。

こういう時こそ求められるのは国民との対話能力だ。ところが安倍はそれを決定的に欠く。首相番記者の質問には無視するか応じても早口ですぐ踵《きびす》を返す。国会質疑は「御飯論法」である。記者会見はプロンプターを読むだけの演説だ。幹事社との問答は「やらせ」と知れている。内閣記者会とのコロナ会見でも、初回発言を終えると安倍はさっさと退席。「質問の手がまだ挙がっていたのになぜか」と国会で蓮舫に問われて、こう答えた。

「あの、これはですね、あのー、あらかじめ、えー、ま、記者あー、クラブとですね、あの、おー。ま、広報室側で、えー、あの、ある程度の、え、打ち合わせをしていると、おー、いうふうに聞いているところでございますが、ま、時間の関係で、えー、時間の関係で、ですね、あのー、お、お、おー、うちらせ（打ち切らせて?）、えー、いただいた、とまあ、こういうことでございます」

半時間後には帰宅している。「そんなに急いで帰りたかったのか」と重ねて聞かれた。

「あの、えー、いつも、えー、この、おー、総理……会見、においてはですね、ある程度の、おーこの、えーやり取り、や、やり取りについて、え、あらかじめ質問を、頂いている、ところでございますが、えー、その中で、誰に、えーこの、お答えをさしていただくか、ということについては、ですね、司会を務める、えー、広報官の方で、責任もって、対応しているところで、えー、あります」

このしどろもどろぶりを松尾貴史がコラムで「わらうしかない」と呆れていた。まこと嗤うしかない。「帰りたかったのか」と聞かれたことには答えなかったが、はしなくも安倍は、記者会見が談合で成立していることをばらしたわけである。安倍は二回目の会見も途中で逃げた。国民にとことん語りかけようという気などないのだ。

パンデミックで死者はまだ増えそうだ。『メインテーマは殺人』に自分の優秀さを誇る葬儀屋が出て来る。「これを血筋というのでしょうか」と言うのを思い出した。遺憾ながら、政治家の出来は血筋とは関係がないらしい。

●『メインテーマは殺人』（アンソニー・ホロヴィッツ著、山田蘭訳、東京創元社、二〇一九年）▽『真実の終わり』（ミチコ・カクタニ著、岡崎玲子訳、集英社、同）

マスクを待ちながら

『ゴドーを待ちながら』に影響を受けて「不条理演劇」の劇作家になった別役実が三月に亡くなったのは、返す返すも惜しまれる。八十二歳。もうしばらく元気でいて『アベノマスクを待ちながら』でも書いてもらいたかった。

新型コロナウイルスにトンチンカンな対応ばかり重ねる政権だが、なかんずく噴飯物だったのが「布マスクを全世帯に二枚ずつ配布する」というやつである。

「後手、後手と言われるのが頭に来る」「総理、マスクはどうでしょう。品不足であります」「量産を指示したはずだ」「官邸主導は、例によって不首尾であります」「マスクは効果ないと専門家が……」「結果はどうでもいいのであります。何よりやってる感であります」「そうか。やってる感だな」「御意。マスクで国民の不安などパッと消えます」

――なんて会話が首相と下僚との間にあったかどうかは知らないが、しかし感染を防ぐうえで殆ど効き目はないという布製マスクを今さら配ってどうするのだろう。しかも四百六十六億円もかけてだ。使い道がほかにあるだろう。不条理なことに思える。蛇足だが、不条理とは「道理に合わない」「すじみちが立たない」と辞書にある。

病気、災厄、戦争、全体主義、そして死。人生には意味も希望も見出せない不条理が現れる。

（2020.5）

それを凝視し続けたのがアルベール・カミュであった。襲来する運命に人は立ち向かわざるを得ない。克服できないのに克服すべく努力を傾ける。それを「反抗」という。「われ反抗す、ゆえにわれら在り」とカミュは言った。

コロナ禍の渦中、カミュの『ペスト』が売れていると新聞に出ていた。本離れの今日、これは事件だ。禍福はあざなえる縄の如く代わる代わる到来する。幸福なときは何も要らないだろう。しかし不幸のときは何か支えてくれるものを必要とする。そばに読むべき本があるとは有難いことである。

アルジェリアの港町オラン。ある年の四月、一匹の鼠が死んでいた。それが発端だった。腺ペストが広がる。封鎖された町で、混乱は翌年一月まで続くのだ。描かれるのは、災厄に襲われた人々の極限状況である。医者、新聞記者、旅行者、神父、犯罪者。それぞれに事情を抱える登場人物がぶつかり合うなかで、相互理解が出来たり、離反が生じたりする。

一九四七年発表の『ペスト』には、ナチス占領下のパリで抵抗運動に従った作家の体験が投影されている。幾度も絶望的になったことだろう。小説にある「絶望に慣れるということは、絶望そのものより悪い」とか「ペストと闘う唯一の方法は、誠実さです」といった言葉は、いつ終わるか知れない不条理に耐え続けた者が到達した境地であったに違いない。

カミュは五七年のノーベル文学賞を受ける。四十三歳のときであった。しかし三年後、交通事故で急死。不条理と闘った人間らしい最期であった。四十六歳。

感染症を主題にした作品は多いが、『白の闇』も忘れ難い。書いたのはジョゼ・サラマーゴ。ポルトガルの国民的作家で、この長編小説が刊行されたとき七十三歳だったというから、その旺盛な気力には感嘆するほかない。九八年のノーベル文学賞受賞者である。

交差点で一台の車が動こうとしない。運転席の男が半狂乱になって叫んでいる。「目が見えない」。それが始まりだった。突然目の前が白くなるという奇病が、みるみる広がる。原因不明。暫定的に「白い悪魔」と名づけられた。

「失明者、それとの接触者をすべて囲い込め」という政府の命令が出され、該当者は空っぽの精神病院に強制隔離される。軍が管理に当たり、収容者は「許可なく建物から出た者は即刻死亡するものと心得よ」と通告される。

医者も看護師も介助者もいないままに、失明者が強いられる屈辱の日々が際限なく流れる。やくざ連中が「所内政権」を樹立して他の多数を支配するようになる。食欲と性欲を巡る地獄絵図を作家は延々と描くのだが、いちいち引用する煩に堪えない。凄まじい限りだが、極限において人はかくも見苦しくなるということだ。

「昨日は見えた、今日は見えない、明日はまた見えるだろう」という希望に人々はすがる。しかし、それは虚しかった。「政府の期待と医学界の予想はあとかたもなく崩れ去った。失明の発症は広がりつづけた」のだ。「社会の大破局に直面した政府は、早くも責任のなすりあいをし、大急ぎでさまざまな医学者を招集」するだけしか手がない。失明者の増加で財政負担が増大するからと、患者の家庭内監禁へと方針が変更された。すると家族全滅の例が頻発。政府はまた方針を変えるのである。

見えない目が、突然見えるようになって物語は幕を閉じるのだが、安堵してはいられない。訳者の雨沢泰によると、『白の闇』の原題は『見えないことについての考察』なのだが、これに

『見えることについての考察』という続編があって、四年後の情景が書かれているという。選挙で八三％の白票が出た。政府は非常事態宣言をして国内亡命する。無政府状態で市民は平穏に暮らすというのだが、それだけでは終わらないらしい。

カミュもサラマーゴも、未曽有の災厄と遭遇したとき、政府などは当てに出来ない、自分を守るのは自分だと言っているようだ。

緊急事態宣言を出したのに休業補償はおろそかだったり、「外出自粛」で首相が犬と戯れる動画を発信したり、公明党に突き上げられて現金ばらまきに逸ったり、安倍政権のコロナ対応はやることなすことちぐはぐの極みだ。

千葉の流山にある二代目ビリケンさんのマスクが盗まれたそうである。わが家は生協にマスクを毎週注文するのだが、抽選で外れ続けている。生協通信によれば、当選率は一％だという。どだい籤運には恵まれない人生であった。

四月某日、「わあッ」と家人の絶叫が聞こえた。何と、マスク四十枚入り一箱が当選したとの知らせであった。今夜は赤飯を炊くことになろう。

●『ペスト』（アルベール・カミュ著、宮崎嶺雄訳、新潮文庫、一九六九年）▽『白の闇』（ジョゼ・サラマーゴ著、雨沢泰訳、ＮＨＫ出版、二〇〇一年）

コロナ徒然草を読む

（2020.6）

降って湧いた新型ウイルスの蔓延で、新聞もテレビもコロナにあらずんばニュースにあらず、今やコロナの時代である。

日常風景も変わった。わたしが住まいする千葉の浦安でも、書店が閉じ、飲み屋が店仕舞いし、蕎麦処は休業中だ。羽田と成田が近くて大型の航空機が往来し、ことにディズニーランドを見せるための低空飛行を毎日見ていた。それが近頃は、飛んでいない。

不要不急の小人が閑居してろくなことはない。日くらし、よしなしごとを考えていると、「あやしうこそものぐるほしけれ」となってきそうである。外出にはマスクが要る。新聞川柳に〈十万とマスク二枚で生き延びよ〉。われらが宰相の下知ながら、アベノマスクはまだ来ない。十万円もまだ来ない。拉致被害者奪還も北方領土返還も口約束に終わったことを思えば、待っていても無駄かも知れない。

公文書改竄、公文書廃棄、虚偽答弁、勝手な法解釈、官僚人事の専断。東京新聞の定義だと「あり得ない手口を駆使して維持してきた憲政史上最長政権」が、今度は緊急事態の陰でこそこそと検察庁法をいじくろうとした。姑息さだけは変わらない。特定の検察幹部の定年延長は、それが首相にとって好都合だからだ。検察は嘗て田中角栄を逮捕した。脛に瑕持つ政治家は戦々恐々だろう。イエスマンが検事総長なら安眠できる。

法案が国会で強行審議入りした夜、ツイートが一つ発せられた。「#検察庁法改正案に抗議します」。するとこれに呼応する投稿が続いた。朝日新聞によれば、最初の一件は会社勤めの三十五歳になる女性だったという。政権に強い不満があったわけではないが、コロナ騒ぎの中で見方が変わったらしい。「みんなが困っているのに対応できていない。そういう政府の思うままになったら危ないと思った」と述べたとある。

賛同の投稿が三日間で六百万を超えた。「これを無視して強行採決したら、本当に恐ろしい国になる」と彼女は危惧していた。異例のことに多くの元検察官が反対意見を表明した。驕る政府もさすがにいったん見送ったが、諦めてはいない。「恐ろしい国」になる恐れは常にこの政権に付き纏うのである。

今度のツイッターデモは、潮目が変わってきた兆しを思わせる。安倍政権の目眩ましを見過ごしてきた人々が、コロナ対応で露呈した後手後手、朝令暮改、責任逃れ、そして何より首相の言語能力欠如という実相に気づいたのではないか。だとすれば、後々コロナ時代の経験も満更ではなかったと言える時が来るかも知れない。

数少ない友にも会えずに月日が過ぎた。酒と本だけが道連れだ。つれづれなるままにとりとめなく読んでいたら、イタリアの作家パオロ・ジョルダーノが『コロナの時代の僕ら』で「この大きな苦しみが無意味に過ぎ去ることを許してはいけない」と述べていた。今年三十八歳になる物理学者で小説も書くという才子である。二月から三月、心に移りゆくことを書きつけていたというから、さながらこれはイタリア版の『徒然草』だ。

「僕はこの空白の時間を使って文章を書くことにした。予兆を見守り、今回のすべてを考えるための理想的な方法を見つけるために」と思い、「この感染症がこちらに対して、僕ら人類の何を明らかにしつつあるのか、それを絶対に見逃したくない」と考えたとある。

ジョンズ・ホプキンス大学がウェブで公開する世界の感染状況地図を睨みながら、作家が書き綴った断章はあとがきを入れて二十八編を数える。

「もはやどんな国境も存在せず、州や町の区分も意味をなさない。今、僕たちが体験している現実の前では、どんなアイデンティティも文化も意味をなさない」

始まりは中国の武漢だった。

「中国はやはり遠く、誰もがまさかと思っていた。だから新型ウイルスの流行が勢いよくここまで達した時、僕らはみんな仰天した」というから、彼の国の才子もまたわれら同様、ぬかっていたのだ。だが素速く「僕らもウイルスの低い知能レベルまで降りて、ウイルスが見ているように人類を見てみないといけない」と対応する。

ウイルスにとって、人類は①感染させることができる感受性保持者②感染者③犠牲者と回復者の三つに分類されるのみ。個性は無論、年齢も、性別も、国籍も、好みも一切関係ない、感染対象は世界中の七十五億人なのである。

自称「数学おたく」らしく人間をビリヤードの球に例え、感染が指数関数的に増える様を説明してみせる。感染防止には接触回避しかない。一人からの感染が一人以下になれば終息に向かうだろう。行動を改めよ。これぞ「僕たちの我慢の数学的意義」と言う。

「感染症の流行は考えてみることを勧めている」と、彼はひたすら考える。ウイルスはどこから来たのか。きっと本来の生息地を追い出されたのだ。「ウイルスは、細菌に菌類、原生動物と並び、環境破壊が生んだ多くの難民の一部だ」。森林破壊、都市化、温暖化といった人間の自然への攻撃的な態度が問題だったに違いない。

「僕たちは今、地球規模の病気にかかっている最中であり、パンデミックが僕らの文明をレントゲンにかけているところだ。数々の真実が浮かび上がりつつある」

コロナの「過ぎたあと」まで考える。「忘れたくない物事」のリストを作り始めるのだ。鈍かった初期の対応▽人々の献身的行為▽自分の自己中心的な愚鈍さ▽いい加減だった情報の伝播▽政治家たちの不思議な沈黙▽ヨーロッパの出遅れ……と、記憶に留めるべきことは多い。「僕は忘れたくない。今回のパンデミックのそもそもの原因が秘密の軍事実験などではなく、自然と環境に対する人間の危うい接し方、森林破壊、僕らの軽率な消費行動にこそあることを」。

これはまねてみようと思った。パンデミックの再襲来は必至だが、今回が終われば、人間はすぐにも忘れかねない。コロナの時代に、「一強」政権が姑息な失政を続けたこともリストに入れねばなるまい。

●『コロナ時代の僕ら』（パオロ・ジョルダーノ著、飯田亮介訳、早川書房、二〇二〇年）

コロナとチャペック

（2020.8）

世界中に新しい感染症が広がっている。各国で対応に躍起だが、全く効果がない。死者が増えていくばかりだ。お手上げかと思われたとき、「私は救える」という医者が現れた――と言っても、今のことでない。一九三七年に発表されたカレル・チャペックの戯曲『白い病』の発端である。一八年から一九年に大流行したスペイン風邪を知る作者が、第二次大戦開戦前夜の不気味な情勢の中で書いた作品として知られる。新訳が九月に岩波文庫で刊行されるのだが、本文がネットに出ていると、朝日新聞七月一日付夕刊で読んだ。東京大学准教授阿部賢一が翻訳し、ネット上の「ｎｏｔｅ」（https://note.com/kenichi_abe）に無料公開したのだとある。

本になる前の本と遇う。初めての体験であった。この三幕物は九二年に、『白疫病』の題名で栗栖継の訳書が金沢の十月社から出ているが、今は手に入りづらい。有難く無料公開の恩恵に浴した。

「白い病」になると、皮膚に白い斑点が出て、肉が腐り、悪臭を放ちながら死に至る。なぜか若い人は罹らない。五十歳前後が感染し、最後はモルヒネしかない。そこに「特効薬をつくった」と一人の医者が名乗りを上げたのだ。

患者は完治する。だが医者には確固たる信条があり、貧乏人しか診ない。それと「戦争に絶対反対」なのだ。発症した軍需産業の資本家が大金を積んで「診てくれ」と頼むのを断り、独裁者の元帥が「無条件で治療せよ」と命令したが、軍備増強の停止と「恒久平和の宣言」を要求して、断固退かない。

独裁者は戦争を始める。「幾千もの子どもたちの命を守るためである」。国民は「万歳！」と熱狂する。「必ず勝つ」と演説する元帥の胸に白い斑点が生じた。急遽呼ばれた医者は「平和条約締結」を条件に官邸に向かう途中、「戦争万歳！」のデモに遭い、思わず「戦争反対！」と口走った。ために群衆に囲まれて……、そして幕が下りる。

チャペックは、チェコが生んだ天才である。童話『長い長いお医者さんの話』を訳した中野好夫に言わせると、「恐ろしく器用な人で、劇も書けば、小説もつくるし、気のきいた探偵小説、じつにたのしい旅行記や随筆、そのうえ、ちょっとほかにまねてのない少年少女の読み物など、どれもみな一流の文学を書いていています」となる。

当人は「私は新聞記者だ」と称した。「その仕事を片手間にやっているつもりはありません。私は文学にたいするのと同様に真剣に取り組んでいます」と書いている。(『コラムの闘争』)。二十七歳で『国民新聞』に入るが右傾化に抗議して三十歳で退社、『民衆新聞』に転じて亡くなるまで勤めた。

あたかもチェコスロヴァキア共和国の独立から発展、それから危機にさらされる時代に、彼は記者として働き、記事は三千点を超える。どれもヒューマニズムあふれる文章とされる。

関東大震災の報に接して、チャペックはこう書いた。

「私たちの同情が、もし、われわれ地球上の全人類全民族は家族、兄弟、隣人あるいは親戚、それをどう呼ぼうと構いませんが、要するに一つであるという輝かしい、まさに目もくらまんばかりの意識によって導かれたものでないかぎり、そんな同情は偽善的感傷となるでしょう」。

ナチス・ドイツの出現で祖国は危殆に瀕した。刻々と迫る脅威に抗して、彼は小説『山椒魚戦争』や『白い病』を著す一方、反ファシズムの記事を書き続ける。しかし三八年、ミュンヘン協定でチェコが生贄に供されるや、くずおれるように世を去った。四十八歳。三カ月後、ドイツ軍がプラハを占領、ゲシュタポがチャペックの家に来た。同志だった兄ヨゼフは強制収容所に送られて死んだ。

新聞記者として目前の歴史の進行を凝視しつつ、チャペックは人間と文明の行く先を考察した。三十歳のとき発表した『ロボット』はSF文学の古典である。人間が人間そっくりのロボットを作って労働させる未来が描かれ、ロボットの反乱で人類は全滅する。晩年の『山椒魚戦争』も同様だが、文明の進み過ぎへの警告は、ＡＩ（人工知能）に浮かれる現代にも通用しよう。古典はつねに新しい。

ロボットと言えば、我らが宰相安倍晋三の顔が浮かんでくる。記者会見でプロンプターを見つめる目といい、官僚の作文を棒読みする口調といい、血が通っていない。国会でも野党の質問には木で鼻をくくったような答弁だし、何事につけ「真摯に」とか「謙虚に」とか繰り返すのはオウムロボットさながらだ。「責任はある」と言うけれど、責任を取った例がない。

新型コロナウイルスの蔓延が止まらない。全国一斉休校から「ＧｏＴｏトラベル」まで、やることなすこと「スピード感」なく、「緊張感」なく、あるのは「ちぐはぐ感」だけの政権で大丈夫であろうか。「否」と言うのはノンフィクション作家の柳田邦男だ。『文藝春秋』七、八月号連載の「この国の『危機管理』を問う」である。

先のSARSの流行を教訓に、七年にわたって「リスク分析」をしてきたドイツと比較して、日本がいかに無為無策で、無防備に今回のコロナに当面したかをつぶさに点検している。「安倍政権の立ち遅れは惨憺たるものだった」。

柳田がことに問題にするのは、安倍の言語能力である。国民の自覚を促すドイツ首相のメルケルの演説がいかに人間味に満ちたものであったか。比較して、安倍の紋切り型の発言はお話にならない。「安倍首相の言語感覚は、戦後の権力者の中で最悪のレベルにまで堕ちたと言いたい。言葉を壊す政治家は、国を壊す」と断じ、政治指導層には「実体を伴う言葉を使い、信頼感と感銘をもたらす表現力のある人物」を強く求めているのに同意する。

ちなみに文春七月号には、柳田の古巣であるNHKの政治記者岩田明子の、安倍晋三にぴったりと寄り添うような文章が載っていた。それは首相の「意気込み」と「決断」を買い、一斉休校も布マスクも「世界に先駆けた政策だった」と称えている。「総理を最も知る記者」だそうだが、記者もいろいろである。

●『ロボット（R・U・R）』（カレル・チャペック著、千野栄一訳、岩波文庫、一九八九年）▽『コラムの闘争 ジャーナリスト カレル・チャペックの仕事』（カレル・チャペック著、田才益夫訳編、社会思想社、一九九五年）

嘘から出た東京五輪

（2020.11）

「五輪はありますかね」と若い友だちに聞かれた。「ない。返上すべきだよ」と答えると、「僕は半信半疑です」と言うから、反骨を通した新聞人むのたけじ（一九一五～二〇一六）が初めて世に問うた『たいまつ十六年』を見せた。

むのが学んだ東京外国語学校（現東京外国語大学）のスペイン語学科講師だったムニョス先生が出てくる。独裁者フランコに反抗してスペインを出国。以来、「フランコがいる限り母国に帰らない」との志を貫き、何主義者かと問われれば、おうむ返しに「合理主義者だ」と応じる人だった。

先生は学生が「半信半疑」をそのまま横文字に訳したのを見て、「日本人は実にでたらめな言葉遣いをするね」と両手を広げて肩をすくめ、こう言ったそうである。

「キミ、信じているということは疑わないことだよ。たとい二分の一だろうと三分の一だろうと疑う気持があったら、それは疑っていることだ。半信半疑という心境は、あるように思えて、じつは存在しない心境だよ」

「ははあ、ムニョス先生に叱られますね」と彼は頭をかいたが、わたしも偉そうなことは言えない。新明解国語辞典を引くと、半信半疑とは「信じられる所もあるが、一方ではかなり疑わしい所もある」だが、前首相安倍晋三の目をうるませながらの辞任表明には、まさにそんな気分なのである。

安倍の弱々しい顔つきに、入院するのではないかと思ったりした。入院どころか、正式に辞任した九月十六日の前日と翌日には、読売新聞との単独会見に応じ、「七年九か月にわたった長期政権」の回顧談を滔々と弁じていた。それによれば、体調は「新しい薬が効いて、もう大丈夫」だそうで、今後は「外交特使などやりたい」と、すこぶる意欲満々のようである。

ただ当人の言いたいことを言わせただけの自己宣伝臭に満ちた記事で、聞き手は突っ込んだことを聞いていない。むのが読んだら、「そりゃ御用新聞だもんな」と言い捨てるに違いない。かつて国会で改憲について質問された安倍が「私の考えは、読売新聞に詳しく書いてあるから読んで」と答弁したことが思い出される。

逃げたのである。内政外交ともに行き詰まり、ことにコロナでの失政は隠しようもなかった。モリカケサクラの公私混同醜聞への追及は止みそうにない。国会や記者会見で説明を求められ続ける。それがいやで放り出したくなったのだろう。持病再発は恰好のきっかけだったのではないか。

実際、辞任後の消息では、出身派閥の政治資金パーティで挨拶はするわ、自民党幹部による慰労会には出るわ、靖国へは参拝するわと、たいそう活発である。在任中お盛んだった夜の会食も相変わらずのようだし、読売は単独会見時点で「新薬が効いて体調は回復に向かっているようだ」と書いていたが、その後すっかり立ち直っていると見える。

「彼の最大の功績は、政界で生き残ってきたことだ」と言ったのは英人ジャーナリストのビル・エモットだが、いかにも誇るものがあるとしたら、それは在任期間だけである。改憲論者に対する、拉致被害者家族に対する、北方領土関係者に対する、安倍の「約束」はことごとく反古になった。「嘘つき」と責められて然るべきだ。

もっとも、最初から嘘をつくつもりはなかったと言うに決まっていて、案の定、読売を使って弁解に努めていた。いわく「改憲案のたたき台を野党が議論しなかった」。いわく「拉致はあらゆる手段をとった」。いわく「球を投げて、プーチンの反応の意図を読み取っていくという繰返しだった」。

退陣後もその実現に固執するのはオリンピックだが、これぞ「最初に嘘ありき」だった。首相に返り咲いた翌年の二〇一三年九月七日、ブエノスアイレスでの国際オリンピック委員会総会で、安倍は東京を売り込む演説をした。

「福島について、お案じの向きには、私から保証をいたします。状況は、アンダーコントロールされています。東京には、いかなる悪影響にしろ、これまで及ぼしたことはなく、今後とも及ぼすことはありません」

お得意の英語で「アンダーコントロール」と両手を広げ、会場を見渡す日本国首相をIOC委員は信じたことだろう。だが安倍がいけしゃあしゃあと保証した「アンダーコントロール」（統御）が嘘だったとは周知の事実であった。

毎年次々と災厄に見舞われることだが、二〇一一年三月十一日の出来事はとりわけ忘れてはならない。原子力専門家小出裕章の『フクシマ事故と東京オリンピック』から要約すれば、こういうことが発生したのだった。

〈巨大地震と津波に襲われ、東京電力福島第一原子力発電所は全所停電となった。原子炉が溶け落ち、広島原爆百六十八発分のセシウム137が大気中に放出された。人間に最大の脅威を与える放射性物質である。一方、溶け落ちた炉心に向けて水を注入、毎日数百トンの放射能汚染水が貯まり続けている。現場に人間は行けない。ロボットも被曝に弱く使えない〉

事故当日に発令された「原子力緊急事態宣言」は解除されていない。百年続くだろう。これを「アンダーコントロール」と言いくるめるとは、さすがに隠蔽と改竄を得意とする安倍ならではの口先だった。小出は「止むに止まれぬ思い」にかられて、こう書く。

「原発の破局的事故は決して起こらないと嘘をついてきた国や東京電力は、誰一人として責任を取ろうとしないし、処罰もされていない。絶大な権力を持つ彼らは教育とマスコミを使ってフクシマ事故を忘れさせる作戦に出た。そして東京オリンピックのお祭り騒ぎに国民の目を集めることで、フクシマ事故をなきものにし、一度は止まった原発を再稼働させようとしている」

廃炉の難題に直面し、貯まり続ける放射能汚染水を抱える国で、嘘から出た五輪の開催など理不尽の沙汰だ。まして世界は、コロナ禍の渦中にあり、終息の目処すら立っていないではないか。

●『たいまつ十六年』（むのたけじ著、企画通信社、一九六三年）▽『フクシマ事故と東京オリンピック』（小出裕章著、径書房、二〇一九年）

誰が為に五輪はある

新聞の川柳で菅義偉首相がからかわれている。〈安全で安心詐欺の芸のなさ〉。五輪を巡る対応は詐欺紛いと言われても仕方ない。福島原発メルトダウンの後始末を「アンダー・コントロール」と言い繕った安倍晋三前首相の招致演説以来、嘘で固めた五輪である。

国会で滑稽な光景があった。野党議員の「ステージ3の感染急増、ステージ4の感染爆発の状況でも五輪を開催するのか」との質問に、菅は「選手や大会関係者の感染対策をしっかり講じ、安心して参加できるようにするとともに、国民の生命と健康を守っていくのが私の責務」と述べ、「開催」とも「中止」とも明言しない。

再質問に芸もなく同一答弁をして、これを三度、四度と繰り返す。菅はこの日、全く同じ科白を十二回も口にしたという。決まり文句を重ねてガラクタを売りつけたり、怪しげな宗教に誘い込んだりするのは、詐欺犯の手口である。

こう指す、相手はこうくる、そこでこういく。へぼ将棋でも「三手先まで読め」というが、菅は何も考えないのであろう。下僚が下書きした「想定答弁」を棒読みするだけで、あとはおぼろの政治渡世らしい。しょせん苦労知らずの三世だった前任者とは違う「たたき上げ」が売り物だったが、自分の言葉に乏しく、対話能力に欠けることでは瓜二つである。

（2021.6）

国会や記者会見で問われてもはぐらかす「ご飯論法」がまかり通り、ずれたことを言って素知らぬ顔だ。昔あった丁々発止の国会議論など望むべくもない。聞いたことにまともに答えないのだから、野党も処置なしだろう。為政者がトンチンカンなのは、安倍の時から常態になった。要するに、国民をばかにしているのだ。

コロナ、コロナで一年過ぎて、しかしコロナは一向に衰えず、どころか変異を遂げているそうで、「旅に出ず、人に会わず、外で呑まず」を続けるほかない。こういう時はじっくりと何かに取り組もうと、『宮﨑市定全集』を開いた。第一巻の中国史。雄渾な文章を読むうち、「歴史とは現在と過去との対話」というE・H・カーの名言を実感した。中国の古い歴史の中に現代日本が二重写しになる。

秦、漢、隋、唐……と交代していく帝国の栄枯盛衰に一定のパターンが見られる。どの王朝も創成期には明君が出て、経済を興し、民生を安定させて国運は上り坂である。だがやがて皇帝は凡庸化し、暗君のもと宦官や佞臣が跋扈して、国内に反乱が起きるか外からの圧力で崩壊に至る。文字どおり歴史は繰り返すのであった。

「例を見ないほど高度の安定ぶりを示した」という宋王朝が面白い。財政国家で経済成長を背景にルネサンスと称される文化水準を持ち、文官優位で軍人は抑圧されたそうである。外国と戦えば敗れたといい、北の遼に対しては金品で平和を贖い、西の西夏にも金ずくで処置しようとしたとは、戦後のどこかの国に似ていないか。

国家試験の科挙が盛行し、大量の文官が湧出する官僚国家にして、「武を抑えて文を尊ぶ風」の横溢する文化国家であった。書籍出版が商品化され、優秀な読書人階級が成立した。朱子は

「議論ばかり多くて、実績が少ない」と評したが、自由な言論が許された点に「宋代社会の進歩性を認むべきであろう」と著者の評価は高い。

ただし時代の激動に官僚は対処できない。先例に囚われて、事なかれ主義に終始するからだ。

「如何なる対策を立て、如何なる改革を行えばよいかということを知ろうとしても、歴史上には先例がない。先例と言えばそれは国初以来、自分たちの先輩が残した先例しかない。官僚というものは得てして先例を重んじて、新規の企画を恐れるものであるから、ひたすら因循に無事を願って、先輩の足跡を辿って行くうちに、社会的歪みはいよいよ大きくなり、階級的断絶は益々決定的になる」

まるで今の日本そっくりだ。ところが十一世紀の宋には傑物王安石が現れた。「物事の真相を解析的に把握する直観主義の哲学」を持ち、イデオロギーに拘束されるのを嫌い、先例に拠らない。財政合理化の均輸法、農民に低利融資する青苗法、財閥寡占を匡正する市易法等々、次々と「新法」を打ち出して改革に手を付けた。

新法は単なる個人的な思いつきではなかった。名も知られぬ民間人の提案を採用したのだった。「王安石はよくそれらの意見に耳を傾け、上は天子、下は官僚と相談し、熟慮の末に断行した」。これこそが政治家だと宮崎は言う。「政治家ならば本当に被害を蒙りがちな下層の人民の意見を吸い上げて、それを政治に役立てるのでなければ、本当の政治家ではない」。

そんな政治家は二十一世紀の日本にはいない。王安石の政策は「政府の都合がよくなるような改革でなく、弱者の利益を擁護するという立場からなされた改革」であった。既得権益層に受け入れられるはずはない。「そこで朝野の有力者の間から反対の火の手が上ってくるのも、また必然の成行き」で、王安石の死去で反動が起きる。

新法派と旧法派の確執が続き、皇帝も暗愚なら大臣も無能という状況が来る。「政治に信念や節操をもっている者は反って駄目で、時に応じて何とでも変り、必要な際には何でも利用して憚らない便宜主義者が勝ち残り易い」のであり、上に諂《へつら》うことが政治と思う手合いが要職に就く。「綱紀の弛廃、官僚の堕落」という典型的な末期症状が進み、宋は滅びた。「国が滅亡に陥る時には、最も不適当な人間が国政の衝に当るようにできているものなのだ」とは他人事でない。

感染者増加、医療体制パンク、ワクチン予約の混乱という惨状に目を覆う。アベノマスク、GoToトラベル、GoToイートと愚策を弄する暇に、ワクチンを確保すべきだったのだ。「人類がコロナに打ち勝った証に」と、五輪音頭を歌う菅には一人カラオケに行ってもらうよりない。朝日新聞の世論調査によると、十人に八人は五輪の今夏開催に反対という。川柳にいわく〈カネで買いコロナに負けたオリンピック〉。

●『宮崎市定全集1　中国史』（宮崎市定著、岩波書店、一九九三年）

今が五輪の時なのか

（2021.7）


「コロナ年表」を作った。

中国の武漢での「原因不明の肺炎発生」をＷＨＯ（世界保健機関）が発表したのは、二〇二〇年一月五日であった。十日後の十五日、日本で最初の新型ウイルス感染者が確認される。それからコロナ、コロナで一年半が過ぎ、今はワクチン、ワクチンのお囃子のなか、この先の見通しがつかない。

見通しがついているのは菅義偉首相だけで、六月十一日からのサミットに出かけて行き、東京五輪開催の支持を各国首脳から取りつけてきた。開催国がやると言えば、他国がやるなとは言うまいが、よほど確信があるとみえる。頼もしいと思いたいが、そう思えないところがこの人にはつきまとう。

政府の新型コロナウイルス感染症対策分科会会長の尾身茂が、国会で、東京五輪を「このパンデミック（世界的な感染症大流行）の所でやるのは普通でない」と明言したのは六月三日であった。政府に協力する専門家集団代表の判断を黙殺して国際舞台で見えを切った恰好だ。菅は普通とは思えない。

「花のことは花に問え。紫雲のことは紫雲に問え」と一遍上人は言った。「海のことは漁師に聞け」と浜では言い、「相場は相場に聞け」と兜町では言う。その伝に従えば、コロナのことはコロナに聞けである。対策を講じるうえで政府は、コロナを知る専門家を頼りとするしかない。

武漢からのチャーター便で帰国者が到着したり、感染者が出た「ダイヤモンド・プリンセス号」が横浜港に接岸したりの二〇年一月から二月にかけて、世間はまだそれほどコロナに敏感でなかった。

このとき厚生労働省に「専門家にアドバイスをもらったほうがいい」と言う医系技官がいて、アドバイザリーボードができ、内閣官房の下の専門家会議になる。それが五カ月後に廃止されるまで、未知のウイルスに対する専門家たちの奮闘ぶりを、ノンフィクション作家の河合香織が雑誌『世界』に書いていたのが本になった。

ふつう政府の審議会は、聞かれたことに答えておしまいである。聞かれないことには答えなくていい。だがコロナ専門家会議は違った。従来の形を踏み越えて、会議の「見解」を矢継ぎ早に発したのだ。自ら「前のめり」と認めるほどで、それほど危機意識と切迫感が共有されていたのだった。

彼らは毎週のように自腹で勉強会を開き、未経験の事態を分析し、論議した。そして今どんな対策を取るべきであるかを政府に提起し、一方で記者会見を開いて会議の「見解」を表明した。対策の意味を世間に理解してもらうには説明が必要だと考えたのである。これを主導したのが尾身茂であった。

「自分たちがどのような思いで見解を出そうとしてるかをメッセージとしてまず冒頭に置く必要がある」と尾身は言った。「簡単な病気じゃないんです。聞くほうは嫌かもしれないけれど、テクニカルなファクトを伝えるのが我々の責任です」「ここで何もしないと感染が爆発的に拡大してしまう。残念ですが、感染を完全には防御できません。それをどれだけ抑制できるかの瀬戸際なのです」

しかしこの試みは、厚生労働省の妨害に遭う。ひたすら前例を尊重し、下から上への手続きを重視し、縦割り主義を遵守してやまず、面子と無謬性を大事とする官僚根性は変わらない。見解の発表そのものを不快とし、草案文言の言い換えを求め、専門家会議の名義を外せと言った。

「国民を煽るな」という抵抗をはねのけて、専門家会議は「今が瀬戸際」「三密回避」「対人距離」といったキーワードを発信していく。「世論の関心と警戒の方向性を大きく短期間で転換する必要」に迫られているからであり、「いざ大事な時には、言うべきことを言うことが公衆衛生では最も大事だ」と信じたゆえであった。

政治家はとかく目立ちたがる。星野源とコラボする動画を公開した安倍晋三首相（当時）は、会議とのコラボなしに「一斉休校」を指示した。意見を聞いたり、聞かなかったり。一貫性の欠如を尾身は懸念したが、案の定、アベノマスクの配布、ＧｏＴｏキャンペーンと、政治と専門家との齟齬は続いた。それでいて安倍も菅も記者会見では尾身頼みだった。難しい質問だと回答を振った。

勉強会は週に二回、三回となり、それも深更まで及んだ。意見の一致もあれば不一致もある。感染対策を「強めるべし」と「もう少し穏やかでいい」とが対立した。怒鳴り合いになることもあった。辞めようとした人もいる。尾身は言った。「脇田さん（座長）も私も命をかけて闘うから、一緒にやりましょう」。その気迫に圧倒されて、誰一人抜けることはなかった。

しかし限りが来る。政府との衝突、世間の批判、「御用学者」呼ばわり。脅迫状が来て尾身には警護がついた。クラスター対策に奔走した主唱者は疲れ果てて入院。会議構成員の弁護士は「専門家の暴走を止められなかった」として損害賠償請求の訴訟を起こされた。尾身ですら「もうやってはいられない」と思う時があったという。

法的根拠のないまま専門家たちは政府の責任まで負わされていたのである。会議は自ら解散を申し出た。昨年七月三日に廃止され、新しく分科会が作られた。会長の尾身の信条は、本質的に大事なところ、ここは絶対に譲らないほうがいいという部分は主張することである。今年五月、分科会は政府の甘い諮問案を覆した。『世界』七月号からの「分水嶺Ⅱ」は、その「専門家の乱」から始まっている。

『旧約聖書』に「天が下のすべての事には季節があり、すべてのわざには時がある」(「伝道の書」第三章)とある。尾身の座右の銘という。神様は「その時」を言ってはくれない。リスクと責任を負って、決めていくのは自分だ。「すべてのわざに時があるならば、その都度、『これはその時か』を判断するしかない」と尾身は言う。

五輪にも時がある。専門家は警鐘を鳴らした。為政者は聞かない。コロナ年表の「二一年六月」の項に書き記した。「政治と専門家の間に大きな齟齬あり」と。

●『分水嶺——ドキュメント コロナ対策専門家会議』(河合香織著、岩波書店、二〇二一年)

コロナとつきあう法

(2021.10)

諸君は、かのウイルス博士を御存じであろうか？　御存じない。それは大変残念である。諸君は、ウイルス博士が的外れなコロナ対策に怒りまで覚えていたのを御存じであろうか？　御存じない。それは大変残念である。諸君は、「ウイルス学者は、ウイルス研究で結果を出す」を信条とする博士が警鐘の書を公にしたことを御存じないであろうか？　ない。嗚乎。

博士の名は西村秀一という。一九五五年生まれ。山形大学医学部助手から世界最大の感染症対策機関であるアメリカの疾病対策予防センター（CDC）へ留学して研究員、それから国立予防衛生研究所（現国立感染症研究所）ウイルス一部主任研究官を経て国立仙台病院（現国立病院機構仙台医療センター）ウイルスセンター長。呼吸器系ウイルス感染症が専門である。

博士が「コロナと正当につきあう法」を述べた本は、昨年の十月と今年の六月に出版された。「何を言おうが正論さえ貫いていれば恐れるものはない。定年間際であり、これから出世しようとか、どこかから勲章をもらおうなどという気持もまったくない」と言い切り、日本経済新聞記者井上亮というよき聞き手を得て、思うところを語っている。

九七年に鳥インフルエンザの住民感染が発生した香港で現地調査をやり、二〇〇三年のＳＡＲＳ（重症急性呼吸器症候群）流行で台湾へ応援に赴いた。「未知の感染症」経験は豊富である。「感染というのは結局、人間が広げている」と知るがゆえに、武漢の感染症発生で中国政府が予告なしの都市封鎖を断行したことを評価する。あの決断には専門家の進言が決定的な影響を与えたのだそうである。

博士はまた、百年前のスペイン風邪の世界的流行を詳述した『史上最悪のインフルエンザ』(みすず書房)や一九七六年の米政府によるワクチン行政の失敗を検証した『豚インフルエンザ事件と政策決断』(時事通信出版局)といった大著の翻訳を為し遂げ、内務省衛生局編『流行性感冒――「スペイン風邪」大流行の記録』(平凡社東洋文庫)に解説を施している。

言わばウイルス研究者としての視点と過去の感染症に通じた歴史的視点を併せ持って、博士は昨年一月以来、コロナ禍にあるこの国の状況を眺めていたのだが、どうにも不平不満と怒りが鬱積。黙っていられなくなった体である。

一つは、テレビで見る「〝専門家〟のありよう」が問題だ。連中の「指導」による「変な感染対策」のため人々は疲労を来している。誤りは修正されるべきだ。次に「行政、専門家、メディア、一般社会が感染症の脅威に取り組むありよう」にも不満がある。「今、歴史的出来事の渦中にあるということを意識し、私たちを百年後の人はどう見るのか考えながら生きている」との認識がないのだ。

「ワイドショーなどに出ている〝専門家〟を見ていくと、臨床の先生とか公衆衛生の専門家もいますが、大半は細菌とくに抗菌薬関連の感染管理の人たちですね。ウイルスを研究している人はほとんど見かけません。細菌の専門家、いわゆる『ばい菌屋』さんが多いから手洗いばかり言うんです」

〝専門家〟の容喙で、「必要な対策」が流布した。例えば――

フェイスシールド着用／店員のマウスガード着用／給仕人の手袋着用／入店前のアルコール消毒／図書館の本の表紙消毒／形だけの間仕切りシート／マスク表面に触るなとの警告／屋外でのマスク常時着用／飲食店の対面着座禁止／飲食店備品のアルコール消毒／海水浴場封鎖や富士登山禁止。

つとに接触感染説を排し、空気感染を唱えた博士は、これらをことごとく「無用」と一蹴。マスク会食を嗤い、葬儀で遺体が密閉されているのに唖然とするのである。「感染者が咳や息をするからウイルスが体外に出て感染するんです。亡くなった人が咳や息をしますか？」。

恐れ過ぎは弊害を生む。スーパーで買った食品の包装をアルコール消毒せずにはいられない人がいる。〝専門家〟がテレビで、どこもかしこも「ペンキ塗りたて」と思えと脅すからである。しかしコロナの接触感染などほとんどない。「可能性がある」とは素人でも言える。広がり過ぎた防止策を適切な範囲に狭めるのが本当の専門家というものではないか。

対策は政治主導が頼みだが、「コロナに敗れた証」として無能で無策で無力をさらした二人の首相（安倍晋三、菅義偉）が政権を投げ出した。リスクコミュニケーションが出来なかった政治家に、博士は憤懣やるかたない。

「対策本部が政策決定と議論の場であるように指示するのは首相の役目。それをやらないで、アベノマスクのような細かいことばかりやっていた」「どこかの優等生でもない何だかよくわからない人たち、あるいは苦労していないお坊ちゃまがそのままエスカレーターで上がってきたような感じの政治家が多い」「誰かに言われたことをオウム返しで言うようなリーダーではダメ」

「自分の頭で考え、心から思っていることをメッセージとして伝える。テレビカメラ越しに国民の眼をしっかり見つめて」「腹の据わった政治家はいませんね」。

憤懣は、危険度をきちんと伝えなければならないメディアに対しても募るばかりだ。PCR検査、感染者数の発表、ワクチン、変異株などに見られた紋切り型で垂れ流し的な報道は役に立たない。

「メディアは肩書で人を選ぶ」「異なる意見を探し出してきて伝えるのが仕事ではないか」「もっと勉強して、〝専門家〟にちゃんとした質問をしないとダメ」「政府追従の記事しか書けないなら新聞やテレビの存在価値はその程度だ」「メディアにだまされるな」

論文の引用数など糞食らえ、メディアやネットの受けを気にするなんて論外という博士は、本書を「蟷螂の斧」と謙遜しつつ「これが私の闘い」と明言している。

この稿の書き出しは坂口安吾の名作「風博士」を模した。ちなみに宿敵の蛸博士が、何とインフルエンザに罹るのである。

●『新型コロナ「正しく恐れる」』（二〇二〇年）▽『新型コロナ「正しく恐れる」Ⅱ 問題の本質は何か』（二〇二一年）＝いずれも西村秀一著、井上亮編、藤原書店▽『坂口安吾全集』第一巻（坂口安吾著、筑摩書房、一九九九年）

番外

義烈の人——渡辺京二さんを悼む

（2023.2）

コロナワクチン接種のあとに出た全身の発疹に難儀してオタオタしていた二〇二二年十二月二十五日、渡辺京二さんの訃報に接した。肥後熊本に盤踞し、人間と時代に強烈な関心を抱いて読書と考察を続けた九十二年の生涯であった。

「おれたちは常に地獄の釜の蓋の上で踊っているようなものだ。何を騒いでいるのか」という渡辺さんの言葉に横っ面を張られたことがよみがえる。二〇一一年三月、東日本大震災のときであった。ビルが崩壊し、人も家も津波に流された東北とは比較にならないが、地面が液状化して傾いた我が家で開いた毎日新聞のインタビュー記事で知ったのだった。

「私の考えを言えば、大方の憤激を買いそうだから」と新聞や雑誌のインタビュー依頼を全て断ったという渡辺さんが毎日にだけは応じたらしい。一人の記者がその年刊行の『未踏の野を過ぎて』の書き下ろされた巻頭文を見て取材を申し込んだと思われた。

「そもそも人間は地獄の釜の蓋の上で、ずっと踊って来たのだ。人類史は即災害史であって、無常は自分の隣人だと、ついこのあいだまで人びとは承知していた」と渡辺さんは言う。「だからこそ、生は生きるに値し、輝かしかった。人類史上、どれだけの人数が非業の死を遂げねばならなかったことか。今回の災害ごときで動顛して、ご先祖に顔向けできると思うか」と一喝し、「人類の記憶を失って、人工的世界の現在にのみ安住してきたからこそ、この世の終りのように騒ぎ立てねばならぬのだ」。

国難だとか日本は立ち直れるかとか騒いでいるのはメディアだけで、東北人はパニックなど起こしていない。首都が壊滅した関東大震災のときも米軍に無差別空襲で主要都市が焼野原になったときも「日本が滅びる」なんて言い出すものはいなかった。原発事故はこれまでなかったとは何だ。日本の二ヵ所で核爆弾が炸裂したのを忘れたのか。——少しは歴史を想起してみろと言ったのである。

「われわれは戦争と革命の二〇世紀を通じて、何度人工の大津波を経験してきたことか。アウシュヴィッツ祭り、ヒロシマ・ナガサキ祭り。収容所列島祭り、ポルポトの文化革命祭り」と列挙して、十代で敗戦国民として大陸から引き揚げてきた体験を呼び起こし、「私は戦火と迫害に追われて、わずかにコップとスプーンを懐に流浪するのが、自分の運命であるのを忘れたことはない」と言い切る姿は毅然としていた。

この被災で日本人の生き方が変わるのではないかといった推測が当時喧伝された。渡辺さんはこれに疑念を呈し、「歳月が経てばまた忘れるんじゃないか。何か大事件が起きれば大騒動し、時がたてばけろりと忘れるというのは、どうも私たちの習性らしいのだ」と述べている。原発回帰や軍事予算の増大を見通していたのである。

大震災のときと同様、コロナ蔓延に際してもこの姿勢は不動だ。「話さない。だって叩かれるもん」と頑なな渡辺さんに語らせたのは、スタジオジブリの雑誌『熱風』二〇二一年八月号であった。

「人間は生物の一つにすぎないと思えばいろいろな災害で死ぬのは当たり前なのよ。疫病だけではなくて、地震、雷、火事、そういう災害史はたくさんある。近頃だと、災害が起こると忘れないようにしましょうと言うわけよ。これはヒューマニズムだけど、昔は大災害が起こっても簡単に忘れ去ったの」「人間を特別に尊重するというのをほどほどにしたほうがいいと思うね。アンチヒューマニズムみたいだけど、アンチヒューマニズムが結局は人間をしてもっと人間たらしめると思うね」

稀代の逆説家はこの時九十歳。「明日死んでも不思議じゃない」「頓死する」「昨日まで元気だったのに、今朝死んどったというのがあるのよ」「あと二年ぐらいはいいかな」などと言っている。その朝は、起きて来ないので娘さんが覗いたら事切れていたそうである。

ちなみに『熱風』は亡くなる月の一日にもインタビューして、二〇二三年一月号に載せている。渡辺さんは「私の時代はもう終わった」とか「死ぬのは怖くない」と言いつつも、「名もなき人びとの歴史を書きたい」という素志のもとに、明治維新以来の近代が民衆にとって何であったかをいま「人物列伝」の形で書いていると語り、「今度ばかりは、読者に面白いと言ってほしい」と意気盛んである。

江戸時代像を覆す『逝きし世の面影』で渡辺さんは一躍話題になった。例えばお茶の水女子大学名誉教授の藤原正彦は「これだけの書物が名のある学者ではなく、熊本に住む一介の塾教師により書かれたということを知って欲しいと思っていた。一流の学者にひけをとらない実力の持ち主がこの日本の片隅にいることを知ってよいと思ったのである」と書いた。

これに憤激したのが、かねてこの片隅の独学者に注目し、『評伝宮﨑滔天』や『黒船前夜』を作った編集者小川哲生だ。藤原の品格のなさと鈍感さに驚き、「知らないのは相手が有名でないからだ」と言わんばかりの口ぶりに呆れたとある。学者先生なんて代物は、終生「小さきもの」を見続けた渡辺さんとは縁なき衆生であろう。

渡辺さんは「狂児」と呼ばれた。七〇年代、本田啓吉・水俣病を告発する会代表の言う「義によりて助太刀いたす」に呼応して水俣病闘争に関わり、患者のためには誰彼なく喧嘩したからだという。運動は崩壊し、渡辺さんは離れるのだが、その経験をこう述べる。

「ごくふつうの人間の何ということのない毎日、自然に働きかけ仲間と交わる日常の中にこそ人間の一切の存在意義があるんであって、その世界をややこしくするような、あるいは破壊するような、あるいはねじまげたり抑圧するような、そういうのはいけないんだということですね、このことを僕は水俣病でしっかり学んだ」

普通の人間のごく普通の日常を守る。そのため命を賭すのも厭わない。それが義だと言っているのである。思うに、渡辺さんは「義烈の人」であった。

●『未踏の野を過ぎて』（渡辺京二著、弦書房、二〇一一年）▽『死民と日常――私の水俣病闘争』（同、同、二〇一七年）

あとがき

年を取るということがどういうことかは年を取ってみなければ分からない。そうとはかねて承知していたつもりだが、わが老いらくがこんなものになるとは思ってもみなかった。新型コロナウイルスの襲来である。二〇二〇年、わたしが七十五歳のとき降って湧いたコロナで、それまでの日常は激変を強いられた。目的なしに読書し、映画館へ行き、ときどき会いたい知友と会って呑み、いい季節にはどこか旅をする——という夢は幻《まぼろし》となった。コロナによる「非常事態」のなかで、「人に会わず、外で酒を呑まず、旅に出ず」の三ず主義を墨守して陋屋に引きこもるほかないうちに七十七歳を過ぎた。「十五、十六、十七と、わたしの人生暗かった」の藤圭子なら、「七十五、七十六、七十七と……」と歌ったかも知れない。そう言えば、歌姫の訃報が伝えられたのは二〇一三年、ひと昔前のことになる。月日の経つのは早いものだ。

「早いもんですな。昔っから『光陰矢の如し』なんてえ言葉がありますが、これはどういう意味かというと…、「光陰というものは、あーア矢の如しだなぁ」という意味だそうですな。たいへんにまあ、難しい言葉でございまして…」と、古今亭志ん朝は「芝浜」のまくらで喋るのだが、何も言ってないようで何か言おうとしている声音が、酒で人生をしくじりかけた魚熊が立ち直って三年後の大晦日、杯に口をつけようとしてふとやめ、「また夢ンなるといけねェや」というオチに共鳴する。「或る苦労人に言はせると、『光陰矢の如し』という諺が、凡そ人間の発明した諺のうちで、一番い、出来ださうである」と言ったのは小林秀雄であった。「成る程何はともあれこの諺は極めて悲劇的である。悲劇的なものは、何はともあれ教訓的なのだらうと俺は思ふ」と続くのは、「この諺は俺にはまだ少々見事すぎる、腹にこたへる程俺はまだ成熟してゐない様に思ふ」ゆえで、こう書いたとき小林はまだ三十歳くらいだった。それから年を取るうちにだんだん「腹にこたへる」ようになったに違いない。

会員制の月刊雑誌『選択』に「本に遇う」と題する連載を始めたのは二〇〇〇年の一月であった。以来あしかけ二十三年になる。まさに光陰矢の如しである。この間に公私ともいろんなことがあった。ほとんどはすでに忘却の彼方だというのに、連載の始まりについては昨日のことのように覚えている。まだ新聞にいた一九九九年の秋半ばであった。『選択』の創業者で発行人の湯浅正巳さんが突然訪ねて来た。記者の必読誌といわれた『選択』は年間契約していたが、それまで何の関係もなく、わたしはただの購読者にすぎない。初対面の湯浅さんはいきなり「うちに何か書け」と言うのであった。政治、経済、国際それぞれに各社名うての記者たちが匿名で書いているのだと噂に聞いていたから驚いた。紙面の片隅に自分にしか書けない記事を書いてきたつもりはあるが、『選択』にはニュースの深部や裏側を覗くようなものが必要であろう。とても我が任にあらずと辞退した。すると湯浅さんは「本についてどうか」と言う。一九九四年から書評委員を務めていたからそれが湯浅さんの目に止まったのかも知れない。「書評ですか」と聞いたら「いや、何でもいい。原稿用紙六枚くらい」としか言わない。

それから二十年を超えて続くとは湯浅さんも思っていなかったのではないか。この間、湯浅さんは世を去り、『選択』は倅の次郎氏が後を継いだ。わたしは社をやめ、「家事見習い」になった。時は速やかに過ぎ去る。諸事変転してそれでも続いているのだから不思議な気がする。記事は一日のいのちと覚悟している新聞記者に、そもそも自分の文章を本にするという発想はない。それを本にしようと言ってくれたのは旧友小川哲生である。森崎和江、上野英信、吉本隆明、渡辺京二らに厚く信頼され、さらに世に知られざる書き手を探し出しては四百冊を超える本を作った「生涯一編集者」だが、書生時代から時に会っては馬鹿話をして呑むという仲だから遠慮することはない。任せた。それで二〇〇〇年から〇五年までは『酒と本があれば、人生何とかやっていける』に、〇六年から一〇年までは『夜ごと、言葉に灯がともる』として出し、その後の一一年から一五年までは『持つべき友はみな、本の中で出会った』に収めた。

学校でろくな勉強もせず、良き教師にも出会わず、無師無統で独学と言えば体裁はつくが、要するに自分勝手流であれこれ読みかじり、聞きかじったに過ぎない。何の体系性もない。しかし中江丑吉という人を知り、むのたけじという人を知って、人生は真面目に生きるに値するという確信を得た。ただそこに至るには多少の紆余曲折を経なければならなかった。若年期、思えばわたしにも人生いかに生きるべきかと思い悩んだ日々があった。そのことを他人に吹聴する趣味はないが、かなり重症で今なら引きこもりといわれる時期が三年続いた。偉かったのは両親で、一切何も言わず、自由にさせてくれた。わたしは読みたい本を読みたいだけ読んだ。

『中江丑吉書簡集』で知った中江が、満州事変を「世界戦争の前兆」と言い。盧溝橋に始まった日中戦争を「世界戦争の序曲」と称したことに驚いた。中江は対米開戦と敗戦も早くから予言した。政治を壟断した軍部を赦さず「敗けたとき軍部というやつがイヤというほどゴーカンされる図を生きてみてやる。しかしそのときはわれわれ国民もまたゴーカンされるんだ」と言ったが、開戦二年目に五二歳で死んだ。この人は兆民の子に生まれながら生涯ついに社会的活動をしなかった。遠く北京に隠れ、放蕩無頼の生活をしていたのを三十歳七草の日に学に志し、朝四時に起きて門を閉ざして中国古代政治思想の研究に邁進、たまに成果を少部数私刊して友人知己に送るだけでよしとした。読むなら原書、付き合うなら本物。まやかし、へつらい、うそを嫌い、けれん、はったり、見栄を軽蔑した。この世には選手《チャンピオン》と大衆《マッセ》があるが、歴史を作っていくのは無名の大衆であり、自覚した大衆の道を憚らず行くことが大事だと言って、これはと見込んだ若い友だちに「そのための勉強を一生怠るな」と諭したという。

そのころ、むのたけじの『たいまつ十六年』を読んだ。一九四五年八月十五日、勤め先の朝日新聞に「戦争協力の記事を書いた責任を取る」と言って辞表を出し、故郷に帰って東北は秋田の横手で週刊新聞を作ってきた記録であった。「あんなやめ方ではまた戦争が始まる」と言い、敗戦国日本を立て直すには、一切合切どん底から出直すしかないと信じて決断したとある。言うこととすることは矛盾してはならない。「美しいといえる生き方があるとすれば、それは自分を鮮明にした生き方である」というむのの言葉に打たれた。中江やむのの「自分を鮮明にした生き方」と勤勉さに突かれて、わたしの背筋も少しはシャキッとなったように感じた。自分に真実に生きることだ。そう決めたら心が軽くなって、わたしは迷妄期を脱した。

わたしの父親は毎日新聞の記者だった。祖父は日本支配下の旧朝鮮に渡り、小さな成功を遂げたらしく戦争中は「大邱日報」を経営していた。だから「お前は三代目だ」と人に言われたことも作用したのかも知れない。子供のころから、将来銀行員は金輪際ないけれど新聞記者というのは頭の隅にあったのだと思う。ドストエフスキーを読んで小説家は断念した。学者になるには緻密さが足りない。記者になるか。そうだ、『たいまつ』に行こうと考えた。相談したところ、個人紙になった『たいまつ』に新採用予定はない、行くなら朝日だとむのに言われた。父親は倅の新聞志願に多少嬉しそうな顔をしたが「うち（毎日）は受けるな」とだけ言った。親子して一つ会社に禄を食むのはみっともないと言いたげであった。それで朝日にした。そこまではっきりしている。だがその後は光陰矢の如しで、記憶は曖昧模糊となる。

「本に遇う」を読み返していると、あんなこともあった、こんなこともあったと思い出される。今度の『読んだ、知った、考えた』は二〇一六年から二二年までの八十四稿（番外の稿を含めて八十五稿）を小川が章立てして編集したものだが、この七年の間にもいろんなことがあった。「一強」と称されて戦後体制を次々と変更していき憲政史上最長の在任期間を誇った安倍晋三政権が、予期せぬコロナウイルスの爆発の中で無力無策を露呈して倒れた。さらに当の元首相が銃弾を受けて落命した。オリンピックが来て、去った。子供が親に虐待されて死に至るという事件が連続した。原節子、立花隆、池内紀、むのたけじ、瀬戸内寂聴、田中邦衛、野中弘務など何らかの関心を抱いた先人が次々と鬼籍に入った。ロシアが隣国ウクライナを侵略し、戦争は続いている。時代の動きに反応してしまうのは新聞をやめてからも変わらない。もっと悠然と出来ないものかと反省してみるのだが、これは死ぬまで直るまい。かくて毎月、狭い部屋で新聞と書籍に埋もれて時事に即して何か書くに際し、我ながら真面目で勤勉な時を過ごすのである。

主題を定めると本を探す。記憶の底から呼び戻すものもあれば、新たに求めたり図書館で検索したりして見つけるものもある。それから読む。考える。どう書くか。どろどろした想念が固まってきて、書き出しが浮かんだら机に向かう。書き上げるのに一週間をかける。四日かけて一応作り、あとの三日は読み直して直しをする。かつては仕事の合間に二日ばかりで仕上げたこともあったが、今はそんな急ぎ働きはしない。ときに読者から賛同の手紙などもらうことがある。誰かの参考になっていると思うとうれしい。

曲がり角でない時代はない。時代がどんなに激動しようと、何が起き、何故なのか、何をすべきかを的確に判断し、見通しを誤らないようにしたい。そのために事象を知り、自分なりに考える。それくらいは努めなければならない。それが「自覚した大衆」の義務である。中江丑吉は中国古代政治思想という専門を選びながら、「目前の歴史を考えようともしないで、昔のことが分かるか」と言って現代への観察を怠らなかった。戦争にこだわったたむのたけじは百一歳の人生を全うするまで「反戦」の旗を掲げて人に語りかけた。わたしに何が出来るというわけではないが、せめて市井の生活者として歴史に対する謙虚さを失わないようにしたいと思っている。

末筆ながら、わたしの雑文集など間違っても売れるはずはないのに、出版不況にも関わらず版元を引き受けてくれた弦書房の小野静男さんに御礼を申し上げる。

二〇二三年一月

千葉県浦安の寓居で　河谷史夫

書名索引

サ行

タ行

ナ行

ハ行

マ行

ヤ行

ラ行

ワ行

著者略歴

河谷史夫（かわたに・ふみお）

一九四五年生まれ。早稲田大学第一政治経済学部卒業。七〇年、朝日新聞社に入社し、社会部、社会部デスクを経て企画報道室編集委員、編集局特別編集委員、論説委員、二〇一〇年定年退社。

社会部時代は警察、教育、公費天国キャンペーン、農政など担当。「幻の童謡詩人・金子みすずの発見」を報じる。また昭和天皇死去の前後、東京に広がった自粛の風景を連日「自粛の街を歩く」という詳細なレポートにした取材班のデスク兼キャップ。九二年から二年四か月、コラム「きょう」を担当。九四年四月から七年、書評委員を務め、二〇〇三年一月から五年、コラム「素粒子」を書いた。現在、朝日新聞社友、夢の庭画廊（上田市）友の会会長。

著書に『読んだふり』（洋泉社）、『一日一話』（洋泉社・新書y）、『何度読んでも、いい話』（亜紀書房）、『新聞記者の流儀』（『記者風伝』を改題、朝日文庫）、『酒と本があれば、人生なんとかやっていける』（言視舎）、『夜ごと言葉に灯がともる』（彩流社）、『持つべき友はみな、本の中で出会った』（言視舎）などがある。

読んだ、知った、考えた　2016～2022

二〇二三年 四 月二〇日発行

著　者　河谷史夫
発行者　小野静男
発行所　株式会社　弦書房
（〒810・0041）
福岡市中央区大名二－二－四三
ELK大名ビル三〇一
電　話　〇九二・七二六・九八八五
FAX　〇九二・七二六・九八八六

組版・製作　合同会社キヅキブックス
印刷・製本　シナノ書籍印刷株式会社

落丁・乱丁の本はお取り替えします。

ISBN978-4-86329-266-6　C0095

◆弦書房の本

もうひとつのこの世
石牟礼道子の宇宙

渡辺京二 〈石牟礼文学〉の特異な独創性が渡辺京二によって発見されて半世紀。互いに触発される日々の中から生まれた〈石牟礼道子論〉を集成。石牟礼文学の豊かさときわだつ特異性を著者独自の視点から明快に解き明かす。〈四六判・232頁〉【4刷】2200円

《新装版》江戸という幻景

渡辺京二 江戸期の日本人が残した記録・日記・紀行文から浮かび上がる、近代が滅ぼした江戸文明の幻景がここにある。西洋人の見聞録を基に江戸の日本を再現した『逝きし世の面影』の姉妹版。
解説／三浦小太郎〈四六判・272頁〉1800円

玄洋社とは何者か

浦辺登 近代史の穴・玄洋社の素顔に迫る。近代史の重要な局面には必ず玄洋社の活動がある。玄洋社を正確に評価できなければ、近代史の流れを正確につかむことはできない。GHQによりテロリスト集団とされた玄洋社の実像とは。〈四六判・254頁〉【2刷】2000円

生き直す 免田栄という軌跡

高峰武 獄中34年、無罪釈放後の37年の稀有な生涯。確定死刑囚から日本初の再審無罪となり「生き直した」生涯をたどる。獄中から家族への手紙400通と教誨師・潮谷総一郎氏への手紙1000通から免田さんの声を紹介。圧倒的な肉声の束が私たちに語りかける。【2刷】〈四六判・276頁〉2000円

【第35回熊日出版文化賞】
昭和の貌 《あの頃》を撮る

麦島勝【写真】／前山光則【文】 「あの頃」の記憶を記録した335点の写真は語る。戦後復興期から高度経済成長期の中で、確かにあったあの顔、あの風景、あの心。昭和二〇〜三〇年代を活写した写真群の中に現代が失った〈何か〉がある。【2刷】〈四六判・272頁〉1800円

＊表示価格は税別